ポストコロナの米中覇権とデジタル人民元

遠藤 誉
GRICI 所長　筑波大学名誉教授

白井一成
GRICI 理事　実業家・投資家

中国問題グローバル研究所（GRICI）・編

実業之日本社

本書は、一般社団法人中国問題グローバル研究所の所長である遠藤誉・筑波大学名誉教授と、実業家・投資家であり、同研究所の理事である白井一成の議論から生まれたものである。同研究所の中国代表である北京郵電大学の孫啓明教授による投稿や見解を交え、中国問題グローバル研究所の研究成果として上梓する。章ごとに執筆分担を明記し、文責ならびに著作権はそれぞれの執筆者に帰属する。

（編集部）

『ポストコロナの米中覇権とデジタル人民元』目次

第1章　香港問題、習近平の「父のトラウマ」と米中相克（遠藤誉）

第2章　ポストコロナを巡る米中覇権構造（遠藤誉）

第3章　米中経済戦争の本質――ドル支配の行方（白井一成）

第4章　習近平が睨む「ブロックチェーンとグレーターベイエリア」（遠藤誉）

第5章 新型コロナウイルスは世界をどう変えるのか（白井一成）

第7章　デジタル通貨時代の「日本再興戦略」（白井一成）

第8章　中国側の見解に対する考察と日本への警鐘（遠藤誉）

装丁　大村貢一郎
編集協力　バウンド

第1章

香港問題、習近平の「父のトラウマ」と米中相克

（遠藤誉）

【1】一歩も譲れぬ習近平――父の「負の遺産」

1．香港「国家安全法制」はコロナで「延期された」だけ

２０２０年5月、新型コロナウイルス肺炎（COVID-19 以下、コロナ）のアメリカにおける感染者が１６０万人に迫る中、中国の新規発生者はゼロ人から多くても一桁にまで減少し、５月22日には全人代（全国人民代表大会）を開催するに至った。

従来どおり北京の人民大会堂で開催するとしても、一部はリモート参加になるのではないかと懸念されていたが、それさえもクリヤーして、２９５６人中２８９７人が実際に一堂に集まった。

5月21日から27日までは、同じく人民大会堂で全国政治協商会議（正式名称は中国人民政治協商会議全国委員会）が開催されたが、この二つの会議は毎年1回並行して同時開催されるので、中国では全人代と全国政治協商会議を合わせて「両会」と呼ぶ。中国最高の立法機関は全人代で中国共産党員が多く（70％ほど）、全国政治協商会議は主として提案などをし、八大民主党派などの非共産党員が多い。本書の最終章では全国政治協商会議における提案をご紹介するが、この章では「両会」のうち全人代にのみ注目して考察する。

李克強（りこくきょう）国務院総理（首相）は全人代の政府活動報告で「中国建国以来、未曽有の規模のコロナ災禍に見舞われ、経済成長の見通しはなお見通せない」として初めて今年のGDP成長率予測発表を見送っている。これはどの国でも類似の状況にあるので驚くべきことではない。

また中国の経済成長率が鈍ったとして喜ぶ日本人がいるが、習近平は2014年にGDPの「量から質への転換」を謳った「新常態（ニューノーマル）」戦略を打ち出し、世界の工場から脱皮してイノベーションに特化する国家ハイテク戦略である「中国製造2025」も2015年から動き始めた。

胡錦濤（こきんとう）がかつて「2020年には2010年のGDPを倍増させる」というGDP倍増計画を打ち出したが、習近平もそれを受け継いだ。事実、2018年には2010年のGDPの倍以上を達成し、GDP倍増計画はすでに完結している。だからなおさら中国ではGDP成長率にこだわっていない。

それよりも世界に衝撃を与えたのは、全人代で香港治安に対する国家安全法案が提出されたことだ。

国家安全法は、ひとことで言ってしまえば、デモや集会などわずかな反政府あるいは民主運動につながるものであっても直ちに「政府転覆罪」などとして逮捕することができる法律だ。民主運動に関する外国の支援も罰される。

昨年（2019年）、香港特別行政区政府として「逃亡犯条例改正案」を通そうとしたが香港市民の激しい抗議に遭い廃案に追い込まれてしまった。今年（2020年）9月には香港政府の立法機関である立法会議員の選挙があるので、習近平国家主席にとって大きな脅威となっている。このまま民主を叫ぶ香港市民を自由にさせておくと香港統治が危うくなると習近平は判断しただろう。

そこでかくなる上は「合憲的」に、「中国」という国家全体をカバーする中華人民共和国憲法（以下、憲法）と中華人民共和国特別行政区基本法（以下、基本法）に秘かに填め込んである「爆弾」を炸裂させようと昨年から周到に計画を練っていた。

その証拠に2019年10月28日から31日まで開催された「四中全会（中国共産党中央委員会第四回全体会議）」で、香港に国家安全法を導入する決議が成されていたのである。四中全会では「憲法と基本法に基づいて香港の国家安全を守る法律制度と執行機関を確立しなければならない」と決議している。

この決議を本来なら2020年3月5日から始まるはずだった全人代で採決し、9月の香港立法会議員選挙に間に合わせようと着々と準備を進めていたわけだ。表現がオブラートに包まれていたので、気が付く人は少なかったが、全人代常務委員会委員長の栗戦書は、今般の全人代における香港への国家安全法制導入に当たって「すでに昨年10月の四中全会で決議されていたとおり」と説明している（5月25日の審議において）。

そもそも中国本土の国家安全法が制定されたのは、実はつい最近のことで、2015年7月1

日のことだ。7月1日というのは香港が中国に返還された記念日で、おまけに国家安全法制定を審議し始めたのは香港で雨傘運動があった2014年の11月である。スタートからして「香港」がターゲットに絞られているのである。

一方、なぜ「このタイミングで?」という疑問が世界を駆け巡り、「コロナ災禍に紛れて、まるで火事場泥棒のようではないか」という憶測が定着している。その気持ちは理解できる。

そうでなくともコロナ感染者の激増に伴い、アメリカの中国に対する攻撃は激しさを増していた。アメリカ全土が「中国憎し」「中国許すまじ」という反中感情で燃えていると言っても過言ではない。アメリカは必ず民主の砦としての香港を反中勢力の拠点に使うだろうし、独立志向が高い台湾の蔡英文政権を支援して中国に揺さぶりを掛けて来るだろうと、中国は警戒している。

ならばなぜ、それを押してでも香港「国家安全法案」を強行しなければならなかったのか。

その解明こそが、「習近平が何を考えているのか」を解き明かすカギであり、本書の目的の一つでもある。そこには習近平の父親・習仲勛に対する複雑な心情があり相克がある。香港問題は奇しくも習近平の「隠された真相」を、否が応でも露わにさせてくれているので、それはこの後一つずつ考察していきたいと思う。

ここではまず、香港への「国家安全法制」導入は「コロナで延期された」のであって、「早くなったのではない」ことを頭に入れておいていただきたい。そうでないと、中国の長期戦略と中国の真相を見抜くことはできない。

では、中国（北京中央）はどのようにして香港をカバーするつもりなのか。

これに関しては、全人代常務委員会副委員長の王晨が説明した「香港特別行政区の健全な国家安全の法律制度と執行機構を確立するための決定（草案）」（5月28日に反対票1で可決。以後、決定）を見ればわかる。

「決定」の冒頭には以下のように書いてある。

——国家主権、安全保障、発展の利益を守り、「一国二制度」を堅持し香港の長期的な繁栄と安定を守り、香港住民の正当な権利と利益を守るために、中華人民共和国憲法第31条、第62条第2項、第14条、第16条、および中華人民共和国香港特別行政区基本法の関連規定に基づき、全国人民代表大会は以下のように決定した。

「決定」は7項目に分かれているが、それを順不同でざっくり述べれば以下のようになる。

①中国は香港に対する外国および外国勢力の干渉に断固として反対し、法律上必要な措置を講じる。

②香港は基本法に規定されている国家安全保障の保護に関する法律を早急に完成させよ。

③香港が国家安全保障を守るための健全な制度と執行機構を確立すること。国家安全保障を守るための中央人民政府の関連機関が、その支局を香港に設置することができる。

④全人代常務委員会に、香港の国家安全保障を維持するための健全な法制度と執行機関の

確立に関する関連法を制定する権限を与え、関連条文を基本法「付属文書三」に記載して香港で実施する。

①は主としてアメリカを意識していることは明らかだ。②は後述する基本法第23条を指している。③は、たとえば北京にある中央行政省庁の一つである国家安全部の支局を香港に置くということである。

ちなみに、同じ特別行政区として一国二制度を推進しているマカオでは、２００９年にマカオ市民が積極的に賛同して基本法第23条に沿って国家安全法を制定させ、国家安全部の支局をマカオに設置している。マカオは中国に返還されたことによりマフィアなど暴力団が消滅しカジノで安定した収入が得られるようになったために中国返還を大歓迎しているからだ。観光業で大儲けしているので、国家安全部の取り締まりを「市民」が歓迎していることに注目しなければならない。貧富の格差がなく、教育や医療あるいは老後保障などの福利厚生も万全で、毎年約10万円の現金を市民にプレゼントとして配っているほどだ。今年の日本のコロナによる10万円の特別給付金のようなものだ。これを毎年やってきているのだから市民に不満はない。だからマカオでは民主を求める大きな抗議デモが起きた試しがないことに注目しなければならない。

香港で抗議運動が絶えない理由の一つに「極端な貧富の格差」がある。もし北京が香港の抗議運動を解決したければ、実は香港の貧富の格差を解消するのが一番の早道だ。チャイナ・マネーで「人心を買おうとしていない」のはむしろ中国的でないのだが、これは後述するように「江沢民がパンドラの箱を空けてしまった」からなのである（香港とマカオの比較は、田原総一朗氏との対談をまとめた『日中と習近平国賓』で詳述した）。

④は憲法と基本法との関連において理解しなければならない。基本法「付属文書三」は後述する。

これらから、香港への国家安全法制導入とは何かを理解し、何が問題で今後何が起きるかを考察するには、相当にしんどくても、関連する憲法と基本法を正確に把握することが肝要である。

では、一つひとつ丁寧に考察していこう。

香港が中国に返還されたのは1997年7月1日で、基本法に基づいて「一国二制度」を50年（2047年まで）実施することとなっている。基本法に基づく香港統治を司るのは全人代常務委員会であることが基本法にも謳われている。

その基本法の第23条には以下の文言がある。

――香港特別行政区は反逆、国家分裂、反乱扇動、中央人民政府転覆、国家機密窃取のいかなる行為をも禁止し、外国の政治的組織または団体の香港特別区における政治活動を禁止し、香港特別行政区の政治的組織または団体の、外国の政治的組織または団体との関係樹立を禁止する**法案を自ら制定しなければならない**。

この「法案を自ら制定しなければならない」という文言が謎解きの第一歩になる。

2.「未完」の基本法23条と習近平の父・習仲勲

なぜ、「法案を自ら制定しなければならない」として、まるで「宿題」のような形で「未完」のまま残したかというと、大きく分けて二つの理由がある。

一つは「一国二制度」は本来、台湾統一に対して適用しようと思っていたからだ。この考え方は毛沢東が大雑把な概念として描いていた。

1979年1月1日に米中国交正常化が正式に成されると、鄧小平は同じ日に「台湾同胞に告ぐ書」を発表している。そして日中戦争時代に接触のあった蔣介石の息子・蔣経国に「一国二制度」により「中華民国」の制度をそのまま残すので、台湾と中華人民共和国とを平和統一しないかと持ち掛けてみた。

しかし、北京の策略のせいで国連脱退に追い込まれた父親・蔣介石の無念を一身に背負っていた蔣経国は一言の下に断った。そこで鄧小平はやむなく「一国二制度」を香港返還に「転用」することとなった。したがって台湾に「一国二制度」はこんなに良いものですよ、ということを見せるために「未完」のままにしてあった。

二つ目の理由はもっと深刻だ。

それは習近平の父親・習仲勲と関係している。

蔣経国に拒絶された鄧小平は、1982年9月、人民大会堂で当時のイギリスのサッチャー首相と香港の中国返還に関して話し合い、「一国二制度」導入と、それを50年間維持することを約束した。

実際にどのようにして「一国二制度」を導入し、香港の自由と民主あるいはアジアの国際金融センターとしての役割を維持するかに関して、１９８３年に香港の「12人の青年訪中団」が、人民大会堂や中南海（中国中央政府や中共中央の執務室、官邸があるところ）で習仲勛と面会した。この時に法体系に関して話し合われ、その流れの中で、かつてのイギリス連邦が主導する「コモンロー（英米法）」体系を採用することを習仲勛は認めたのである。

鄧小平が何としても香港を中国に返還させたいと思った目的の一つは、領土問題もあるが、急いだのは香港の国際金融センターとしての役割だった。まだ改革開放を（１９７８年12月に）始めたばかりの中国にとって、香港は眩いばかりの存在で、改革開放の「窓」を照らす輝かしい存在だった。話し合われたのは１９８２年、83年であることを考えると、中国でも使っているシビルロー（大陸法＝ローマ法を起源とするヨーロッパ大陸法）体系を香港に持っていくことなど考えられない変更であった。

そもそも１９４９年10月1日に中華人民共和国が誕生して以来、中国大陸では政治運動ばかりが展開され、１９６６年から76年にかけては知識人や学問を否定した文化大革命（以下、文革）があり、法律も何もあったものではない。毛沢東の言葉がすべてを決める人治国家であった。

だから習仲勛の「コモンロー」維持に対する承認を鄧小平も承諾したのである。

そのため基本法には香港の裁判所に外国籍裁判官を置くことを認めると規定している。英米やカナダ、オーストラリアなどの国籍の裁判官は民主化運動に寛容だ。

しかし、問題はその後に起きた天安門事件により、習近平の父・習仲勛は習近平に対して大きな負の遺産を残すことになることだ。

１９８９年6月4日に天安門事件が起きると、何名かの基本法起草委員会の香港側代表が委員会を脱退した。また、現在の香港民主党派の父であるような李柱銘（マーティン・リー）が抗議表明の先頭に立った。この李柱銘、実は１９８３年に習仲勛と会った「12人の訪中青年団」の一人だったのである。

当然、基本法起草委員会の委員の一人でもあったのだが、天安門事件に抗議したことから起草委員会を解任されてしまった。天安門事件前後における基本法草案の内容を熟知している李柱銘は「基本法第23条は、天安門事件前には存在しなかった」と暴露した。

つまり、香港の治安維持に関する第23条は、「天安門事件を受け、あとから付け加えられたものである」と証言してしまったのだ。

基本法は１９９０年4月に全人代で可決成立しているので、天安門事件から1年も経っていない。だから結論に至らず「未完」のまま残されてしまったということだ。

２０１９年の逃亡犯条例改正案は、この「未完」の部分を「完成」に近づけて欠陥を補いたかったからなのだが、習近平としては、この二つ目の理由があるため、何としても自分の手で逃亡犯条例改正案を通したかったのである。

それは父親の残した負の遺産を次の指導者に委ねると、父親が批判の対象として浮かび上がってくるのを避けたいという「父親への敬慕の念」が働いたものと思う。だから負け戦でも怯まない。何としても突き進む。

そもそも天安門事件は開明派だった胡耀邦（元中共中央総書記）の死去（１９８９年4月15日）に端を発している。胡耀邦は民主に理解を示していたために八大元老と呼ばれた保守派によって下野させられていた。八大元老の中には習近平の父・習仲勛がいたが、習仲勛一人だけは最後まで胡耀邦の下野に反対し、胡耀邦を守り続けた。なぜなら習仲勛を16年に及ぶ監獄生活から救い出したのは胡耀邦だからだ。文革が毛沢東の死によって１９７６年に収束すると、文革で投獄された多くの党幹部や知識人が釈放されたが、習仲勛だけは文革前から毛沢東の決断で別途投獄されていたので、文革による名誉回復者の中には含まれなかった。そこで習近平の母親が胡耀邦に頼んで特別に釈放されたのである。このとき胡耀邦は鄧小平に頼むなど懸命の努力をしたことを習仲勛は知っているので、その恩義を忘れなかったわけだ。

習近平としては何としてもこの事実がクローズアップされないように、逆に民主を弾圧するという側面を持っている。

天安門事件が起きると、習仲勛は胡耀邦のために学生側の言い分に耳を傾ける場面さえあった。

父親が侮辱されないように民主弾圧を強化するのは、江沢民の父親が日本の傀儡政権・汪兆銘政権の官吏であったことをカバーするために、江沢民が必死で反日愛国を強調し、自分の出自を淡白化しようしたのに似ている。

しかし、そうであるが故にこそ、習近平は民主化に対して一歩も引かないという未来予測が見えてくるのである。

さて、話を戻そう。

全人代における「決定」の冒頭にもあるように、香港政府を中央が憲法に基づいて直接コントロールできる法律は憲法第31条（国家は必要のある場合は、特別行政区を設置することができる。特別行政区において実施する制度は、具体的状況に照らして、全国人民代表大会が法律でこれを定める）や第62条などで定めている。憲法であらかじめ保証されているのだ。「一国二制度」などと言っても、北京中央は必ず直接統治への抜け道を「抜かりなく」最初から準備してある。爆弾が仕掛けてあるのだ。いざとなったら合法的に炸裂させればいい。

基本法第18条には、大陸の憲法が香港をカバーする項目に関して書いてあり、具体的な項目は基本法「付属文書三」を参照せよとなっている。

では「付属文書三」には何が書いてあるかというと、これはチョコチョコッと数十文字程度で数項目の事象が書いてあるだけなのだが、そこには「国歌」や「国旗」への共有もあり、文字数は多くないが、大陸の憲法を香港にも順守させる非常に重要な「例外項目」が規定してある。

この「付属文書三」に全人代常務委員会が制定する香港の国家安全法に関する条文を加筆しようという算段なのである（この部分の原稿を書いたのは5月末だが、6月30日、案の定、全人代常務委員会は香港の国家安全維持法を、この「付属文書三」に加筆すると決定した。香港には約1400社に及ぶ日本企業が進出しているが、日本企業を含めたすべての在香港外国人にも適用されることになろう）。

3．パンドラの箱を開けた江沢民

基本法ができ上がった当時、本来、第23条の「未完」の部分は、「未完」のまま50年間やり過ごしてしまうはずだった。そうやってうまく台湾を平和統一する日を待つことになっていたと言っていい。

しかし、そのパンドラの箱を空けてしまった男がいる。

2003年3月まで国家主席だった江沢民だ。それ以来、香港市民の民主を求める心を刺激してしまったのである。

その経緯をご紹介したい。

2002年9月、江沢民は、初代香港行政長官・董建華（とうけんか）（親中派の大富豪）に対して、基本法第23条に基づいて「国家安全法」を制定せよと指示したのだ。江沢民は2002年11月8日から

14日まで北京で開催される第十六回党大会で中国共産党中央委員会（中共中央）総書記の座を退かなければならない。翌2003年3月に開催される全人代では、国家主席の座も下りなければならないという時期に差し掛かっていた。

そのため江沢民としては何としても2002年11月の党大会で第23条を完結させ、それを翌年3月の全人代で可決させ法制化することを目指したかった。この機を逃せば、次期国家主席（胡錦濤）が断行しようと決意するか否かは保証のかぎりではない。だから2002年9月は、もう待ったなしのギリギリの時期だったのだ。

江沢民には、香港における国家安全法制定をどうしても急ぐ理由があった。

それは法輪功（ほうりんこう）問題だ。

法輪功とは1992年5月に中国の東北部にある吉林省長春（ちょうしゅん）市の李洪志（りこうし）が始めた太極拳あるいは気功のようなもので、内面性の向上を取り入れて健康管理を訓練するということから、爆発的に学習者が増えた。というのも、改革開放とともに計画経済体制で保障されていた社会保障体制も崩壊し、それまでの「揺りかごから墓場まで」すべて国家が面倒を見てくれるというシステムもなくなったからだ。かといってまだ医療保険的な概念もなく、高騰する医療費の負担をどうするのかという不安は中国全土を覆っていた。その当時の中国人留学生の中には中国における医療費があまりに高いために、日本に来て留学生として日本の健康保険に加入し、日本で治療するという者さえいたくらいだ。

だから党幹部の中に法輪功で体を訓練する者が出てきたのも、ふしぎではない。中南海の中にも続々と法輪功学習者が現れた。庶民の中では「中功」とか「香功」などというのも出現して中国全土の公園は法輪功訓練者の花盛りになったのである。しかしそうなると、単なる流行ではなく、一つの組織としての力を持つ可能性もある。中国では任意の団体が組織として活動してはならない。

そこで1995年になると江沢民は法輪功の組織を中国政府あるいは中国共産党組織と結び付けようとして、中央人民政府の管轄下にある国家体育委員会や公共健康部あるいは中国気功科学研究会などの幹部を指し向けて、法輪功創始者の李洪志に誘いをかけてみた。中国共産党の下部組織の一つとして活動してはどうかと持ち掛けたのだ。

ところが李洪志はその場でこれを拒否し、中国気功協会を退会した。体だけでなく心あるいは志の訓練をするというのに、中国共産党の下部組織に組み込まれるのでは「志の自由」が束縛されてしまうことをいやがったからだと言われている。

すると突然、江沢民は攻撃の姿勢に入り始めた。

まず1996年6月7日の政府系新聞「光明日報」が「法輪功は封建迷信」という記事を発表。続いて中宣部（中国共産党中央委員会宣伝部）がすべてのメディア関係者を呼び寄せて大会を開催し「法輪功は邪教」として「反法輪功」の記事を書けと命令。また同年7月1日、中宣部は法輪功に関するすべての書籍の販売を禁止する禁書令を発布した。

一般庶民は体の訓練のためむしろ奨励されていたので、突然「法輪功は邪教だ」と罪人扱いされて驚き、慌てて遠のいていった。

こうして1999年4月24日、天津市公安局が40名の法輪功学習者を逮捕すると、翌25日、北京の天安門広場は1万人以上の法輪功学習者で埋め尽くされた。彼らはただ静かに目をつぶり、座禅の形で合掌しながら座っているだけだったが、それは10年前の天安門事件を彷彿とさせるものとして江沢民に大きな脅威を与えたことだろう。この映像は全世界に発信されたが、静かに冥想しているだけあっても、何かしら異様な威圧感を覚えた者は少なくないだろう。

このとき中南海では慌ただしい動きが出ていた。というのも、鄧小平が香港返還を目前にして逝去したあと、江沢民が「怖いもの知らず」とばかりに我欲をむき出しにし始め利益集団と化していたため、時の朱鎔基国務院総理は、面と向かって江沢民とその息子の「腐敗」を批判していたからだ。

法輪功の代表団が朱鎔基への面会を求め、天津で逮捕された40人の学習者を釈放してくれと頼むと、朱鉛基はなんと、それを承諾した。喜んだ法輪功学習者たちは天安門の座り込みを止め一瞬で解散した。この一瞬で消えていく法輪功学習者たちの動きもまた、不気味な力として江沢民には映ったことだろう。

激怒した江沢民は、朱鎔基の態度が軟弱すぎるとして、同年6月10日に、法輪功を弾圧するための組織を立ち上げる。それが後の悪名高き「610弁公室」だ。

このとき中南海の中で、法輪功弾圧に反対あるいは消極的だった者たちがいる。朱鎔基を筆頭に、李瑞環（当時、中共中央政治局常務委員で政治協商会議全国委員会主席）や胡錦濤（当時、中共中央政治局常務委員、国家副主席、中央軍事委員会副主席）などだ。

したがって江沢民は胡錦涛政権に何としてもより多くの江沢民の配下を送り込み、法輪功を潰そうと躍起になっていた。

私事で恐縮だが、当時私（遠藤）は国務院西部開発弁公室の人材開発・法規司という部署で、外国人としては唯一の人材開発顧問に就任していたので、朱鎔基は言うならば「老板（＝ボス）」に当たる。中国には真に人民の味方になる政治家などいやしないが、朱鎔基は数少ない人民側に立って物を言う指導者だった。そのようなことから中南海で囁かれていた「内部事情」に直に接触できた数少ない生き証人として当時の状況を文字に残しておきたい。

当時はまだ健康保険などが行き渡っていなかったし、医療費があまりに高かったので、健康を保つためにヨガのような法輪功をして何が悪いという庶民の声に朱鎔基は耳を傾け同情していた。「腐敗」に関する朱鎔基の指摘がいかに正しかったかは、胡錦濤政権末期から始まり習近平政権になってから証明されている。法輪功弾圧に協力することによって権力の座を手にしてきた薄熙来や周永康は、みごとに利権集団の頭となって逮捕された。610弁公室の主任だった李東生も2013年2月に失脚し逮捕投獄されている。いずれも罪状は腐敗だ。

このような状況をやがて生み出していく流れから見ても、江沢民の弾圧への暗い執念が、どれほど根深く激しいものであったか想像できよう。

２００２年8月23日から27日にかけて、法輪功は河北省の易県や高碑店あるいは保定周辺地区など数カ所で、法輪功弾圧を記録した『見証』などいくつかのＤＶＤを放映し、さらに有線テレビを通して重慶、鞍山、ハルビン、来陽、煙台などでも放映した。その結果、法輪功関係者５０００人が逮捕されている。

これに抗議して、法輪功の活動が自由に認められていた香港で、法輪功関係者による大小規模のデモが頻発していた。例によって、ひたすら静かに歩いたり、公園で座禅を組む抗議の仕方ではあるものの、江沢民にとって、香港におけるこの反応は、非常に危険なものと映ったに違いない。江沢民が当時の香港行政長官に基本法第23条に基づいて「国家安全法」を一刻も早く制定せよと命じた背景には、こういう動きがあったのである。

特に胡錦濤は朱鎔基同様、法輪功弾圧に消極的だったため、胡錦濤政権になったら自分の罪業を糾弾し始めるかもしれないと警戒した江沢民は、それまで7人だった中共中央政治局常務委員の数を2名増やし、周永康と李長春という江沢民の腹心を無理やりにねじ込んでいた。

こうして２００２年11月の第16回党大会でできあがったのが胡錦濤政権の「チャイナ・ナイン」体制である（拙著『チャイナ・ナイン　中国を動かす9人の男たち』は、中南海周辺における実体験を基に著したものである）。

周永康は中共中央政法委員会書記（党内序列ナンバー9）として「公安・検察・司法」を牛耳

り、李長春は中共中央精神文明建設指導委員会主任（党内序列ナンバー5）として中共中央宣伝部を中心とした思想統一のトップに立った。

一方、香港では国家安全法制定に対する激しい抗議運動が起き始めていた。

それは法輪功とは関係なく、第23条の改正が香港の言論の自由を完全に封殺するものとして、多くの香港市民に恐怖を与えたからである。

特に天安門事件を受けて基本法起草委員会の中の査良鏞と廊広傑は抗議辞任し、武力弾圧を非難した香港民主派の司徒華と李柱銘は、前述したように、全人代常務委員会により解任されている。彼らは第23条の成立過程を知っているのである。そのため、「天安門事件発生前までは、基本法に第23条はなかった。だから第23条は、民主を弾圧するために、新たに設けた条文である」という衝撃的な証言をして、香港市民の怒りの火をさらに燃え上がらせた。

だから、江沢民からの強い要求に押された当時の香港特別行政長官・董建華が、2003年2月に香港の立法機関である立法会に「国家安全法案」を提出すると、立法会は大荒れに荒れた。

このとき親中派の民建聯（民主建港聯盟）や自由党の議員が立法会の過半数を占めており、国家安全法制定に反対する民主派議員は不利な立場にあった。

しかし採決日である7月1日が迫ると、香港の街は50万人を越える抗議デモ参加者で埋まり、おまけに親中派であるはずの自由党主席・田北俊（ジェームズ・ティエン）が採決延期の立場に回った。田北俊の意思表明は多くの香港市民に絶賛され、50万人に及ぶデモ参加者は天に轟かんばかりの歓声を挙げた。こうして董建華は強行採決を断念し、「国家安全法案」は廃案となってしまったのである。

　しかもそれだけには留まらなかった。中共中央の言いなりになろうとした董建華は民衆の信頼を失い、力を得た香港市民は董建華の辞任を要求するとともに、関心の矛先は自ずと「行政長官をいかにして選ぶか」という、「長官選挙」問題へと大きく舵を切っていった。

　民主選挙への関心は高まり、やがて２０１４年の雨傘革命へと発展していく。江沢民の基本法第23条改正案が香港市民の「民主への自覚」と香港政府への抗議表明によって市民の要求が実現するのだという自信を刺激してしまったのである。

　もちろん天安門事件は香港市民に衝撃を与えた。中国に返還されれば、香港もあのような目に遭うという怒りと恐怖が香港市民を震え上がらせ、民主への希求を求める「ろうそく集会」やデモが展開された。しかしそのデモは「巨大な祈り」という形で進行したのであって、香港がまだ中国に返還されていなかったために抗議を表明すべき相手である中国政府管轄下の「香港政府」は存在していない。まだイギリスの統治下にあった。だから抗議運動として激しく香港政府へと向かったのは２００３年が初めてだ。

　もし江沢民があのとき、法輪功や我欲のために基本法第23条を完結させようなどとしていなかったら、香港の今は鄧小平が思い描いたとおり、「50年間」そのまま「平穏に」過ぎていき、２０４７年を迎えたかもしれない。

しかし江沢民がパンドラの箱を空けてしまったのだ。開けられたからには、習近平としては父・習仲勛に汚名が掛からないように必死で「民主を抑え込む」以外に道はないだろう。

特に胡錦濤政権になってからは、その後始末のために香港に対して懐柔策を取り始めた。胡錦濤も温家宝（当時の国務院総理）も法輪功弾圧に積極的ではなかったので、チャイナ・マネーを注ぎ込んで2003年6月末に「内地（中国大陸）と香港の経済連携緊密化に関する取り決め」という、一種の自由貿易協定を進めていった。7月に入ると中共中央に「中央港澳（香港・澳門）工作強調小組」を立ち上げ、その実行部隊として国務院に「国務院港澳事務弁公室」を設置した。貿易協定により観光業が発達し、後述するSARS（重症急性呼吸器症候群）で壊滅的打撃を受けた香港経済を回復させたものの、香港の貧富の差を解消することはできず、むしろ助長することになってしまったのである。

北京に対する抗議を助長することはあっても、マカオ政府が行っているような「毎年10万円ほどの現金をすべての市民に配る」というような「金で民心を安定させる」ことでは解決しないところに行ってしまった。こうなると香港の若者は「尊厳」に基づいて「民主と自由」を求め続けることになる。

その抗議の中でどんなに激しく運動をリードし逮捕されても、司法はせいぜい一ヵ月間くらいの懲役刑を科すくらいで、民主活動家は「小旅行にでも行ってきました」という爽やかな顔で出所してくる。仲間はニタニタといった苦笑いでシャバに出たことを当然の既存路線として祝う。

コモンローに基づいた外国籍裁判官がいる限り、このサイクルの中で香港の民主化運動が廻り続けるのである。

だから習近平は国家主席の任期（5年2期）を外すための憲法改正まで行って、自らの手で習仲勛の負の遺産を埋め合わせようとしている。結果、香港の民主と自由を抑え込む政策を、習近平は絶対に完遂しようとして手を緩めることはないだろう。

今般の国家安全法導入でも、必ず裁判官の任命権に関して行政長官の権限を強めていくはずだ（案の定、そうなっていることを本書の巻末で付言する）。

習仲勛と江沢民の物語を敢えてここで書いたのは、習近平の決意のほどを理解していただくためであり、それは香港の方向性を分析する上で不可欠の要素だからだ。

おまけに運命というのは皮肉なものである。

パンドラの箱が空けられた２００２年～２００３年――。

折しも中国広東省では当時の新型コロナウイルスが引き起こしたＳＡＲＳの流行が始まっていた。

しかし江沢民は香港政府に何としても国家安全法を制定させようと躍起になっていたし、ＳＡＲＳのことは次期政権である胡錦濤政権の責任にしてしまおうと、発表を遅らせたが、江沢民がまだ国家主席であった２００３年２月にはＷＨＯ（世界保健機関）の知るところとなった。

広東省や隣接する香港を中心に全世界に広がり、２００３年７月５日になってＷＨＯはＳＡＲＳの終息宣言を行った。

香港ではその４日前の７月１日、香港返還６周年に当たり国家安全法案（基本法第23条改正）に対する激しいデモが展開され改正法を廃案にまで追い込んでいる。

２００３年も２０２０年も、「新型コロナウイルス肺炎」収束と同時に「国家安全法」に関する強硬策が出されているので、コロナウイルス肺炎と関係づけてしまいそうになるが、この背景には二人の国家指導者の個人的な「暗い闇」がうごめいていたのである。

【2】アメリカの反撃と米中のせめぎ合い

1．アメリカの反撃

香港への国家安全法制導入に対して、アメリカは猛烈な反撃に出た。

トランプ大統領は全人代が始まる前日の2020年5月21日、香港へ国家安全法を導入すれば「強力に対処する」と警告していたし、ポンペオ国務長官は翌22日、「香港の自治に死を告げる鐘になる」と非難した。同時にアメリカは「一国二制度」を前提に香港に認めている貿易や渡航における優遇措置を見直す可能性があるとも示唆していた。

これは2019年11月にトランプ政権で成立した「香港人権民主法」を指しており、同法を発動させて、貿易投資や金融に関する香港の特別な地位を失わせることを意味する。事実、アメリカのオブライエン大統領補佐官は24日、中国が国家安全法を制定した場合、「香港は金融センターとしての地位を失う。アジアの金融センターではなくなるだろう」との見方を示した。

ただそうなった場合には、米中貿易戦と同じく、アメリカおよびその同盟国も損害を被るという側面は否めない。返り血を浴びる。

それでも中国に損害を与えることができれば、望むところだという勢いもあった。アメリカおよびその同盟国が受けるであろう損失が、アメリカが中国に与える損失よりも小さければ、それで構わないという体当たりの構えになりつつある。

5月28日、全人代で国家安全法制の香港導入が議決されると、トランプは29日、優遇策を撤廃することを決めた。これが与える実効性に関しては第3章で、いくつかのケースに分けてシミュレートしている。

ただ、翌日にはツイッターで正反対のことを発信することもあるトランプの性格を考えると、次に何が起きるかわからないと、国際社会は慎重に動静を見守り続けた。

そのような中で、全人代開催前の5月20日に合わせて発表された「アメリカの中国に対する戦略的アプローチ」は、やや安定的に見通せるアメリカの対中戦略をうかがわせる。これは2019年に出された国防権限法を基礎にして、中国に対処するアメリカの戦略を「経済、価値観、安全保障」といった側面から根本的に見直すとしたものだ。

「経済面」では米中貿易戦争での、より厳しい締め付けが想定され、「価値観」ではまさに香港問題や台湾問題などが核心となる。「安全保障」では南シナ海や5Gあるいはサイバー攻撃など枚挙に暇がない。

アメリカは「アメリカとアメリカ人の生き方、アメリカの繁栄、安全を守る」というのがこの戦略的アプローチの軸になっている。これは3月4日に中国政府の通信社・新華社が書いた「世界は中国に感謝すべき」と関係していると判断される。新華社報道には、アメリカの疾病センター（CDC）スタッフの意見という形を取ってはいるが、要は「中国の本心」として以下のようなことが書いてある。

アメリカの医薬品の大部分は中国からの輸入に頼っており、一部の医薬品はヨーロッパから輸入されてはいるが、ヨーロッパはこれらの医薬品の製造拠点を中国に置いているため、結果的にアメリカの医薬品輸入の90％以上は中国に頼っていることになる。もし中国が自国内のニーズを重んじて医薬品の輸出禁止を発表したとすれば、その瞬間、アメリカはコロナ感染の地獄と化すだろう。

これに対してトランプ政権周辺は激しく反応し、米議会も中国依存からの脱却、切断（ディカップリング）を目指す動きが加速した。

一方、アメリカやイギリスなど西側諸国を中心として中国に対してコロナ禍に対する損害賠償の動きが広がっていた。4月29日、フランス国際ラジオＲＦＩ（Radio France Internationale）は、「コロナに関して世界8カ国が中国に１００兆ドルの損害賠償を求めている」と報道した。それによれば、訴えているのは「アメリカ、イギリス、イタリア、ドイツ、エジプト、インド、ナイジェリア、オーストラリア」の８カ国で、賠償金額の合計は１００兆ドル（約1京１０００兆円）を上回り、中国の７年間分のＧＤＰに相当する額に達するという。

香港経済日報は「８カ国聯合、対中賠償請求全開」という見出しで報道しているが、これは清王朝末期の「8国聯合」をもじって、現在対中包囲網が形成されていることを表している。

今回の原告はアメリカの州検察当局もあるが、弁護士会や民間シンクタンクが多く、トランプが言っているような、「国家」として訴えるところまでは行っていない。

「国家」が「国家」を訴える場合は、(海洋問題を別とすれば) 以下のようなケースがあり得る。

一つはオランダのハーグにある常設仲裁裁判所で、これは相手国が「訴訟を受けて立つ」と承認しなくとも、一方的に訴えることができる。但し執行の強制力を持っていない。したがって南シナ海の領有権を巡ってフィリピンが訴訟を起こし勝訴したのに、中国は判決文を「一枚の紙っ切れでしかない」と強烈に走り回って無視してしまったことがある。

二つの目の選択肢は国連にある国際司法裁判所に訴える方法で、これは国連憲章第94条などに規定されている。94条の1によれば、「各国際連合加盟国は、自国が当事者であるいかなる事件においても、国際司法裁判所の裁判に従うことを約束する」となっているので、もちろん「国家が国家を訴えることは可能」である。

もっとも、ハーグの仲裁裁判所と違って被告側に相当する国(今の場合は中国)が「受けて立つ」と表明しなければ、そもそも裁判が成り立たない。

万一にも中国が「受けて立つ」と意思表明し、裁判が進む場合、94条の2には「事件の一方の当事者が裁判所の与える判決に基いて自国が負う義務を履行しないときは、他方の当事者は、安全保障理事会に訴えることができる。理事会は、必要と認めるときは、判決を執行するために勧告をし、又はとるべき措置を決定することができる」とある。すなわち「従わない場合は国連の安全保障理事会に訴えることができる」のである。

したがって現在のコロナの状況で言うならば、アメリカなど8カ国が「国家」として「中国」を訴えて裁判が進行し（判決が出ても）中国が従わない場合は、安保理に訴えることができるので、オランダ・ハーグと違い「強制力」を持っているわけだ。

ところが、国連憲章第27条の3には「その他のすべての事項に関する安全保障理事会の決定は、常任理事国の同意投票を含む9理事国の賛成投票によって行われる。但し、第6章及び第52条3に基く決定については、紛争当事国は、投票を棄権しなければならない」とある。

安保常任理事国の中には中国がおり、ロシアがいる。紛争当事国である中国が棄権したとしても、習近平と蜜月を演じているプーチン大統領が率いるロシアが頑張ってくれれば、中国は難を逃れることができる。

第2章【2】の2（トランプの対中包囲網）でも述べるが、プーチンの側近とも接触のある「モスクワの友人」は、「習近平を追い込むような選択を、プーチンは絶対にしない」と断言している。この言葉からもわかるように、習近平にとってプーチンを引き寄せておくことがどれだけ重要であるかが推察される。

ロシアは中国でコロナが発生すると、直ちに中露国境を封鎖したが、イタリアに遊びに行っていた富裕層がロシアに戻ると、急激にコロナ感染者が増加し始めた。すると中国は直ちに医療支援部隊をロシアに派遣し、大量の医療支援物資をロシアに運んでいる。

また6月24日にはモスクワの赤の広場で対ファシスト戦勝75年を記念する軍事パレードが行われた。本来5月9日に予定されていたが、コロナの影響で延期となっていた。ロシアにおける感染者が激増する中、習近平は中国人民解放軍に直接ロシアに行って軍事パレードに参加することを指示し、実行された。感染リスクよりもプーチンとの「友情」を重んじたのである。

それくらいだから、コロナ禍による損害賠償請求は、国家としてはなかなか成立しにくい。それでもコロナ収束後に中国に集中砲撃してくるであろう国際世論に習近平は戦々恐々としていたにちがいない。

2．全米に広がる黒人暴行死への抗議デモ

ところが5月25日、とんでもないことが起きてしまった。

あまりにも見たくない光景だった。

コロナ感染者が170万人を超えるというあり得ない現実の中、もっとあってはならない事件がアメリカのミネソタ州ミネアポリスで起きた。無防備な黒人男性（ジョージ・フロイド氏）が白人警官に窒息死させられてしまったのだ。

アメリカにおける人種差別には根深いものがあるが、トランプ政権になってからは白人至上主

義が加速し、きつい仕事に従事しているためコロナ感染者の多くは黒人によって占められ、死者の割合に至っては白人の倍以上に上る。黒人の平均的年収は白人の10分の1くらいだというデータは、長く変わらない。そういった一連の現実への鬱積した怒りが爆発した側面もあったのだろう。平等と正義を求めたデモが全米を覆った。それを鎮圧する警察の残忍さは、香港デモの比ではない。

トランプがこの事態に対してどのような発信をするかが注目されたが、彼は5月31日、「獰猛（どうもう）な犬（警察犬）と武器」で暴徒と化したデモ隊を追い払えと言ったのだ。しかもこのデモは反ファシズム集団や極左集団が扇動しているのだから、武力で鎮圧するという。

中国は香港への国家安全法導入に当たって「敵対的海外勢力が香港のデモを煽っている」とした。トランプはアメリカに深く根付いている人種差別に対するアメリカ国民の怒りを、「極左が煽っている」として直視しようとしない。

おまけに米下院は2020年5月27日、上院に続いてウイグル人権法案を可決したばかりだ。他の国の人権には法案を通して「正義の怒り」をぶつけるのに、自国民の人権に関しては目を逸らすのか。これでは天安門事件と同じではないか。抗議デモを展開する香港の若者を暴力的に鎮圧しようとする香港政府のやり方とも同じだ。選挙に勝つためなら、悪魔に心を売るというのか。民主主義はどこに行ったというのだろう。

I Can't Breathe!（息ができない！）――

白人警察に窒息死させられた黒人男性が最後に発した言葉が全米を覆った。それはコロナと重なって世界の人々に苦しく響く。人々は民主主義国家の中で「息ができない」でいるのだ。このようなことがあっていいはずがない。

コロナは人類に「民主主義とは何か」を突き付け、民主主義の砦であったはずのアメリカ社会の非民主性と不平等と分断を否応なしに露呈させてしまった。

これまでは、トランプがようやく中国による世界赤化政策に気が付いてくれたと応援したい気持ちが勝っていた。

キッシンジャーがひたすら進めた「一つの中国」思想とキッシンジャー・アソシエイツを通して経済界に広めた親中精神には、引き戻しがたいものがあり、親中でなければ損をするムードが教育界にまで深く浸透していた。

それを気づかせ、そこから脱出しようとしてくれたのがトランプだった。その功績は大きいが、大統領再選に向けた露骨な権力の乱用と人権侵害には目をつぶることはできない。

今回のデモにおいてもトランプは、たとえば「不当に殺された黒人に同情する。警察という国家権力に代わって、大統領として謝罪する」というメッセージを出しても損はしなかったはずだ。それどころかコロナで分断されていたアメリカ社会はトランプのそのひとことで一つにつながる方向に、いくらかでも向かうことができたかもしれないし、そうしてこそ世界のリーダーとしての信頼を得ることができる。

しかし、トランプにはそれができない。

アメリカのビジネス・インサイダー誌にはメリーランド大学のジョン・ハルティヴァンガー教授が書いた「抗議活動に対する〝強硬姿勢〟は30年前から？ トランプ大統領、天安門事件で中国政府が見せた〝強い権力〟を称賛していた」という論評が載った。それによれば天安門事件が起きた当時、不動産業界の大物で一般市民だったトランプは、天安門広場で軍が非武装のデモ参加者に発砲し、多くの参加者が犠牲となったことに対して「強い権力を見せたことは実に素晴らしい！」と語っていたとのこと。民主を叫ぶ若者たちに銃を向けてデモ参加者を武力鎮圧した中国政府を「実に素晴らしい！」と肯定したというのだ。だからトランプが自国民に軍を投入すると言っても少しも驚かないとビジネス・インサイダー誌は書いている。

胸が潰れるような思いで事件の動向を見ていたところ、思いもかけない光景が飛び込んできた。それはデモを取締る側の警官が数名、突然地面に片膝をついて「抗議への賛同の意思」を表したのだ。跪（ひざまず）く警官の数が次々に増えていくではないか。

戦慄が走った。なんという神々しさだろう。ああ、民主主義は死んでいない。中国でもし警察側がこのような行動に出たら、たちまち拘束されて生涯を牢獄で送ることになるだろう。

奇跡は軍部にも起きた。

連邦軍動員も辞さない姿勢を示すトランプに対して6月4日、エスパー国防長官は「支持しない」と明言したのだ。マティス前国防長官も軍を使うのは国民の権利を踏みにじる行為だと批判した。「米軍内部でも自国民に銃口を向ける可能性に戸惑いが広がっている」とワシントン時事が伝えている。

特にマティスは米誌アトランティックに声明を寄せ、「トランプは米国民を分断しようとしている」、「憲法をないがしろにする権力者を拒絶し、責任を取らせなければならない」と痛烈にトランプの言動を批判した。

アメリカでは軍への指揮権は大統領にあっても、その暴走を食い止めるためにベトナム戦争のときに成立した戦争権限法がある（１９７３年）。マティスの発言はこの辺の事情を指しているものと思う。

中国では軍は「党の軍」であり、「国家の軍隊」でさえない。中国共産党には絶対に忠実でなければならない。反対表明はクーデターに等しい。

この違いは大きい。アメリカはやはり民主主義の国家だ。

3. 川建国――中国を再建国する

中国ではトランプのことを漢字で「川普（Chuan Pu）」と書くことがあるが、この「川」の文字を用いて中国ではトランプを「川建国」と呼ぶことが多い。「中国を再び建国させてくれる人物」

という意味だ。

中国を建国したのは毛沢東で、この「建国の父」を侮辱することになりはしないかと思うが、中国人は中華人民共和国建国以来、自分の子供に「建国」という名前を付けたりするので、そういう意味でのトランプのニックネームだとみなすと良いかもしれない。

トランプが大統領になってからというもの、アメリカはつぎつぎと国際組織から脱退している。ユネスコ（国連教育科学文化機関）やパリ協定（地球温暖化対策の国際的枠組み）あるいは国連による難民・移民保護の国際交渉から脱退しただけでなく、2018年には国連人権理事会からの脱退をも正式に表明した。また次章で述べるように、コロナで問題となっているWHOの脱退まで実行してしまった。

トランプが「アメリカ・ファースト」でグローバル経済をはじめとする国際社会に背を向ける一方、習近平は「人類運命共同体」を外交スローガンとして掲げている。

だからアメリカに追いつき追い越せと世界制覇を狙っている中国にとっては、トランプはまるで中国を「再建国」してくれるような、ありがたい存在なのだ。

習近平政権は「中華民族の偉大なる復興」という政権スローガンを掲げているが、その「偉大なる復興」を助けてくれているのがトランプであると、中国政府も人民も喜んでいる。トランプがツイッターで思い付きのアイディアを披露したり、それがあまりに荒唐無稽で、非難されるとすぐに否定したり削除したりなどする。自分で「転んでくれる」ので、中国の価値を相対的に高めてくれるとして、中国は「トランプが大好き」なのである。

たとえばトランプが接触したブラジルの高官がコロナに罹っていたと分かった時など、トランプが「俺は検査しなくても大丈夫」と言ったことがある。

するとネットの中国のネットは炎上し、

――「ダメよ、トランプ。早く検査して！　ＰＣＲ検査を受けるのよ」といった類のコメントがあり、「あら、私って、どうしてこんなにトランプが好きなんだろう」とつぶやく。するとすかさず他のネットユーザーが「当たり前だろ！　トランプは我が中国を再建国してくれるんだぜ！」と突っ込む。「ああ、そうだった、イヤだわ。私どうしてそんな大事なことを忘れてしまったのかしら……」


などと、まるで掛け合い漫才のような言葉がネット空間を飛び交ったものだ。

こんな状態なので、アメリカにおける抗議デモに中国は狂喜した。

ＣＣＴＶは連日連夜、ほぼ24時間ぶっ通しと言ってもいいほど、デモの様子を伝え続け、特にトランプが抗議者の一部を暴徒と呼び、軍を投入すると言ってからは、もう普通ではない喜びようだ。特集番組をくり返し組んでは「トランプには中国を非難する資格はない」と叫んでいる。

もちろん「中国が天安門事件で若者に銃を向けたことがある」ことには絶対に触れない。天安門事件の「て」の字も言ってはならないのが中国の掟だ。ただひたすら香港を例に挙げてはトランプを非難し続けている。

人種差別への抗議デモがヨーロッパなど世界各地に広がると、その地のCCTV特派員が声を張り上げて現地レポートをする。

白人警官の暴力的な場面が画面いっぱいに映し出され、「アメリカはなんと暴力的で不平等で非民主的で、なぜここまで人種差別が激しいのか」と、CCTVの記者は「はしゃいでいる」かのようだ。

トランプは、中国の香港「国家安全法」導入に対して中国当局者個人に対してさえ厳しい制裁を科すと豪語しておきながら、軍投入発言に関してアメリカの国防関係者からも非難の声が上がると、突然アメリカのテレビ「ニュースマックス」のインタビューで、「習近平に制裁を科すつもりはない」と明言したしたりした。するとCCTVは鬼の首でも取ったように、アメリカのメディア報道を紹介する形で「トランプ、遂に習近平にひれ伏したかという報道さえあります」と、実に嬉しげだ。

習近平の「高笑い」が聞こえるようではないか。

その「高笑い」はボルトン元大統領補佐官の暴露本で、なお一層高く響き渡っている。

4. ボルトンの暴露本

ジョン・ボルトン前大統領補佐官（国家安全保障担当）が出版することになっていた回顧録の

一部が6月17日に明らかになった。書名は『それが起きた部屋：ホワイトハウス回顧録』（The Room Where It Happened：A White House Memoir）で6月23日に発売予定となっている。ボルトンは2018年4月に大統領補佐官に就任し、2019年9月に解任されている。解任されるとすぐにボルトンは暴露本の出版を出版社と契約していたらしく、2020年1月には、「最高機密」の詳細が含まれているとして、アメリカ政府が削除を要求したが、ボルトンはこれを拒んだとのこと。6月17日には複数の米メディアが概要を報じ、ウォールストリート・ジャーナルは抜粋を配信した。

アメリカ政府は6月16日、トランプ政権暴露本の発売阻止を求めてワシントンの連邦地裁に提訴したが、もう遅い。抜粋がかなり詳細にウォールストリート・ジャーナルに載っている。

ボルトンは同書で、トランプが「大統領再選のためなら国を危険にさらすことも辞さない」と主張した上で、主として以下のようなことを暴露している。直接本書と関係する部分だけをいくつか拾ってみる。

①2019年6月29日、大阪で開催されたG20サミットにおける米中首脳会談で、トランプは習近平に、まず中国の経済力について言及したあと、「自分が大統領選で勝つことが確実になるように懇願した」。そのために、中国が大豆と小麦の購入を増やすことの重要性を強調した。

②同じくG20大阪サミット開幕式の晩餐会で、習近平が新疆ウイグル自治区での強制収容所の必要性をトランプに説明すると、トランプは理解を示し「建設を進めるべきだ」と語った。

③２０１９年６月に香港で逃亡犯条例をめぐって大規模なデモが起きたとき、トランプはボルトンに「巻き込まれたくない」と話した。
④２０１８年12月にアルゼンチンで行われた米中首脳会談で、習近平はトランプに「あともう６年、トランプ大統領と働きたい」と言った（遠藤注：これこそ正に「川建国」であって、習近平は本当にアメリカの大統領はトランプのような人であってほしいと望んでいると思う）。
⑤アメリカは常に強く通信機器大手ファーウェイに安全保障上の問題があると批判しているが、トランプは実は安全保障上の重要性については軽視していて、ただ単にファーウェイ問題を米中貿易交渉におけるディールの一つと考えているに過ぎない。
⑥トランプは習近平に「あなたは３００年の歴史の中で最も偉大な中国の指導者だ」と褒めたたえた（遠藤注：遠藤が２０１７年11月にトランプ政権の元主席戦略官・バノンと会った時、バノンに直接確認したが、トランプは本当に習近平とプーチンを尊敬していると言っていると教えてくれた。トランプは権威主義的な指導者が好きなんだと言っていた）。
なにしろ５００頁に及ぶ本なので、暴露はウクライナ問題や安倍総理に関する話など、多岐にわたっているが、一応中国関係の主だったものを列挙してみた。

習近平はさぞかし「高笑い」をしていることだろう。

ＣＣＴＶでは、アメリカのメディア報道という形で、これもくり返し報道している。トランプがどれだけ「川建国」的であるか、ご想像がつくだろう。中国が歓迎しないはずがない。

このような人物であるなら、世界の良識的な国はアメリカのトップリーダーを尊敬したり信頼したりしないにちがいない。民主主義の国家においては、力を発揮するのは尊敬であり信頼だ。もし、そのような人物が大統領になったら、中国は絶対にアメリカに勝てない。だから、本当にトランプを支援するかもしれないほどなのである。

5．アフリカ諸国を中国に引き寄せる習近平
――運命共同体と「一帯一路」を含めた債務の減免

そればかりではない。もう一つ習近平がトランプに感謝しなければならないことがある。それはトランプがアフリカ諸国を敵に回したことだ。

黒人に対して激しい人種差別を繰り返してきたアメリカは今、トランプの白人至上主義によって多くのアフリカ諸国の怒りを買っている。

2018年1月にトランプはアフリカ諸国やカリブ海に浮かぶハイチなどを「くそったれ国家」と言ったことがあり、アフリカ諸国は「人種差別だ」と一斉に猛反発したことがある。アフリカ連合はトランプに発言の撤回と謝罪を要求した。

この度もアフリカ諸国は結束してトランプに抗議し、国連の人権理事会に本件を調査し各地で広がる抗議デモに対する政府の対応の検証も含めた報告書の提出と調査委員会の設置を求めた。

これに対して6月19日、国連人権理事会はバチュレ人権高等弁務官に報告などを求める決議を全会一致で採択したものの、調査委員会の発足は取り消された。調査委員会の設置に関してはアメリカが水面下で関係各国を説得して取り消させたようである。アメリカの力はまだ残ってはいる。しかし、バチュレ国連人権高等弁務官が「中国の人権義務と市民的・政治的自由を保護する国際条約を完全に順守するべきだ」という声明を発表すると中国は激しく抗議した。これは「中国の主権と内政に対するこの上ない干渉」であり、「国家の安全保障に関する法律は、国家の主権に含まれる」と付け加え、CCTVも語気を荒げて報道した。

一方、習近平は別の方角から攻勢に出ている。

6月17日夜、北京で「中国アフリカ連帯に関する特別首脳サミット」（中国アフリカ協力フォーラム）をリモートで開催し「団結して防疫し、共に困難を克服しよう」と題する基調講演を習近平が行った。CCTVの画面には習近平を中心としてアフリカ諸国の首脳の顔が映し出され、同じニュースをくり返し大きく報道し続けた。こういった報道をするときにはキャスターは「誇りに満ち、喜びに溢れている」という表情を全身で表すのが習わしだ。アメリカなど敵対国の報道をするときには、キリっと怒りを込めていなければならない。それができない人はCCTVのキャスターにはなれない。

習近平は基調講演で以下のように強調した。

——中国とアフリカは疫病に直面して連帯し、肩を並べて共に闘い、団結と友好的な相互信頼を強化してきた。国際情勢がどのように変化しても、中国とアフリカの友情と協力を強化するという決意は絶対に揺るがない。アフリカ諸国の皆さんは中国の大切な友人だ。今後も双方の人民の健康を守るために、中国アフリカ衛生健康共同体を打ち立て、より強力で緊密な中国アフリカ運命共同体を強化していこうではないか。

リアル空間で着席していれば、2018年のトランプによる「くそったれ国家」発言の後に開催した巨大な中国アフリカ首脳サミットのときのように、満場の参加者が立ち上がり拍手を送り続けたことだろう。

今回はリモートながら、やはりアフリカ諸国の首脳は「喜びと誇りに満ちて」大きな拍手を習近平に送ったのである。

ここでも「川建国」が生きているとみなすべきだろう。

「一帯一路」を含めたアフリカ諸国の債務を減免

それだけではない。習近平はなんと、アフリカ諸国に対して「一帯一路」を含めた債務に関して減免すると約束した。以下はこの日の基調講演で習近平自らが約束した内容である。

――われわれは揺るぎなく中国とアフリカの協力を推進しなければならない。中国は「中国・アフリカ協力フォーラム」の枠組みの中で、2020年末までの間は、アフリカ諸国の対中国無利子貸付債務の支払い義務を免除する。また中国は国際社会とも協力して、コロナ被害が特に大きく、厳しい状況にある国々の債務返還の期限を延長させ、アフリカ諸国への負担が軽くなるように全面的に力を尽くしていく。中国は、関連する中国の金融機関に対し、G20債務救済イニシアティブに呼応し、市場原理に従い、アフリカ諸国の商業ソブリン債（政府や政府機関が発行または保証を行っている債券）解決に向けて友好的に取り組むことを奨励する。

われわれは、国際社会、特に先進国や多国間金融機関が、債務救済プログラムに基づき、アフリカ諸国を含む関連国に対して、債務返還猶予をさらに拡大することを期待している。中国はアフリカ側の意志を尊重した上で、アフリカの伝染病との戦いにおいて、国連やWHOなどのパートナーと協力する用意がある。中国はアフリカ大陸の自由貿易圏の建設を支持し、アフリカの接続性強化とサプライチェーンの確保に向けた取り組みを支援している。デジタルエコノミー、スマートシティ、クリーンエネルギー、5Gなどの新しい業態での協力を拡大する。

ここにある「G20債務救済イニシアティブ」というのは、4月15日にG20の財務相・中央銀行総裁らが電話会議を開き、最貧国を対象に一時的な債務救済措置を提供することで合意したことを指している。その提言に積極的に参加し実行するということだが、それは中国が主導権を持つ性格のものではない。

しかし、中国・アフリカ諸国という枠組みの中では、明らかに中国が主導権を持っていて、これは「一帯一路」の枠組みとも重なるものであり、中国はG20が対象とする最貧国以外にも、「一帯一路」に関連する発展途上国に対しては債務の減免措置を別途取っていくということである（これに関して、第二章のマスク外交のところでも、他の発展途上国に対する債務の減免という形で触れる）。

「中国アフリカ運命共同体」という、アフリカ諸国の「尊厳」に訴えただけでなく、「債務の減免」措置は、その国家の首脳にとっては、たとえようもなく魅力的に映ったことだろう。

6．ウイグルなどの少数民族の味方をしてきた習仲勛

しかし、ウイグル問題となると、事情が一変する。

習近平政権が新疆ウイグル自治区において100万人に及ぶウイグル族を中心としたイスラム教徒を思想改造（再教育）の名の下に強制収容所に収監し「学習」をさせていることは周知の事実だろう。

ボルトンは暴露本で、習近平がわざわざ強制収容所の必要性をトランプに説明したことを書いている。トランプは習近平に理解を示し「建設を進めるべきだ」と語ったとのこと。習近平にとって、こんなに「ありがたい」アメリカの大統領は二度と出現しないと思うほど、トランプに感謝しているだろう。

なぜなら、ウイグル問題も習近平の父・習仲勛と関連しているからだ。

実は習仲勛はウイグルなどの少数民族に対して非常に寛容だった。

習仲勛は1913年に中国の西北にある陝西省で生まれている。延安があることで有名な場所だ。1928年、15歳のときに中国共産党に入党して以来、陝西省や甘粛省などを含めた中国共産党の西北局である「陝甘辺境区」革命根拠地を作って活動していた。近くには現在の寧夏、青海、チベットそして新疆ウイグル自治区などがあり、大陸の中で唯一ウイグル自治区と接触しているのは甘粛省だ。

ここ甘粛省は習仲勛の若いときからの強固な地盤で、周辺にはウイグル族だけでなくチベット族や回族（中国におけるイスラム教を信仰する民族集団の一つ）などが居住していた。その

【図表1-1】中国西部の地図

昔、回鶻（かいこつ）と呼ばれていたウイグル族がイスラム教徒に改宗したことにちなんで、中国ではイスラム教徒のことを「回回（ホイホイ）」と呼ぶことが多い。

習仲勛はその回回を含めた西北の少数民族であるウイグル族に非常に融和的で理解のある人だった。

1949年10月1日に中華人民共和国が誕生すると、それまで中共中央西北局の書記だけでなく西北軍区の政治委員をしていた習仲勛は、中共中央人民政府委員、人民革命軍事委員会委員などを務め、西北軍区政治委員会の副主席兼主席代理に抜擢された（主席は彭徳懐（ほうとくかい））。当時の行政大区画の関係上、身はまだ西北に置いていたものの、1952年9月からは実際に北京入りして、地方で管轄していた時よりもずっと上の職位に付くことになった。

新疆ウイグル自治区には王震（おうしん）（1903年～1993年）が書記として派遣された。王震は1952年に西北一帯の少数民族の反乱を武力鎮圧しようとするが、このとき中央で西北軍の命令指揮を執る習仲勛は激怒し、王震を糾弾。ところが、その後、ウイグルやチベットの暴動が激しくなり、結局、習仲勛の融和策が間違いであるとして批判の対象になった。

チベットやウイグルといった広大な面積を有し、かつ宗教的にも信仰心の篤い少数民族を統治できるか否かは、中国の指導者に最も問われる手腕だ。胡錦濤はチベットにける暴動を武力弾圧したことで有名で、鄧小平に高く評価され、江沢民の後継者として指名されたほどだ。

しかし習近平には胡錦濤のように少数民族地域を統括した経験がない。そこで、習仲勛がウイグル族に寛容だったということを批判されないように、習近平は党の総書記あるいは国家主席に就任してからというもの、ウイグル族などの少数民族に対する人権弾圧や言論弾圧を強化する結果となった。

ただ、父・習仲勛が武力鎮圧を嫌がっていたために、胡錦濤のように武力鎮圧をするという手段を選んでいない。その結果生まれたのが思想改造をさせるための強制収容所戦略だ。これが、トランプが理解を示したとボルトンが暴露した強制収容所の正体であり、習近平のアキレス腱なのである。

香港問題もウイグル問題も「習近平のトラウマからの脱却」であり、「父が残した負の遺産との相克」だと言っていいだろう。その意味で習近平は自分の運命として「毛沢東を越えなければならない」ということもできる。

ボルトンは暴露本で「トランプは大統領再選のためなら国を危険にさらすことも辞さない男だ」と指摘している。

選挙があるというのは民主主義国家の特典だ。しかしその選挙に当選するために、アメリカはどれだけの罪作りなことをしてきたか。戦争を仕掛けては、どれだけ多くの他国の無辜の民の命を奪ってきたか知れないし、また国際秩序を間違った方向に歪めて人類に災禍をもたらしてきた。

一方、民主的な一般国民による普通選挙がない中国では、一党支配体制を維持するために建国以来、数千万の自国民の命を奪ってきた。そして今、中国共産党のトップに立つ習近平は「中国共産党」から批判されないようにするために、人権や言論の弾圧に邁進している。
最後に笑うのは誰か――?
人類の運命が懸かっている米中相克の考察をさらに深めていこう。

第2章

ポストコロナを巡る米中覇権構造

（遠藤誉）

【1】国連機関を狙う習近平とWHO拠出金を停止したトランプ

1．ウイルス起源に焦点を当てたトランプ

コロナに関して人類を破滅の危機に追いやっているのが習近平（国家主席）であり、習近平に忖度をしたWHO事務局長のテドロスであることは論を俟たない。

2020年1月23日にWHOは習近平のために緊急事態宣言を延期した。この延期は国際世論から激しい批判を受けたため、テドロスは実態を調査に行ってから改めて決めると弁明し1月28日に中国入りしたのだが、行った先は北京の人民大会堂であって、コロナ感染者の震源地である湖北省武漢市ではなかった。現地調査をしたのではなく、習近平に会いに行ったのだ。

1月30日になってようやく緊急事態宣言を発布して、肝心の「中国への渡航と貿易を禁止する」という条件を付けないとして緊急事態宣言を骨抜きにした。テドロスがエチオピア人であり、エチオピアの最大出資国は中国であるということが背景にある。中国の出資がなければ国家が運営できないほどにしておいてから、水面下でテドロスがWHOの事務局長に当選するように動いてきた。

だからテドロスは習近平に忖度する。

その結果、ウイルスを持った中国人が全世界に散らばっていったのだから、その罪は償えないほどに重い。コロナが一段落したら、人類のすべてが習近平の責任を問わなければならないのは明らかである。

この理由だけで十分なのに、トランプはウイルスの発生源が「武漢ウイルス研究所だ」と言い出し、ポンペオも5月3日にテレビで「膨大な証拠がある」と断言したため、トランプもまた「証拠を見た」「証拠はたくさんある」と言ってしまった。

これだけの犠牲者を出せば、そう言いたくなる気持ちはわかる。人類すべてが怒っていると言っても過言ではない。

しかしそれでも中国の責任を追及するに当たり、ウイルスの発生源を持ち出してしまうのは危険だ。万一にも科学的に否定されてしまったらトランプ政権の敗けになる危険性を孕んでいる。

その懸念は次々と現実になっていった。

5月4日、アメリカのCNNは「アメリカの同盟国（ファイブアイズ）は、ウイルスのアウトブレークは中国の研究室からではなく、海鮮市場から来た可能性が高いという認識を共有した」と報道した。ファイブアイズというのは「アメリカ、イギリス、カナダ、オーストラリア、ニュージーランド」の5カ国による連盟で、高度の諜報（インテリジェンス）を秘密裏に共有している。

イギリスのＢＢＣは４月29日、「アメリカはコロナウイルス研究資金援助を中止した。このプロジェクトはこれまで武漢ウイルス研究所と協力していた」と報道している。ＢＢＣニュースによれば、ニューヨークにあるエコ・ヘルス連盟（EcoHealth Alliance）は過去20年間にわたり、25カ国とウイルスに関する共同研究をしてきたが、２０１５年からは研究経費を「オバマ政権時代の国際医療研究協力の一環」として位置づけ、アメリカ政府が国立衛生研究所経由で３７０万ドルを支払ってきたそうだ。共同研究の相手には、なんと武漢ウイルス研究所も含まれており、研究テーマはこれもまた、なんと、「コロナウイルス」である。

４月30日にはアメリカの情報機関を統括する国家情報長官室は新型コロナウイルスについて「人工のものでも、遺伝子組み換えされたものでもないという、幅広く科学的に認められている見方に同意する」という声明を出した。

するとトランプは自説である「武漢研究所説」の表現を微妙に変え始めた。

５月５日のニューヨークポストは、「トランプはコロナウイルスの蔓延を中国のせいにしているが、『わざとではない』と言っている」と報道。トランプは中国攻撃のトーンをすっかり弱めているのだ。ニューヨークポストのインタビューに、トランプは「武漢からウイルスが出たということを明らかにしただけで、研究所を特定しているわけではない」とさえ言っている。

５月７日になると、ＣＮＮが「コロナ発生源、武漢研究所の〝確信ない〟ポンペオ米国務長官」と伝えた。こうなると「譲歩の連続」であり、ウイルス発生源論争に関するアメリカの敗北を招く。

もっとも、AP通信は6月2日になって、「実はWHOは中国の対応に不満を持ちながらも、協力を得るため、表向き中国を評価するような態度をとっただけだ」と報道し、その証拠としてWHOにおける会議の録音や内部資料などを挙げている。それによれば、「中国政府の情報提供が不十分だと出席者から不満の声があがっていた」とのこと。

AP通信は「WHOと中国がより早く行動していれば、多くの命が救えたことは明らかだ」とする専門家のコメントを紹介している。

しかしそれ以前にトランプは激しい行動に出ていた。

2. WHO拠出金停止とWHO脱退

ウイルス起源説に拘泥するのは賢明ではないと判断したらしいトランプは、怒りの矛先をWHOに向けるようになった。

「WHOは中国の操り人形で、人類に早く警告すべきだったのに習近平に忖度して警告を遅らせてしまった。その結果、全人類にコロナを蔓延させてしまった」「防げたものを防がなかった」という論理だ。

それは正しい。

ところが、まるでWHOのテドロスと習近平の関係を象徴するかのように、2020年5月18

日に開催されたＷＨＯ年次総会（オンライン会議）で習近平が開幕のスピーチをした。ＷＨＯの本部はスイスのジュネーブにあるので、スイス大統領（シモネッタ・ソマルーガ）や国連事務総長（アントニオ・グテーレス）が短い祝辞を送ったのは、まあ理解できるとして、３番目の習近平のビデオメッセージは非常に長くインパクトを与えたために世界をアッと驚かせた。

なぜならそれまでのＷＨＯ年次総会で、各国首脳が挨拶をするなどという光景自身があまりなかったし、第1章で述べたように、そのときまでにアメリカを含めた８カ国の民間団体などが中国に損害賠償請求をしていたからだ。その金額は日本円にして1京円を超えると言われている。だからテドロスが習近平に弁護する余地を与えるために仕組んだのだろうと世界中の誰もが疑った。

案の定、習近平は「人類運命共同体」という習近平政権の外交スローガンを用いて、中国がいかにコロナで苦しんでいる国々を助けているかを宣伝し、かつＷＨＯに向こう2年間で20億ドル（約２２００億円）拠出すると表明した。

アメリカはこれまで年間４億５０００万ドル（約４９５億円）をＷＨＯに拠出し、その額は全体の約15％に及ぶ。中国などわずか０・2％に過ぎず比較の対象ではなかった。

しかしＷＨＯ年次総会で米中の姿勢は顕著な対照を成していた。

トランプはテドロス宛に書簡を送り、ＷＨＯが30日以内に（中国寄りなどといった）姿勢を改善しなければ拠出金を停止し脱退する可能性を示唆したのである。ＷＨＯを批判するのはいいが、まだコロナが蔓延している状態で拠出金を停止するという脅しまがいのことを言うのは賢明だとは言えない。

そもそも習近平の「人類運命共同体」という外交スローガンは、トランプがグローバル経済に背を向け、「アメリカ・ファースト」を言い始めてから、その対立軸としての中国を際立たせるために生み出された言葉である。

習近平はコロナを全人類に巻き散らした張本人であるにもかかわらず、臆面もなく「ウイルスに国境はない」として、「人類運命共同体」を強調し、後述するように、コロナで苦しむ発展途上国に医療支援物資を送ったり医療チームを派遣したりして、「医療支援外交」を展開している。国際社会を味方に付ける際に、どちらの戦略が賢明かは（「狡猾か」と言ってもいいが）、残念ながら明らかだ。

おまけにアメリカのニュースサイト「アクシオス（axios）」のスクープによれば、どうやらＷＨＯはトランプにもビデオ参加のための招待状を送ったがトランプが拒絶したとのこと。拒絶する気持ちは理解できるが、習近平とテドロスはトランプの拒絶を織り込み済みで舞台設定をしたのだろう。本来ならトランプはその裏をかいてビデオスピーチを送ることを承諾し、思いきりＷＨＯの緊急事態宣言が遅れたことと、ようやく宣言しても、それを習近平のために骨抜きにしたことによって人類に未曽有の災禍をもたらしたことを訴えるべきだったと思う。ＷＨＯとしてはビデオメッセージの内容が悪いからと言って、受け取らないというわけにはいかず、習近平のスピーチを相殺することにもつながり困っただろう。

このあたりの慎重で着実な戦略の深さにアメリカは欠けるところがある。トランプは正直という視点で見れば「正直」だが、外交戦略という視点で見ると「直情的」で国際社会を惹きつける魅力に欠けるのが難点だ。

ＷＨＯ総会の時にテドロスに宛てた書簡では「30日以内に善処が見られなければ拠出金を停止する」となっていたが、全人代における香港への国家安全法制導入決議も手伝ってか、２週間を待たずにトランプは「拠出金を停止する」ことと「ＷＨＯを脱退すること」を決定したと発表した（アメリカ時間5月29日）。

この発表に対して数多くの国から批判が殺到し、ＷＨＯはますます「中国寄り」になるだろうと国際社会は懸念している。ＥＵ（欧州連合）は「いまは協力と共通の解決策を強化すべき時だ」との声明を発表し、英医学誌ランセットの編集者、リチャード・ホートン氏などは、「狂気と恐怖が同時にやって来た」、「米政府は人道上の緊急時にならず者になった」とさえ述べた。またイギリスの学術誌『Nature（ネイチャー）』は5月29日、"What a US exit from the WHO means for COVID-19 and global health"（アメリカのＷＨＯからの脱退はコロナとグローバルヘルスにとって何を意味するのか）というタイトルの論評を載せ、「支離滅裂であり、非効率で、死に至る病の復活を予見させる」として酷評している。

一方、トランプはアメリカのＷＨＯへの拠出金について「他の形で、切実な国際公衆衛生上のニーズに振り向ける」とも述べているため、現存のＷＨＯとは別の組織を設立するのではないかと憶測され、WHOからオブザーバーとしての参加さえ拒否された台湾などが新たな期待をトランプに寄せている。ぜひとも別途、国際公衆衛生関連の組織を設立して台湾を「中華民国」として参加させてほしいという期待が高まっているのだ。

万一にもこのような動きがあるとすれば、1971年10月25日に「中国」の代表として「中華人民共和国」が国連に加盟し、同時に国連脱退に追い込まれた「中華民国」(台湾)としては、「ひょっとしたら、また国連に戻れるチャンスがあるかもしれない」とトランプに期待するだろう。

そもそも「中華人民共和国」が「中国」を代表することになった背景には、時のニクソン大統領が大統領再選を願って、米ソ対立の最中、ベトナム戦争などの難局から脱却するために北京に接近したのは周知の事実だ。

1971年4月16日：ニクソン大統領「米中国交樹立が長期目標」と発言し、訪中意向を表明
1971年7月9日：キッシンジャー訪中(忍者外交)。周恩来と会談
1971年10月25日：中華人民共和国を唯一の中国を代表する国家として国連加盟を認める
　中華民国、国連脱退
1972年2月21日：ニクソン大統領訪中。毛沢東と会見し「一つの中国」認める

この流れから見て、ニクソンが、実質的にはキッシンジャーが理論構築して現在の中国を国連

に加盟させ、中国を中心とした「世界新秩序」形成を可能ならしめたのである。

ただ単に一人の人物が大統領に再選されるために平気で世界秩序を変えてしまうのがアメリカだ。キッシンジャーを北京におびき寄せたのが毛沢東であることは今ではさまざまな情報が開示されていて知らない者は少ないだろう。

今度は、トランプが大統領再選のためにニクソン&キッシンジャーが作り上げた世界秩序を塗り替えて、ポストコロナの「世界新秩序」を描こうとしていることを中国は嫌というほど知っている。

だからこそ習近平はそうさせてはならないと、あらかじめ先手を打っているのである。

3．国連の専門機関を牛耳る習近平

現在、国連には15の専門組織（国連憲章第57条、第63条に基づき国連との間に連携協定を有し、国連と緊密な連携を保っている国際機関）があるが、そのうちの4つの専門機関の長は「中国人」が占めている。その4つの機関名と職位、中国人の名前および就任時期を書くと、【図表2−1】の表のようになる。その就任時期にご注目いただきたい。

習近平が中国共産党中央委員会（中共中央）総書記に着任したのが2012年11月で、国家主席の座に就いたのは2013年3月だ。なんと「みごと」ではないか。

親中の人間を国連や国連専門機関の長に据えるだけでなく、大陸の中国人そのものを国連専門機関の長に就かせることによって、中国は国連を乗っ取る戦略で動いているのである。

それだけではない。

国連専門機関のトップ以外の要職や、国連傘下の関連国際組織あるいはその周辺組織にも、【図表2-2】のように圧倒的な数の中国人が要職を占拠している。これはチャイナ・マネーで買収された（という言葉が悪ければ「心を奪われた」）人々によって「選挙で公平に」選ばれているメンバーたちだ。戦略的な中国は、着々と水面下で「仕事」をしてきた。

特に注目すべきは、今般問題になっているWHOは事務局長のテドロスだけではなく、事務局長補佐の一人は任明輝（にんめいき）で中国人なのだ。WHOは中国によって牛耳られていると言っても過

【図表2-1】中国人がトップを務める国連の4つの専門機関

2020年6月末現在

専門機関名	役職	名前	就任年月
UNIDO（国際連合工業開発機関）	事務局長	李勇（りゆう）	2013年6月～
ITU（国際電気通信連合）	事務総局長	趙厚麟（ちょうこうりん）	2014年10月～
ICAO（国際民間航空機関）	事務局長	柳芳（りゅうほう）	2015年3月～
FAO（国際連合食糧農業機関）	事務局長	屈冬玉（くつとうぎょく）	2019年8月～

【図表2-2】中国人が要職に就く主な国際機関

2020年6月末現在

専門機関名	役職	名前	就任年月
WIPO （世界知的所有権機関）	事務局次長	王彬穎（おうひんえい）	2008年12月～
IMF （国際通貨基金）	事務局長	林建海（りんけんかい）	2012年3月～ 2020年4月
WTO （世界貿易機関）	事務局次長	易小準（いしょうじゅん）	2013年8月～
WB （世界銀行）	常務副総裁兼 最高総務責任者（CAO）	楊少林（ようしょうりん）	2016年1月～
WHO （世界保健機関）	事務局長補佐	任明輝（にんめいき）	2016年1月～
AIIB （アジアインフラ投資銀行）	行長（総裁）	金立群（きんりつぐん）	2016年1月～
IOC （国際オリンピック委員会）	副会長	于再清（うさいせい）	2016年8月～
IMF （国際通貨基金）	副専務理事	張涛（ちょうとう）	2016年8月～
WMO （世界気象機関）	事務次長	張文建（ちょうぶんけん）	2016年9月～
UN （国際連合経済社会局）	事務次長	劉振民（りゅうしんみん）	2017年6月～
ADB （アジア開発銀行）	副総裁	陳詩新（ちんししん）	2018年12月～
UN （国際連合）	事務次長補佐	徐浩良（じょこうりょう）	2019年9月～

言ではない。

　ここに列挙した人々は当然、全員「中国共産党員」である。中国建国の父・毛沢東の「世界赤化」の夢は、着実に実現しつつあるのだ。

　建国以来（実際には1950年10月1日に改編）、天安門の城壁に掲げてあるスローガンを見ていただきたい。一つは「中華人民共和国万歳」だが、もう一つは「世界人民大団結万歳」だ。「世界人民大団結」は何を意味しているかというと「世界を中国共産主義化していくこと」、つまり「世界赤化」である。

　今は共産主義を信奉する中国人民はほとんどいないので、習近平はマルクス主義から始まり「初心に戻れ」を中心としていかに共産主義が素晴らしいかを教育しているが、要は「共産主義の衣を着た中国という国家」が世界制覇をすればいいと思っているのである。

　そのために中国人を要職に就けるだけでなく、国連のグテーレス事務総長（ポルトガル人。マカオを通して中国に抱き込んだ）や、ＩＭＦのクリスタリナ・ゲオルギエバ専務理事（ブルガリア人。ブルガリアは中華人民共和国を最初に認めた国の一つで一帯一路の東欧の拠点。習近平は彭麗媛（ほうれいえん）夫人にブルガリア人のイリナ・ボコヴァ元ユネスコ事務局長に接近させ、ＩＭＦ専務理事にクリスタリナ・ゲオルギエバを就けるべく水面下で動いた）など、国連の要職を親中派で固め、国連そのものを中国が乗っ取ろうとしている。

　２０１９年8月26日、ワシントン・タイムズは「アメリカは国連で増大している中国の影響力に対処しなければならない」と警鐘を鳴らしているが、もう遅い。

トランプのＷＨＯ拠出金停止は、中国が目論む世界新秩序を決定的に加速させる危険性を孕んでいる。

【2】中国はどのようにしてコロナから脱出したのか

1．本当はコロナ初動で失態を演じた習近平

２０１９年12月30日、湖北省武漢市の李文亮医師が「この肺炎はＳＡＲＳのときのコロナ肺炎に似ている。「人−人感染もする」と警鐘を鳴らしたが、２０２０年１月１日、武漢公安は李文亮を「デマを流し社会秩序を乱した」として摘発。患者の治療に没頭していた李文亮自身も新型肺炎にかかり２月７日に亡くなった。

同年１月５日に上海市公共衛生臨床センターが「いまだかつて見たこともない新型コロナウイルスだ」とウイルスの検証結果を発表したのに、武漢政府は「確かに原因不明の肺炎患者はいたが、その問題はすでに解決している」として北京に良い顔をしようとした。

習近平は武漢市政府の虚言を信じて、１月17日からミャンマーを訪問しただけでなく、19日から21日までは春節のお祝いで雲南省を巡っている。

しかし「問題は解決している」と隠蔽を続ける武漢市政府が「万家宴」という４万人の家族が料理を持ち寄る春節の宴に現を抜かしていた１月18日、浙江省で同じ原因不明の肺炎患者が発症

したため、中央行政機関の一つである国家衛生健康委員会が動き、SARSのときの功労者である中国免疫学の最高権威・鍾南山院士（博士の上のアカデミックな称号）率いる「国家ハイレベル専門家グループ」を武漢視察に派遣した。

1月19日、一瞬で「SARS以上の危機がやってくる」と判断した鍾南山は直ちに北京に行き、習近平の代わりに北京を守っていた李克強国務院総理に報告。李克強は雲南にいた習近平に知らせて、1月20日、習近平の名において「重要指示」を発布させた。

習近平は2月15日に発行された中共中央機関誌「求是」に「私はコロナに関して1月7日に警告した」と書いているが、もしそうならなぜミャンマーに行ったり雲南で春節巡りなどをしていたのか。21日になってようやく雲南を離れ、北京への帰路に上海に立ち寄って江沢民に春節のご挨拶をしに行ったとさえ言われている。もし1月7日に知っていたのなら、WHOへの報告や国内における防疫などを急がなければならなかったはずで、さらに罪が重いことになり、責任追及の勢いが増すことになる。国内的にメンツを保とうとした後付けの言い訳は見苦しいだけでなく、習近平自身にとって非常に不利だ。

1月20日に「重要指示」を発布した瞬間から中国はパニックに突入し、1月23日には武漢封鎖に踏み切った。同日、WHOは緊急事態宣言を出すか否かの会議を開いたが、習近平は何とか武漢封鎖を間に合わせ、必死にWHOを説得し、宣言引き延ばしを画策している。繰り返しになるが、国際世論に押され、1月30日になりWHOはようやく緊急事態宣言を出したが、「貿易や渡航に関する制限は設けない」と、緊急事態宣言を骨抜きにした。もし1月23日にWHOが緊急事態宣言を発布するか、せめて1月30日の宣言を骨抜きにするようなことがなければ、人類はここまでのコロナ災禍に見舞われることはなかったかもしれない。

おまけにWHOがパンデミック宣言をしたのは3月11日で、実は3月10日に習近平はコロナ発生後初めて武漢を訪れている。習近平は絶対に自分だけは安全圏に置いていたいので、習近平が武漢入りしたということは、中国のコロナ感染のピークは終わりを告げて、武漢が本当に安全になったことを意味する。それを見届けてからテドロスは世界にパンデミック宣言をしたのである。習近平がコロナ災禍の真犯人だと責められないようにするためだ。

習近平への忖度が人類に危機をもたらしていることが、これによっても明らかだろう。

2. コロナ脱出の功労者は鍾南山と李克強

では、中国はどのように中国内におけるコロナ感染拡大を食い止めることができたのか。

2003年のSARS流行を食い止めたことにより、中国では民族の英雄として知られる鍾南山は、全人民および中国政府からの信頼も厚い。ともかく感染源の武漢を一刻も早く封鎖しなければならないと李克強に助言したのも鍾南山なら、爆発的に増える患者で医療崩壊を招きそうだった武漢に、緊急に方艙(ほうそう)医院という野戦病院のようなコンテナ病院を建築させ、全国から医療関係者を武漢に送り込むように提言したのも鍾南山だ。

結果、武漢には6万の病床を擁する16棟の方艙医院が突貫工事で完成し、4・3万人に及ぶ医療関係者を武漢に派遣させることに成功している。

治療方法に関しては「早期発見、早期報告、早期隔離、早期治療」(四早方針)をモットーとして、ともかく「一に検査、二に検査!」と検査を徹底させた。その検査方法だが、診断基準には「症状、CTスキャン、PCR(Polymerase Chain Reaction)検査(核酸増幅法)」の3種類があり、2月11日まではこの3つの条件が揃わないと「確定患者」には分類されていなかったが、湖北省ではPCR検査キットの数が足りなくなったので、湖北省に限り「症状とCTスキャン」で診断されれば「患者」とみなして「確定患者」とし入院治療を強制した。だから患者数は2月11日を境に急激に増えている。

ピークが過ぎた3月4日からは血液中のIgM(免疫グロブリンM)検査も開発されたが、この診断基準の分類には入っていない。その頃は新規感染者数は激減していた。

患者との濃厚接触者や無症状感染者を追跡する方法は中国が最も得意とする監視カメラをフル活用している。一人の患者が特定されれば、その身分証明番号を入力しさえすれば行動の軌跡がわかる。患者がどこに行き誰と接触したかも顔認識から身分証番号を特定。その接触者をたちどころに割り出して検査する。その中には無症状感染者もおり、その場合は直ちに施設に隔離して14日間の観察を行い、再検査して陽性ならば入院治療。陰性なら24時間後に再検査し、それでも陰性のときにのみ隔離を解除する。

軽症者も感染力を持っているので自宅待機はさせない。家族に感染させるし、どうしても生活必需品を求めて近所に出る場合もあるし、また突如重症化する場合もあるので病棟を分けて入院させた。

このようなことが可能だったのは中国政府が鍾南山の提言を重視したことにあり、一党支配体制がウイルスによって崩壊する危険性を習近平は思い知ったからだろう。

3. 李克強が組織した巨大な国務院「聯合防疫機構」

李克強自身の働きも目覚ましかった。

習近平が雲南でめでたく春節巡りをしていた1月20日、李克強は習近平の了解を得て国務院管轄下の国家衛生健康委員会に32の中央行政省庁すべてを横に繋ぐ巨大な政府機構「聯合防疫機構」を設立させた。正式の名前は「国務院による新型コロナウイルス感染肺炎防疫のための聯防聯控機構」と非常に長いので、ここでは「聯合防疫機構」と略称することにする。コロナとの闘争期間、陣頭指揮を執り続けたのは聯合防疫機構である。国家衛生健康委員会のすぐ上にいるのは孫(そん)春蘭(しゅんらん)国務院副総理で、その上にいるトップは言うまでもなく李克強だ。

聯防聯控機構の活躍には目を見張るものがあった。

連日連夜、数十回にわたって会議を開き、孫春蘭も李克強もあの危険な武漢に現地入りし、コロナ収束までに数十項目の政令を発布し続けて、コロナの難関を乗り切った。この間に最も重要視したのは習近平の指示ではなく、あくまでも「本気でコロナを殲滅する」という気概に燃えた免疫学の最高権威・鍾南山（学者で医師）の警鐘だった。

習近平が最初にコロナに関する緊急会議を開いたのは、雲南から戻ったあとの1月25日で、中共中央政治局常務委員会会議で「中央新型コロナウイルス肺炎対策領導小組（指導グループ）」を設立させ、李克強を組長にした。李克強は同日指導グループ会議を開催したが、その横にはオブザーバーとして鍾南山が座っていた。

鍾南山は、１９３６年10月20日に江蘇省の南京市で生まれた。１９６０年に北京医学院（現在の北京大学医学部）を卒業し、文革時には下放され、文革が終わった１９７９年にイギリスに渡り、エディンバラ大学で研究員として研究生活を送った。１９９２年から広州医学院院長（現在の広州医科大学学長に相当）などを務めた。父親は北京協和医学院とニューヨーク州立大学を卒業し、広東省の中山医学院の教授になり、母親も協和医科大学を卒業後、広東省で華南腫瘍医院を創設し副院長を務めたが、文革で知識人として糾弾され自殺している。

このことが大きな原因の一つになっているのだろう。鍾南山は「反体制」とまでは言わないにしろ、体制におもねることがない。ＳＡＲＳのときには、感染の中心地となった広東省で広州市呼吸器疾病研究所の所長として異常を察知し、ＳＡＲＳの脅威を隠蔽しようとする江沢民政権に対して異議を唱え、事態の深刻さを訴えた。

国家衛生健康委員会は、2018年3月の全人代で行われた国務院機構改革のときに、国家衛生計画生育委員会（一人っ子政策委員会）や国務院深化医薬衛生体制指導グループ、全国老齢工作委員会など、数多くの国民の健康衛生に関する部局を吸収合併して誕生した中央行政省庁の一つだ。委員会のほうが「部」（日本の「省」に相当）よりも上にある。

これらの組み合わせが功を奏したのであって、決して習近平の功績ではない。もちろん中国の国家体制そのものが統制的なので人民は政府の命令に従うことに慣れているという側面は否めない。しかし習近平はむしろ、コロナの戦いでは影が薄くなっていたので、テドロスなどに「すべては偉大なる習近平が直接指導し、習近平が中心となって中国はコロナに打ち勝った」と言わせたのである。

ちなみにそれにかこつけて、日本の一部のジャーナリストやチャイナ・ウォッチャーが、習近平と李克強が権力闘争をやっているような情報を盛んに発信しているが、それが如何に根拠のないものであるか、いくつかの事実を列挙しておきたい。

「平均月収1000元の人が6億人」発言

●憶測の一つは5月28日に李克強が全人代閉幕後の記者会見で「中国の平均年収は3万元だが平均月収が1000元の人が6億人もいる」と発言したことに関してだ。「習近平の了承を得ずに中国の貧困の実情をばらしてしまった。これは貧困脱却を謳っている習近平への重大な反逆だ」というのがそれら憶測者たちの論拠の一つである。これがいかに事実無根であるかを示そう。

●実は2014年の時点で李克強は「中国には一人平均純年収が1400米ドルに達しない農民が6億人いる」と表明している。これは世界経済フォーラムでのスピーチで言った言葉で、習近平との協議の末に決めたデータだ。だから2014年5月9日の人民日報(中国共産党の機関誌)にも堂々と掲載されている。

この1400米ドルを当時のレートに変換すると約8600人民元となり、月収716人民元となる。それが今では1000元になったというのは、かなり上昇したことになる。記者会見での「6億人」は2014年でのスピーチの「6億人」と同じで、実は農民を指している。

何としても習近平は2021年までに貧困から脱して小康社会を実現したいと思っているので、この数値も習近平をはじめとした中共中央が共有しているデータである。

人民日報には「平均純収入」という形で掲載されているが、これは一世帯の収入を世帯人口で割り算した数値を指す。仮に農家の一世帯当ての月収が1000元で、その世帯には仮に祖父母や孫(赤ちゃん)など世帯人口が5人いたとすると、その世帯には実際は5000元の月収があることになる。「平均純収入=世帯収入/世帯人口」であることに留意しなければならない。

●今年5月28日の記者会見においても、実は中国共産党機関紙である「人民日報」の記者の質問に対して回答したものである。一般に質問は事前に出されているが、特に人民日報だ。党内で検討していないはずがない。習近平が了承した上での回答である。ついでに言うなら、全人代における政府活動報告もすべて習近平が目を通している。これは作成グループがあって何度も検討され決定したものを発表しているに過ぎない。

●中国の2020年の貧困脱却の基準は、毎年の平均純収入が4000人民元以下なので、李克強が言った年収1万2000人民元以下というのは、かなりの収入がある者を指しており、習近平が党の方針として唱えている貧困脱却をかなり達成しているということになる。李克強の言葉と習近平の理念の間には如何なる乖離もなく、二人が権力闘争をしているという不穏なことを言えば日本人が喜ぶかという浅ましい発想から偽情報を発信するのは好ましいことではない。

露店商発言問題

●次に問題視しているのは李克強が記者会見で露店商を礼賛するような回答をしたことに関してだ。李克強は「西部のある都市で、露店を開いたら一晩で10万人が就業できた」として中国日報社の質問に答えた。日本の憶測者（一部のメディアや研究者）たちは、習近平の了承も得ずに禁止されている露天商を推薦したのは「習近平への反乱だ」という趣旨の主張をしている。だから習近平は李克強潰しにかかっているという「筋立て」である。

これなどは笑止千万とさえ言いたい。なぜならコロナによって大きな打撃を受けた経済をどう立て直すのかは習近平にとっても最も頭の痛いところだ。そこで中共中央が管轄する中央文明弁（中央精神文明建設指導委員会弁公室）は5月27日に会議を開いて、露天商を制限しないと決議した。この決議は即座にCCTVでも盛んに報道され翌日の李克強の記者会見における回答がすでに準備されていたことを示唆している。北京の「新京報」など多くのメディアが伝えていた。李克強の記者会見では多くの質問の中の一つなので中国内ではそう大きく報道されていないが、中央文明弁の決議は大きく報道されていた。日本における一部のメディアの報道は、あまりに事実からかけ離れていて、一部の日本人を一時的に「虚しく」喜ばせる効果しか持っていない。このようなことは日本という国家にとっては百害あって一利なし。慎むべきだろう。

●露店が許可されたのは中国で言うところの第三線か第四線都市あたりのことを指しており、北京や上海など第一線都市は勧められていない。特に最初に（2020年3月末に）動き出したのが四川省の成都市で、しかも露店の許認可は各地方都市が決定する形を取っているから、北京や上海市は「わが市はやりませんよ」という声明を出したという経緯がある。露店の許可審査は昔から各地方都市がすることになっている。環境問題や外国人観光客などへの配慮から中央で禁止する方向に動けと各地方都市に指示を出していたが、コロナで大きな打撃を受けたので、このたびはまた中央で「審査対象としない」という決議を出して各地方行政に通知を発布したのである。

そこで北京や上海などの第一線都市は都市行政として「許可しない」という決定を出したわけだ。第一線都市は人口密度が高いので、コロナの第二波が来ることを恐れたという背景もある。

案の定、北京では「露店を許可しない」という声明を出したその翌日からコロナ感染第二波が襲ってきた。

●なお、私（遠藤）は習近平や李克強がまだ国家副主席および国務院副総理の時に何度か会っているが、李克強はガリ勉さんで緊張するとひどく汗をかくという体質を持っている。勤勉だが泰然としていない。一方の習近平は泰然としたカリスマ性を持っていて動じない。歩き方も李克強は速足でサッサと歩くが、習近平は「まあ、急ぐな」という感じでゆったりと足を運ぶ。

自ずとどちらがトップに立つかは歴然としていて、李克強は有能な実務能力を持っているが国家のトップに立つ器ではない。そのことを二人ともよく自覚していて「棲み分け」をきれいにやっている。二人が権力闘争をしていると「希望している」のは、やじ馬だけだ。この二人の権力の棲み分けと役割分担は絶対に変わらない。そもそも李克強にはそのような野心もないし、メリットもないと十分にわかっているのである。

最後にコロナ期間中の経済に関して付言しておきたいが、コロナ期間中の食糧提供、電力、水、医療物資製造や運輸などインフラ的な基幹業務はすべて国有企業が担った。これに関しても詳述したいが文字数が増えすぎるので自重する。ひとことだけ言うならば、国有企業というのはこういう危機対応の時に本領を発揮し中国という国家の背骨としての役割を果たすので、トランプがどんなにその構造改革を求めても中国は応じないことを肝に銘じておいたほうがいいだろう。

【3】習近平のマスク外交とトランプの対中包囲網

1. 習近平のマスク外交――健康シルクロードからデジタル人民元へ

2020年3月10日に武漢入りしてコロナに関する事実上の「勝利宣言」をした習近平は、「一帯一路」沿線国に対して医療支援部隊を派遣し、大量の医療物資を提供し始めた。

3月11日、中国赤十字会副会長の一人を代表とする医療支援部隊がイタリア行きのチャーター便でイタリアに向かった。医療支援部隊は国家疾病制御センター、四川大学華西医院、四川省疾病制御センターなどの専門家グループや医者・看護師・医療関係者などから成り立っており、大量の医療支援物資も運んでいる。

3月12日、中国共産党機関紙傘下の環球網は中国の最初の防疫対外支援専門家チームのチャーター便がイタリアに赴いたと報道した。それによれば、9人の医療専門家と31トンの医療物資（ICU病床設備、医療用防護用品、抗ウイルス薬剤、健康人血漿と新型コロナウイルス感染回復者の血漿など）を携えて上海からローマに直行したという。

四川省は主としてイタリアを支援し、江蘇省はパキスタンを、上海はイランを、そして広東省はイラクをというように、いくつかの省が一つの国を担当する。こういった医療支援を合計127カ国に対して行い、そのたびにCCTVは習近平がその国の首脳と電話会談を行ったことを報道した。

外交となると、俄然、習近平が前面に顔を出す。それらの報道に付き物なのは相手国の首脳あるいは首脳級の幹部が習近平を「救世主」と讃える言葉をくり返し報道することである。

これまで述べてきたように、中国のコロナからの脱却に実際に功績があったのは鍾南山や李克強あるいは現場の医療関係者たちなどだが、習近平はまるで「自分の手柄」のような言葉を、支援をした相手国の首脳に要求して喋らせるものだから、中国の民衆はこの現象を「摘桃子（ザイタオズ）」（他人の栄誉を横取りして自分の功績とする）と嘲笑（あざわら）っている。

この礼賛のフレーズがまた決まっていて、本章冒頭に書いた全人代における政府活動報告で李克強は「コロナ発生後、党中央は感染症対策を最重要課題として捉え、習近平総書記が自ら指揮を執って、自ら配置を行い、人民の生命の安全と健康を第一に掲げることを堅持してきた」と言っている。これは1月28日に人民大会堂で習近平と会談したWHO事務局長のテドロスが言った言葉と同じで、その日、CCTVは国連事務総長のグテーレスにも同様の言葉を言わせて報道している。

これはトランプが言うように、テドロスは「習近平の操り人形だった」ということを証明している。つまりテドロスは、習近平が喋らせたい言葉を忠実に再現して喋っているということだ。

こうして一帯一路沿線国を中心にして約130カ国を総なめにして、ポストコロナで決して対中包囲網の戦列に加わらないようにという契りを交わさせているようなものなのである。

習近平は今や一帯一路を「健康シルクロード」と呼ばせるようになった。

新華社報道によると一帯一路のうち、中欧（中国―欧州）定期列車を通してヨーロッパに運ばれた医療物資の合計は4月末までに8000トンを超え、運航回数は前年同期の24％から27％増となったという。

3月29日から4月1日まで、習近平は浙江省杭州市の大脳運営指揮センターを視察したが、そこではビッグデータを活用し、クラウド計算やブロックチェーン技術あるいはAIを駆使して都市のデジタル化とスマート化を加速せよ、と檄を飛ばしている。また「デジタル感染対策」に関しては、アリペイにある「健康コード」などを用いて、感染者の追跡や濃厚接触者を割り出し、感染の現状と推移をデジタルで可視化することなどを強調した。これは遠隔治療を可能とする「医療支援シルクロード」の骨格を成しており、かつ、もう一つの習近平の戦略を髣髴とさせた。

それは習近平政権が秘かに取り組んでいるブロックチェーン技術を利用した法定デジタル人民元の流通を、この「健康シルクロード」で展開していこうという野望だ。「恩を仇で返すようなことはできまい」という強かな計算なのである。

2.「一帯一路」発展途上国の債務を減免した習近平
――ポストコロナの新世界秩序を睨んで

それだけではない。ポストコロナの新世界秩序形成を睨んで、もっと強かな戦略が動いていた。

2020年6月7日、国務院新聞弁公室は「新型コロナウイルス肺炎感染との闘いに関する中国行動」という白書を発表し記者会見を開いた。

記者会見では「最貧国の債務返済を猶予するG20イニシアティブに積極的に参加するとともに実行に移している。すでに発展途上国77か国・地域の債務返済を一時的に停止することを宣言した」と述べている
さらに「中国の医療支援は第二次世界大戦終了以来の未曽有の深刻な世界公衆衛生上の歴史的岐路において、人類衛生健康共同体構築の観点から、一連の重要な提案と措置を示した。これは感染症との戦いにおける世界の自信を支え、国際協力を推進し、さらには将来のグローバル・ヘルス・ガバナンスを計画する上で、非常に重要かつ計り知れない意義を持つものだ」と指摘。

また中国はWHOに20億ドルの支援を行うだけでなく、多国間では、WHOに2回に分けて計5000万ドルの資金援助を行ったと強調している。

この記者会見の目玉は、「発展途上国77か国・地域の債務返済を一時的に停止すること」と第一章の中国・アフリカサミットで触れたアフリカとの関係において「中国・アフリカ病院ペアリ

ング協力メカニズム」の構築をすでに30件進めているということだった。

この77カ国に関して国名を明らかにしていないが、一つは、いわゆる「発展途上国・地域77カ国グループ」に対して中国が提携して協力を進めている「77カ国+CHINA」の77カ国を指しているとみなすことができる。

もう一つは、IDA（国際開発協会）支援の適格国「76カ国」に標準を合わせているとみなすこともできる。なぜなら、G20で決めた貧困国債務返済猶予の対象は「73カ国」で、「73の貧困国」はIDA支援の適格国「76カ国」とほぼ一致するからだ。

問題は、これらが「一帯一路」沿線国138カ国と、どれくらい重複しているかである。

それを一国ずつ丹念に調べて確認してみたところ、11カ国が漏れているだけで、残りの65カ国は、「一帯一路」沿線国の内の発展途上国あるいは極貧国であることが判明した。

となると、何が推論できるかというと、中国は「一帯一路」沿線国の発展途上国および極貧国が中国に対して持っている債務を帳消しにするか返還期間を延期して猶予してあげてしまっているということになる。

これこそがポストコロナの新世界秩序を形成する大きな要素の一つとなることに注目しなければならない。

第一章で述べた中国・アフリカ協力に参加している国の数は53カ国である。そのほとんどは一帯一路にも加盟している。それにこの65カ国を単純に加えたとして118カ国になるが、アフリカ53カ国の中から発展途上国と極貧国をおおまかに選ぶと少なくとも100カ国以上が「債務の減免」を受けたことになる。

これらの状況をざっくり捉えて、中国では知識人により以下のような定性分析が成されている。

❶中国は発展途上国の最大の債権国で、その総額は5・5兆ドルに上る。

❷なぜそこまでの債権を持っているかというと、一帯一路やアフリカ諸国に対する投資があるからだが、それらの対象国は、そもそも「信用格付」(金融商品または企業・政府などの信用状態に関する評価を簡単な記号または数字で表示した等級)すらされていない国がほとんどで、どの国も、あまりにリスキーなために、これらの国にお金を貸さない。その危険性を押して中国はお金を貸している。

❸なぜ、そのようなリスクを冒すのかというと、商品輸出先の市場として育てたいからだ。中国は輸出主導型経済なので、商品を買ってくれる市場が最も重要だ。リーマンショック以来、アメリカの消費力が大きく落ちてきたので、新しい輸出先を作る必要がある。したがって新興国や発展途上国のインフラ整備に投資し市場として育て、中国の商品を買ってもらうことが一帯一路の最大の目的だ。

❹一帯一路は基本的にインフラ投資で、中国は自国がかつてインフラ投資で成功した経験をいくつか持っている(リーマン後の地方政府の債務増加は別として)。一帯一路沿線国の発展途上国や貧困国に対しては、本来は発展させて、その果実を頂こうという発想では

あるが、スリランカのように「借金漬けにして植民地化する結果に見える」例もあることから「一帯一路」戦略とは「債務の罠」戦略であると批判する海外人士が多い。もしそれが正しいとすれば、今回の債務返還の取り消しや猶予といった措置を中国が取るはずがないだろう。

❺コロナで、これらの国は今は返済できないことは明らかなので、今は返済を迫らない。むしろ猶予を与えて、経済が復旧してから返済させた方が中国にとっては有利。

❻債務返済の猶予をすれば、何が変わるか。中国の「大国としての影響力」を高める結果を招く。これこそが、アメリカと対比した時のポストコロナの国際社会における中国の地位を高めてくれるものなのである。

以上、大雑把に中国の知識人らが分析している結果をまとめてみた。

❸と❹は、中国の知識人の分析として、一応「ふむふむ」と受け止めるが、ここで最も注目されるのは❻で、これこそが「ポストコロナの世界新秩序」を形成するための習近平の戦略であるということができよう。これは見落とさない方がいい。

前述の「健康シルクロード」建設だけでなく、一帯一路の債務返還まで帳消しにするとか猶予を与えるなどするとなると、国の数からいって、アメリカを取るのか中国を取るのかとなった時に、中国を取る国の数のほうが増えることは明らかだろう。つまり国際機関などで票決をするときに、中国に賛同する国を増やすことが狙いだ。それによってポストコロナの世界制覇を中国に有利な方向に持って行こうとしているとみなすことができる。

コロナの発症地でありながら、そのコロナをきっかけに、中国側に付こうとする国の数を広めていこうとする習近平の意図が如実に表れている。

この基礎の上で、デジタル人民元を実現させていこうという遠大な戦略が透けて見える。それは第4章以降で考察する。

なお第6章の【図表6-2】一帯一路関係国の経済指標にあるデータは2017年から2018年に至るものなので、今般のコロナによる一帯一路沿線国内の発展途上国および貧困国への債務の減免は反映されていない。また同章でスリランカを「債務の罠」の例として説明しているが、スリランカのケースを以て、「債務の罠」が一帯一路の目的であると位置づけてしまうのは、少々危険かもしれない。

たとえば2019年4月29日に、ニューヨークにある調査会社ロジウム・グループ(Rhodium Group)が「中国一帯一路債務レポート」を発表したが、それをドイツの国営放送であるドイチェ・ヴェーレ(ドイツの声、Deutsche Welle)が詳細に分析している。

それによれば、一帯一路沿線国の中で債務に苦しんでいると思われる24カ国を選び、40件のプロジェクトに関して詳細に調査したところ、スリランカのハンバントタ港だけが債務を返済できず、その代わりに資産の差し押さえとして港の運営権を99年間渡すこととなり、2011年にタジキスタンは中国に土地の一部を譲渡したが、それ以外は債務不履行者に対して中国は割合に穏健な交渉を続けているとのことである。

他国の一部を占拠して植民地化しながら世界制覇を進めていく手法は前世紀までの考え方で、中国は今や国際機関などにおける票決で中国に有利に働く方向に動かしていく戦略を選んでいる。その一つがマスク外交だ。

事実、6月30日にもスイスのジュネーブで国連人権理事会が開催され、本書巻末の「あとがきに代えて」で書いた香港国家安全維持法に関する審議が行われた。ところが同法に反対した国が27カ国であったのに対し、賛成した国は53カ国と、約2倍だった。こういう形で世界を一つずつ制覇していくのが中国の国家戦略である。中国外交戦略のスローガンである「人類運命共同体」を軽く見てはならない。

現在起きている事象に対する分析あるいは未来予測には異なる視点があっていいし、また斬り込み口もさまざまあっていいと思うので、敢えて本書ではここは調整せず、独立した視点を述べさせていただいた。

3. ハイテク戦——トランプの対中包囲網と中国の抵抗

「中国製造2025」をめぐって

香港の国家安全法に対する制裁とは別に、トランプ政権は習近平政権が進めてきたハイテク国家戦略「中国製造２０２５」を何としても潰そうとあらゆる手を講じてきた。その最たるターゲットは５Ｇで圧倒的優位を保ってきたファーウェイ（華為）だ。

２０２０年5月15日（アメリカ時間5月14日）、世界最大の半導体ファウンドリ（受託して半導体チップを生産する工場）である台湾のＴＳＭＣ（Taiwan Semiconductor Manufacturing Co.、台湾積体電路製造）が新たな生産拠点をアメリカのアリゾナ州に置くことを発表した。

トランプ政権はファーウェイへの輸出規制を強化すると発表したが、アメリカの要望どおりＴＳＭＣは、２０２０年9月以降はファーウェイに半導体を提供しないことになった。

同年5月20日に台湾の蔡英文総統の二期目の就任式があったが、彼女は就任演説で「今後４年間で台湾が向き合うのは、世界経済の劇的な変化とサプライチェーンが根本的に再構築されていく局面だ」と述べた。サプライチェーン再構築の中には、このＴＳＭＣがあり、それを念頭に置いていたと考えていいだろう。

トランプ政権は猛然と中国依存から脱却すべくサプライチェーンを切断しようとしている。ＴＳＭＣはファーウェイの子会社であるハイシリコンがデザインした半導体の製造を受託して、その製品をファーウェイに販売し、ファーウェイはそれを使って５Ｇ製品を生産している。

頼みとするＴＳＭＣがファーウェイを切り捨てるとなると、「中国製造２０２５」は大きなダメージを受ける。一時期ファーウェイは世界最大のＥＭＳ（電子機器受託製造サービス）である台湾フォックスコン（鴻海精密＝ホンハイ）に委託する動きもあったが、フォックスコンの創業者で会長（董事長）だった郭台銘（テリー・ゴウ）が台湾総統選に出馬表明をしたことから事態は一変した。中国に生産拠点を置き中国政府と尋常ではないほど親密な関係にあることが台湾で批判され、郭台銘は会長職を退任し、生産拠点を台湾に戻したり、アメリカに新設したりなどしたため、当然ファーウェイとの縁は切るしかない。ただファーウェイにとっても、フォックスコンでは半導体チップに特化したファウンドリTSMCのような貢献はしてもらえない。だからファーウェイは、そもそもフォックスコンを頼りにするわけにもいかなかったのである。

これらを早くから見抜いていた中国は、新しい道を模索し始めた。

それは「中国製造2025」の本来の目標であった半導体自給率を高めるべく巨額の資金を投資したことである。その額は2兆2千億円と、これまでの規模を遥かに上回っている。

特に中国のファウンドリ最大手であるSMIC（Semiconductor Manufacturing International Corporation＝中芯国際集成電路製造）に重点を置き、TSMCを代替させるつもりだ。SMICの2020年における調達額はグループ全体で1兆円規模にのぼる。6月になると、7月中には中国版ナスダックとされる新市場「科創板（科学技術イノベーション・ボード）」に上場するという情報が中国を駆け巡った。

科創板は2019年に上海証券取引所に開設された新しい株式市場で、最終赤字でも一定の条件を満たせば上場できるなど審査手続きを簡略化している。証券市場の使い勝手を改善して資本面で米国に依存しない体制を整えるのが狙いだ。香港市場を補完する位置づけにとどまるという見方が大勢だが、補完できれば上等だろう。

本書が出版される頃にはＳＭＩＣは上場を果たしているものと思う。

ただ、ＳＭＩＣの技術はＴＳＭＣの2世代ほどは遅れており、どんなに中国政府が投資しても限界があるとも言えるが、しかし上場後に順調に資金調達が進めば、技術革新への好循環が生まれ、ＴＳＭＣを埋め合わせる可能性がゼロではないかもしれない。

もっとも中国に一番欠如しているのは、実は半導体露光装置（リソグラフィー）だ。露光装置はシリコンウエハーに半導体の回路を形成する半導体製造の最も重要な工程を担っている。

露光装置で抜きんでているのはオランダのＡＳＭＬ（Advanced Semiconductor Material Lithography）で、世界のどの企業もＡＳＭＬには勝てない。１９９０年代までは日系企業のニコンやキヤノンが勝っていたが、最近ではＡＳＭＬの一人勝ちと言っていいだろう。

１９８０年代前半までの露光装置は「g線」という波長４３６ナノメートル（nm）（以下、ナノ）の光源で描画していたが、その後パソコンやスマホあるいはビッグデータ処理などの需要からチップサイズを小型化する必要に迫られ、波長がどんどん短くなり、２０００年代に入ると、ＡｒＦ（アルゴン・フッ素）露光装置が現れた。ＡｒＦ液浸露光装置は、２０１８年に始まった7ナノにも対応しなければならなくなり、こうした流れの中で生まれたのがＥＵＶ（Extreme Ultraviolet＝極端紫外線）露光装置だ。

ＡＳＭＬが他のどの国のどの企業の追随も許さないのは、まさにこの「ＥＵＶ露光装置」においてなのである。市場シェア１００％と言っても過言ではない。

となると、誰がより多くＥＵＶ露光装置を手に入れるかで、その国の半導体の命運が決まっていく。

想像に難くないと思うが、米中はＡＳＭＬのＥＵＶ露光装置獲得を巡って壮絶な争いを繰り広げ始めた。

２０１８年、実は中国のＳＭＩＣはＡＳＭＬからＥＵＶ露光装置を１台購入する計画で動いていた。交渉が順調に進み２０１９年には出荷できる状況になっていたのだが、アメリカがＡＳＭＬ側に「中国には売るな」と再三にわたり警告した。このときオランダ政府はＡＳＭＬが中国に輸出することを許可していたので、アメリカの当局者は数カ月にわたって対中輸出を直接阻止することが可能か否かを検証し、オランダ政府当局者との間で少なくとも４回の協議を行ったという。

それが難航したためだろう、なんと２０１８年12月1日午前4時に、ＡＳＭＬの部品サプライヤーであるProdrive工場で大きな火災が発生し、ＳＭＩＣが発注した１・２億ドル相当のＥＵＶ露光装置の出荷はご破算になってしまった。

こんな「偶然」はないだろう。

中国メディアでは当然のことながら、放火犯はアメリカだと言っている。

案の定、２０１９年、中国側が再交渉を始めたところ、アメリカは露骨に阻止に出て、オランダのマーク・ルッテ首相との直接交渉を仕掛けてきた。

ロイター社によれば、ルッテ首相が訪米中だった2019年7月18日、チャールズ・カッパーマン大統領副補佐官（国家安全保障問題担当）がルッテ首相をホワイトハウスに呼び、中国がASMLのテクノロジーを取得することで想定される影響に関する情報機関の報告書を示したという。指示したのはポンペオ国務長官だとのこと。その後まもなく、オランダ政府はASMLに与えた輸出ライセンスを更新しないと決定し、1億5000万ドル相当の機器はまだ、船積みされていないと、2020年1月6日付けの「ワシントン／アムステルダム／サンフランシスコ　ロイター」電は伝えている。

もっともSMICは少なくとも14ナノの半導体を生産することには成功している。その意味では中国では最先端の技術を持っているが、スマホなどの小型化には7ナノまで落とさなければならず、また生産量（月産約5000枚）においてTSMC（月産約58万）とは比較にならず、7ナノを量産しているTSMCに追いつくにはやはり巨額投資が不可欠だろう。

SMICは2004年に香港とニューヨークで上場しているが、今般の「科創板」への上場は中国政府のハイテク戦略の分岐点に位置づけられるので、非常に慎重にアメリカのエンティティリストに入らないように配慮している。製品の提供先としてファーウェイに重きがあると、自分自身がエンティティリストに入れられてしまうので、表面上、あたかも「ファーウェイを相手にしていない」ようなデータを並べている。

ここが中国の戦略だ。

2020年11月の米大統領選でトランプが負けてバイデンになれば事情が違って来る。対中強硬策の基本路線は変わらなくとも、バイデンはオバマ政権で副大統領に就いていた時に習近平にはとてつもなくへりくだり、二人は「入魂の仲」であることを見落としてはならない。時期が来れば変わると思っている。

オランダ政府とて、本当は中国に売りたい。中国もオランダもじっと「時」を待っているのである。だから、この表面上の「偽装」に近いデータを見て「SMICはファーウェイを捨てるのではないか」と喜んだりしてはならない。

さて、そのファーウェイだが、今のところ（執筆時点で）、たとえばだがKirin990は「7ナノ＋EUV」技術で生産しており、9月までにはKirin1020（5ナノ）を大量生産するだろうと言われている。まだTSMCのファーウェイへの販売が継続しているからだ。2020年9月からそれが停止されるので、停止される前に大量に購入し生産しているため、このコロナの時期でも急激な成長を見せている。

2020年5月発表のアメリカの調査会社IC Insightsのデータによると、ファーウェイの子会社ハイシリコンの2020年第1四半期における半導体の売上高は、前年同期比で54％増に達したという。今の内に買えるだけ買っておこうということだろう。

またファーウェイの収入はスマホばかりではない。最も大きな収入は通信インフラの基地局である。これは世界中に不動の地位を占めているので、7ナノに一時的な不便を来したところでビクともしない側面を持っている。

さらに莫大な収入は特許にあるだろう。後述するように、5Gに関しての特許数は世界一なので、実はこれだけでも「暮らしていける」のである。

また「中国製造2025」は何もスマホのような小型化を狙った商品ばかりではなく、IoT（モノのインターネット）やAI化、中国お得意の監視カメラあるいは宇宙開発など、「大きなサイズ」のものも対象としているので、近視眼的になって喜んでばかりもいられない。

すべてのハイテク分野で習近平は何としても「日本との技術協力を獲得したい」と思っているのは確かだ。もっとも7ナノ半導体に関しては、日本は競争から脱落しているに等しいので、向かうは7ナノに長けた韓国となろうが、ここにはアメリカの睨みがもっと激しく効いている。

トランプが目論む対中包囲網「G10／G11」と米中の攻防

2020年3月25日、韓国のサムスン電子はEUV露光装置を使った量産ラインを稼働させたと発表した。半導体メモリーでEUVを活用するのは世界で初めてとのこと。2019年8月に日本から貿易管理上の優遇措置を受けられる「ホワイト国」のリストから除外された韓国の半導体産業は、逆に意地を見せた格好だ。

ところがその韓国、トランプが「拡大G7に入らないか」と声を掛けてきている。

トランプは5月20日、コロナが安定した証拠を見せるために今年6月下旬にワシントンで実際に全員が集まるかたちでG7首脳会議を開催しようと関係国に呼びかけていた。安倍首相は承諾したものの、ドイツのメルケル首相はコロナが安定していないとして出席できないと回答していたことが5月30日にわかった。メルケルはコロナのせいにしたが、実はドイツ国内では経済復興に際し中国とのつながりが起きているという事情もあるからだ。

1980年代から中国と親密な関係にあるフォルクスワーゲンの中国法人、大衆汽車集団（中国）は5月29日、中国自動車メーカーの安徽江淮汽車集団控股の親会社の株式50%を取得することで安徽省政府と基本合意したと発表した。外国の企業が100%以上出資しても良いという法律は2019年の全人代で制定された「外商投資法」で規定されているので、その見本を行く一つの例としても見ることができる（法改正までは中国側が51%以上などと制限されていた）。

ちなみにアメリカの金融大手ゴールドマンサックスの中国法人は2020年3月27日にそれまでの持ち株33%から51%にまで引き上げると中国金融監督当局が決定した。昨年は100%で申請を出していたので、ゴールドマンサックスにしてみれば引き下げられたという感じだろうが、やはり100%を目指すのだという。

このようにメルケルがトランプの呼びかけを断ったのは、ドイツは明確な形で対中包囲網に参画したくはないというシグナルの一つとみなしていい。G7のうちイタリアはもちろん対中包囲網に加わりはしないだろう。

それらの事情を承知しているものとは思うが、メルケルの返答を受けたトランプは「それなら9月に延期してもいい」としたものの、従来の7カ国に加え、「韓国、オーストラリア、インドおよび場合によってはロシア」も加える「G10かG11」構想を持ちかけてきた。当然、トランプが頭に描いているのは強烈な対中包囲網であることは誰の目にも明らかだ。

プーチン大統領の側近とも接触のある私（遠藤）の「モスクワの友人」は、「プーチンは決して習近平を困らせるようなことはせず、ロシアが対中包囲網に加わることはない」と知らせてくれた。

それなら韓国はどうだろうか。

もし韓国が対中包囲網などに入ったら、中国との関係において生きていくことはできないだろう。だから韓国は「日本が反対するだろう」という推測を発信している。日本のせいにして参加しなくて済むようにしているということだ。実際、アジアとして唯一参加している日本は、アジアの他の国、おまけに「韓国」が参加することは嫌がるかもしれない。

そのような立場にある韓国が、ファーウェイのための半導体生産を受託したりできるはずがない。今度はトランプに睨まれる。韓国にとっては応じるも地獄、拒絶するも地獄なのである。

もっとも、意見をコロコロ変えるトランプ政権は6月17日、ファーウェイと自国企業間における事実上の禁輸措置を一部修正すると発表した。5Gの国際基準制定に関わる場合か、あるいはAIや自動運転など先端技術の研究開発に限り、アメリカの関連企業とファーウェイが協力することを「アメリカ自身が」容認したのだ。

これは何を意味するかというと、５Gの国際基準を制定するために必要な「必須特許」数がアメリカ企業は極端に少ないからだ。必須特許の割合は２０１９年ＩＰリティックスのデータで「ファーウェイ（中国、民間）15・05％、ノキア（フィンランド）13・82％、サムスン（韓国）12・74％、ＬＧ電子（韓国）12・34％、ＺＴＥ（中国、国有）11・70％、クァルコム（アメリカ）8・19％、エリクソン（スウェーデン）7・93％、インテル（アメリカ）5・34％……」とアメリカ企業の割合が極端に低い。これでは５Ｇの国際基準制定は中国（世界の26・75％）によって決定されてしまう。周波数領域など、中国に都合が良いように決まっていくのだ。だから、中国に決定権を渡さないためにアメリカの関連企業は頑張れということである（これに関して拙著『米中貿易戦争の裏側』で詳細に考察した）。

そのことからファーウェイの5G覇権を考えると、一帯一路を昨年まで5Gを念頭に置いた「デジタル・シルクロード」とみなしていた中国の戦略は、微妙に紆余曲折を余儀なくされるかもしれない。しかし、同じデジタルでも、本書の後半で考察するように、習近平は一帯一路を「デジタル人民元シルクロード」と今では位置づけている。その点、香港の国際金融センターとしての役割が減じても、アメリカが望むほどには怖くないと思っているだろう。

なお、トランプがあまりに「中国製造２０２５」を目の敵にするので、中国では最近この言葉を大きくは宣伝しなくなったが、実は宇宙開発などにおいては着々と進めている。たとえば材料工学に目覚ましい発展があるのは、人工衛星発射や月の探査の際に必要だからで、2020年5月5日には世界トップクラスの打ち上げ性能を持つ最新鋭ロケット長征5号乙（B）が海南省の発射センターから打ち上げられ、予定の軌道に乗せることに成功した。

2024年にはアメリカが主導する国際宇宙ステーションの寿命が尽きることから、中国は2022年までには中国独自の有人宇宙ステーションを稼働させようとしているが、長征5号乙は最大の運搬能力を持っており、宇宙ステーションへの物資の運搬を担うことになっている。長征5号乙は、2020年に予定されている、月からのサンプル・リターン探査機や、火星探査機への道を開いたわけだが、何と言っても中国が狙っているのは新しいエネルギーである核融合反応発電だ。そのためには大量のヘリウム3が必要で、中国が執拗に月を目指すのは月表面にはほぼ無尽蔵にヘリウム3があるからだ。一切の汚染物質を排出しない核融合反応の実用化に成功すれば、金融以上に世界制覇への近道が拓ける。

もし核融合が実現すれば、人類は宇宙空間のどこでもエネルギーを得ることができるので、「地球からの脱出」がその先に横たわっていることになる。

核融合が実現する時――。

まだまだ先のことだとは思うが、その時には米中の力関係は完全に逆転するだろう。

4. なぜアメリカのコロナ感染者は激増したのか

アメリカの1日当たり新規感染者数だけでなく、累計感染者数も死者数も異常に多い。また感染者や死者数を人種別に見ると、黒人の割合が際立って高い。黒人の感染者数も死亡率も白人の約2・5倍だ。

ここでは必ずしも人種差別に限定せず、全体としてなぜアメリカではこんなに感染者数が多いのか、いくつかの背景を列挙してみることとする（一部中国との比較も含める）。

(一)2020年4月2日付のロサンゼルスタイムズは「Trump administration ended pandemic early-warning program to detect coronaviruses（トランプ政権はコロナウイルスを検出するパンデミック早期警戒プログラムを終了させてしまった）」という見出しの報道をした。それによれば米国際開発庁（USAID）が2009年から資金提供していた早期警戒パンデミック・システムの疫学研究プログラム（以下、PREDICT）への助成金を、トランプは2019年10月に全額ストップさせてしまったとのことである。これは本来、SARS発生以降の新たなコロナウイルスにより、中国やその他の地域でパンデミックになり得るウイルスを発見し検出するためのPREDICT（予測）と呼ばれるプログラムだった。

ロサンゼルスタイムズはさらに以下のような状況を詳細に述べている。

――PREDICTは160種類以上の新型コロナウイルスを含む、パンデミックを引き起こす可能性のある1200種類のウイルスを特定していた。PREDICTは60の海外の研究室のスタッフのトレーニングを行い、サポートした。その中には、COVID-19の原因となる新しいコロナウイルスであるSARS-CoV-2を同定した武漢の研究室も含まれている。PREDICTは、危険なウイルスを探すために、1万匹以上のコウモリと2000匹以上の哺乳類から標本を集めた。その結果、野生動物から人間へと広がる可能性のある約1200種類のウイルスが検出され、パンデミックの可能性を示唆した。そのうち160種類以上は、SARS-CoV-2のような新型コロナウイルスであった。

ロサンゼルスタイムズは「したがってトランプにはパンデミックに対する警戒心もそれに対する備えもまったくなかった」と述べている。

(二)アメリカのメディアでは、2020 Congressional insider trading scandal(2020年米議会インサイダー取引スキャンダル)が数多く報道されているが、日本ではあまり注目されていないので、ここにざっくりと内容をまとめてみる。

――アメリカは2020年1月の早い段階(1月3日か7日)でSARSウイルスと相似性のある新型コロナウイルスが湖北省武漢市で検出されたことを知り、米情報機関はいち早くこの情報を入手した。共和党の上院議員で、上院情報特別委員会の委員長だったリチャード・バーは新型コロナが非常に危険だということを知り(秘密の録音がのちにリークされた）、大急ぎで自分が持っている株を売ってしまい、トランプには「コロナはたいしたことはない」と言った。５月14日になってリチャード・バーは上院情報特別委員会委員長職を辞任する意向を表明した。バーはコロナ流行に関連した株式のインサイダー取引の疑いで捜査対象となっており、ＦＢＩ（米連邦捜査局）によって携帯電話を押収されるなどしていた。その他少なからぬ議員や富裕層がコロナで不正な儲けをしている。

㈢アメリカの健康保険加入率は低く、特に黒人やラテン系貧困層は加入していない人が多い。おまけに貧困層は人口密集地や大家族で暮らす者が多く、コロナ期間でも休めない物流や都市インフラなどのサービス業従事者が多い。また日頃から健康維持のための食生活を重視できず、慢性疾患患者が多い。そのため貧困感染者が増え、死者も割合として多くなる。

中国の場合は、健康保険加入率は２０１８年統計で95％だったが、現在はほぼ１００％をカバーしている。但し都市住民基本医療健康保険と農村新型合作医療保険があり、出資の方法が多少異なる。さらにコロナに関しては検査から治療、入院など、すべて政府が負担するので、貧困層が治療を受けられない状況はなかった。特に中国共産党建党百周年記念である２０２１年までに脱貧困を達成することを国家目標としているので、特に習近平政権になってからは、そのプロパガンダのためにも貧困層への手当てを手厚くするようになっている。

㈣トランプはＣＤＣ（米疾病管理予防センター）という、本来なら「世界最強の感染症対策機関」を軽視している。オバマ政権は感染症のパンデミックを国家安全保障上の重大な脅威と捉え、

２０１６年にホワイトハウス内にパンデミック対策オフィス（ＰＲＯ）を設立した。しかしトランプはこのＰＲＯを廃止し、ＣＤＣの予算も大幅に削減しようとし（民主党の反対で実際は大きくは削減されていないが）、人員も削減した。それもあってか、ＣＤＣが独自に開発した検査キットを今年2月初めに全米に配布したが、試薬が不良品だったため検査できない状態が続き、感染拡大を招いた。また、「消毒薬がコロナを殺すのなら、消毒薬を体内に注射すればいいのでは？」という発言からも分かるようにトランプは科学的知識に欠けるのにもかかわらず、伝染病などの権威であるファウチ博士をバカにして専門家の意見を重要視しない。ファウチは何度も更迭されかけた。中国の場合、前述したように国家衛生健康委員会が中心になって巨大な国務院の聯合防疫機構を構築し、専門家である鍾南山の意見を最重要視した。

㈤アメリカ人には「自由」を重んじる国民性が浸透している。そのこと自体は実に歓迎すべきだが、「マスクを付けない自由」を主張する人々が少なくない。男性はマスクを弱者の象徴とみなす文化もある。また黒人がマスクを付けると「犯罪者であることがばれないようにするためだろう」という疑いを持たれたりする。さまざまな理由からマスクを付けたがらないことも感染拡大の原因の一つとなっている。

㈥感染者数が日々激増している最中なのに、トランプは「感染は落ち着いた（第一波は過ぎ去った）」として緊急事態を一部解除し経済活動を再開させた。アメリカ経済の落ち込みを防ぐためというより、２０２０年11月にある大統領選への配慮が優先されたと言われている。ファウチは「まだ第一波は過ぎ去っていない」として「ここで緩和させれば、いつかは一日の新規感染者が10万人に達する可能性さえある」と反対したが、トランプは強行した。中国の場合は、感染の縮小を確実に見届けた上で経済活動を再開させており、5月29日に北京で新規感染者が一人発生し、翌日に二桁になっただけで、第二波が来るとして厳戒態勢に入り、発祥地付近の区域をロックダウンさせただけでなく1日に300万人近くのPCR検査を行って第二波を食い止めた。

なお、アメリカCDCによれば、6月30日時点でアメリカの累積感染者数は254万5250人（現在感染者数143万5851人）で、1日の新規感染者数は4万1075人である。死亡者数は合計12万6369人で新規死亡者数が885人となっている。

それに対して同日の中国の累積感染者数は8万5227人（現在感染者数525人）で、1日の感染者数は第二波が来たために23人になっている。死亡者数は合計4648人で新規死亡者数は0人だ。

概ね以上だが、中国共産党による一党支配体制が崩壊するのを恐れた社会主義国家中国と、トランプがだめなら他の党他の候補者を選挙で選ぶことができる民主主義国家アメリカの皮肉な対比が浮かび上がる。

社会主義国家と言っても、中国の場合は独裁国家と言っていいだろう。

中国共産党員の間で行われる党内選挙はあるし、全人代や政治協商会議の「代表（議員）」を「人民」が選ぶという意味での「選挙」はあるのだが、選挙年齢に達したすべての「人民」に「代表」を選ぶ権利はあっても、立候補者は「党の指導の下で」組織されている選挙管理委員会が絞っていく。したがって「党の意向に沿った結果」が出てくる。

その代わり政権は安定しているので、国家の指導者はひたすら「一党支配をいかにして維持させていくか」ということにのみ強い関心を持っていればいい。だから長期的計画ができるし、決断から実行までのプロセスが早い。

片や民主主義は一見「公平で民主的で自由である」かのように見えるが、実際はかなり違う。たとえば日本で考えても政権与党は如何にして次の選挙に勝てるかしか考えず、そのためのありとあらゆる手練手管を考えて自分の党に有利なように正当ではないことをやり続ける。三権が分立していなければならないのに、総理大臣が検事長を権力側に抱き込んだりすることなどは言語道断だ。しかし類似のことが横行している。

トランプの場合は、いみじくもボルトンが暴露本で述べているように「トランプは大統領再選のためなら国を危険にさらすことも辞さない」し、トランプのやっていることのほとんどは大統領に再選されるためであって、国家のためにやっていることなどほとんどないとのことである。それはアメリカ国民なら誰でも知っていることで、今さら驚くようなことでもないだろうが、民主主義国家は「自分が当選することしか考えてないような人物」が国会議員になり国家のトップリーダーになることが多い。

果たしてどちらがいいのかと思ってしまうほど、民主主義国家が乱れている。

しかし、人権弾圧と言論の弾圧が強化され、それに抗議することが許されないような国家を受け入れることだけは絶対にできない。

その意味でも、片膝を地面につけて跪いたアメリカの警官の姿が象徴的であるように思われる。

第3章

米中経済戦争の本質——ドル支配の行方

（白井一成）

【1】未来への示唆を与えてくれる日米経済戦争の歴史を振り返る

1．第二次世界大戦の日本の教訓から読み取る基軸通貨の重要性

前章までは、中国の戦略とその背景を詳述してきた。以降では主に経済面に視点を移し、米中覇権の展望、そして日本の戦略へと議論を展開していこう。その起点として「経済戦争」から考察を始めてみたい。

戦前の日本は、台頭する2大新興国としてアメリカとライバル関係にあった。中国の権益やアジア政策では利害が衝突していたため、お互いが仮想敵国同士であった。

アメリカと日本との戦いは、どうしても熾烈な太平洋戦争にフォーカスが当たりがちである。しかし、経済戦争の本質を見極めるためには、日本が戦争前の経済的な封じ込めにより退路を断たれ、勝てない戦争に邁進するほかなかったという状況に光を当て、示唆を得るべきであろう。

戦前の日本は貿易制裁、金融制裁ですでに甚大なダメージを受けており、戦う前から敗戦を運命づけられていた。エドワード・ミラーの『日本経済を殲滅せよ』、『オレンジ計画』によれば、戦前のアメリカの対日長期戦略策定は35年にも及ぶ。日露戦争（1904～1905年）で日本

がアジアにおける覇権国の一角を占め、アメリカを脅かす存在になろうというときから始まった、非常に息の長い戦略だ。特に経済分野での施策推進について述べた『日本経済を殲滅せよ』では、当時の日本の主要輸出品であった絹から始まり、軍事に必要不可欠な物資、果ては原油までを日本の手の届かない状況にしていった過程、およびその結果について、思考法や影響が子細に分析されている。

１９３４〜37年の日本は貿易依存度が46％と、今よりはるかに貿易に依存した経済構造であった。中でもアメリカへの依存度が顕著であった。競争力が高い生糸を中心とした製糸業が、アメリカ向け輸出の中心であった。明治から昭和初期にかけての生糸の輸出は全体の40〜70％を占めており、１９００年頃からは中国を抜いて世界一の生糸輸出国となった。他方、輸入は石油、くず鉄、銅などが多く、石油と銅のアメリカ輸入依存度は80％に上った。

円は外国為替市場において流動性が限られていたため、決済手段の中心はドルであった。平常時は外貨もドルに交換できたが、戦争などが起きると当該地域でしか使えない封鎖通貨となってしまい、ドルへの交換の道が閉ざされる。当時はそうした状況も珍しくなかったため、日本存続のためにアメリカとの貿易でドルを獲得することの重要性は今以上に高かった。

ところが、１９４０年にデュポン社がナイロンを開発した。アメリカでは生糸に代わってナイロンが使われるようになり、絹製ストッキングはナイロン製ストッキングに代替された。その後、日本からの生糸は禁輸となった。一方、石油や鉄・鋼鉄をはじめとしたほぼ全品目で対日輸出が禁止され、代替品の輸入も封じ込められた。当時、日本は石油の90％を輸入に依存する一方、世界の石油生産は63％をアメリカが担っていた。

アメリカは他の国にも対日輸出の禁止を迫った。マラヤ（マレー半島とシンガポール島に存在した海峡植民地とその他の地域からなるイギリス支配下の連邦）などの植民地では、労働者などに補助金を支給するかわりに鉄および鋼鉄の生産を停止させた。銅は輸入のうち80％をアメリカに依存しており、代替先としてチリが浮上したが、チリは輸出先を日本からアメリカに変更することを迫られた。

また、日本の在外資産も全面的に凍結された。個人・法人を問わず、アメリカでは日本のドル資産の引き出しや移転が禁止された。米財務省に金を売却することによるドルへの交換も禁止された。これにイギリスやオランダなど他国も協力したことで、アメリカ以外の在外ドル資産もすべて凍結されることになった。

以上、アメリカによる戦前の日本の経済的な封じ込め戦略を振り返ってみた。第二次世界大戦の日本から得られる教訓は「基軸通貨（国際通貨の中でも中心的な地位を占める通貨）の重要性」であろう。より具体的には、決済のための基軸通貨保有残高やそのキャッシュフロー維持と、戦略物資確保のためのシーレーン（一国の通商上・戦略上、重要な価値を有し、有事に際して確保すべき海上交通路）の安全や貿易の決済システムから排除されない努力である。

前者はモデル化が容易である。当該国における基軸通貨ドルのストックとキャッシュフローを求め、食糧やエネルギーなど国家維持のために必要なドルを算出することで、国家生存の基本構造を炙り出すことができる。一方、後者は同盟関係や国家間の力の均衡を操作する外交力であるため、そのリスクを評価するモデルは構築しにくい。

【2】米中経済戦争の本質――中国はドル支配から脱却できるのか?

1. ドルのストック、キャッシュフローのモデル

それでは、前者のモデル化について考えてみよう。国のモデル化を考える上では、アメリカとその他諸国との関係は「銀行」と「一般企業」との関係に近い。銀行と一般企業とは資金を通じて表裏の関係にあり、重要な点も必然的に異なる。銀行が存続するためには資金をどれだけ調達できるかが重要である一方、一般企業が存続するためには生存に最低限必要なキャッシュアウトフロー（資金の流出）の把握が重要である。覇権国家であるアメリカはネットワークの外部性（同じ財・サービスを消費する個人の数が増えれば増えるほど、その財・サービスから得られる便益が増加するという現象）と軍事力で世界を支配しているため、基軸通貨であるドルの信用力が重要である。

一方、その他諸国が存続するためには、自国の運転資本として必要な外貨（主にドル）の把握と、将来にわたってどれだけ外貨を稼げるかが重要となる。１９７０年にヘンリー・キッシンジャーは「石油を支配する者は、すべての国家を支配する。食糧を支配する者は、全人類を支配する」

と述べたと伝えられている。国の存続に必要な戦略物資とは、まずはエネルギーと食糧であろう。

その点を踏まえ、前者のドルのストック、キャッシュフローのモデルにおいて、アメリカ以外の国については、国内における国内通貨の動きは考慮しない。国内で完結する限りにおいて、政府負債は民間の資産であり、その逆も真であるからだ。しかし、仮に、政府が財政出動を行い、外貨の調達を必要とするなら、その外貨のマイナスキャッシュフローは考慮しなければならない。国家がドル不足に陥る際には、ドル建て債務を発行することで戦略物資購入の支払いに充てようとするが、返済不能な水準までドル債務が積み上がれば、最終的には自国通貨がドルに対して大きく下落し、国際競争力が回復するはずである。債務を返済できなければ、アジア通貨危機や南米のようにＩＭＦ（国際通貨基金）などに救済され、国有資産などの売却を通じて債務返済を行う必要が生じる。

この数十年で企業会計はキャッシュフローベースに転換した。「企業の競争力を見る上で財務分析が基本」というのは、投資家にとって常識である。一方、国家の会計はまだキャッシュフローに注目されていないが、国家の競争力を考える上でも、財務分析に似た手法を用いるのは妥当であろう。国のデフォルト（債務不履行）は決して珍しくない。国と民間企業とではその目的や存立基盤が異なるものの、ラインハートとロゴフの著書のタイトルのとおり「国家は破綻する」。同書では、１８００年から２００９年にかけて、全世界における国債のデフォルトは対外債務について少なくとも２５０回、国内債務でも68回はあったことを明らかにしている。

この会計のパラダイムを国家に当てはめたのが、「ドルのキャッシュフローモデル」というフレームワークである。のちほど、中国、そして日本の構造をこのモデルで分析してみよう。

2．基軸通貨ドルと中国のドルストック、キャッシュフロー

寿命が尽きつつある可能性もたびたび指摘されるが、現状のドルは紛れもない基軸通貨である。国際送金を担うＳＷＩＦＴ（国際銀行間通信協会）によると、決済総額のうちドルの構成比は第1位の42・2％（金額ベースで２０１９年末時点、第2位はユーロで31・7％）。ＢＩＳ（国際決済銀行）の「２０１９ Triennial Central Bank Survey」によると、為替売買代金に占めるドルの構成比は第1位の88・３％（売買合計２００％換算でのシェアで２０１９年4月時点、第２位はユーロで32・３％）。そしてＩＭＦによると、外貨準備高に占めるドルの構成比は60・９％（２０１９年末時点、第2位はユーロで20・５％）である。

ドル覇権の中、中国も通貨スワップ協定の締結に懸命だ。２０１３年以降に中国が通貨スワップ協定を締結したのは、40中銀、総額は3・7兆人民元（0・5兆ドル）に上る。２０１６年以降に契約締結が確認できるものに限定しても、総額は3・5兆人民元に上る。引出限度額が大きい国・地域は、以下のようになる。

・香港　　　　　　4000億人民元
・韓国　　　　　　3600億人民元
・ECB（欧州中央銀行）3500億人民元
・イギリス　　　　3500億人民元
・シンガポール　　3000億人民元

通貨スワップ協定とは、各国の中央銀行が互いに協定を結び、自国の通貨危機の際、自国通貨の預入や債券の担保等と引き換えに一定のレートで協定相手国の通貨を融通しあうことを定める協定のことである。スワップというと両替・交換のイメージがあるかもしれないが、実際には相手方の資産を担保としたローンであり、もちろん返済義務はある。

日本も、2018年に中国と2000億人民元の通貨スワップ協定を締結した。通貨スワップ協定の契約内容の詳細は公表されていない。日本銀行のリリースでは、日本銀行は2000億人民元が、中国人民銀行は3・4兆円が引出限度額と明記されている。必要が生じた際には、日本は人民元を、中国は円を引き出すことになる。

中国の通貨スワップ協定が機能する局面は、中国が支援する側に回るケースと、支援してもらう側に回るケースに分けることができる。

まず、前者のケースを見てみよう。中国は積極的に一帯一路（習近平総書記が提唱する広域経済圏構想）外交を展開してきた。「通貨スワップ協定」は「習近平が外国を訪問するときに必ず要求する３つの神器」のうちのひとつとも指摘されている。中国の通貨スワップ協定は、人民元の国際化、あるいは一帯一路沿線国における人民元の普及を念頭に置いたものでもある。通貨スワップ協定のうち中国の影響力が大きいと想定される「一帯一路沿線国＋香港・マカオ」で22カ国・地域、１・５兆人民元を占める。

他方、中国は自国通貨より頼れる外貨をどの程度引き出すことができるのであろうか。中国はアメリカと通貨スワップ協定を締結しているわけではない。中国が締結した通貨スワップ協定のうち、人民元よりも市場シェアが高い通貨（ドル、ユーロ、円、ポンド、豪ドル、カナダドル、スイスフランの７通貨）の引出限度額は１・４５兆人民元（０・２兆ドル）である。中国のドル債務（０・５兆ドル）と比較するとやや心許ない。

中国の通貨スワップ協定は、３年ほどの周期で定期的に更新されているものが多い。「２０１７年締結組（＝２０２０年更新組）」の中では、香港、韓国、カナダ、ロシア、スイスなど、金額が大きい国・地域との契約が円滑に乗り換えられていくかが注目されるところであろう。より興味深いのは２０２１年である。「２０１８年締結組（＝２０２１年更新組）」にはオーストラリア、イギリスが含まれるほか、日本も「２０１８年締結組」である。日中通貨スワップ協定の有効期限は２０２１年10月25日である。

それでは、中国の生存のための要件をモデル化してみよう。現在の中国は基軸通貨を持たない

【図表3-1】中国の資金フロー概念図（2009年~2018年）

稼ぐ力が弱まっている。人民元のループを膨らませすぎると（膨らますと予想されるが)、将来的なキャピタルフライトの威力は極めて大きなものになる。

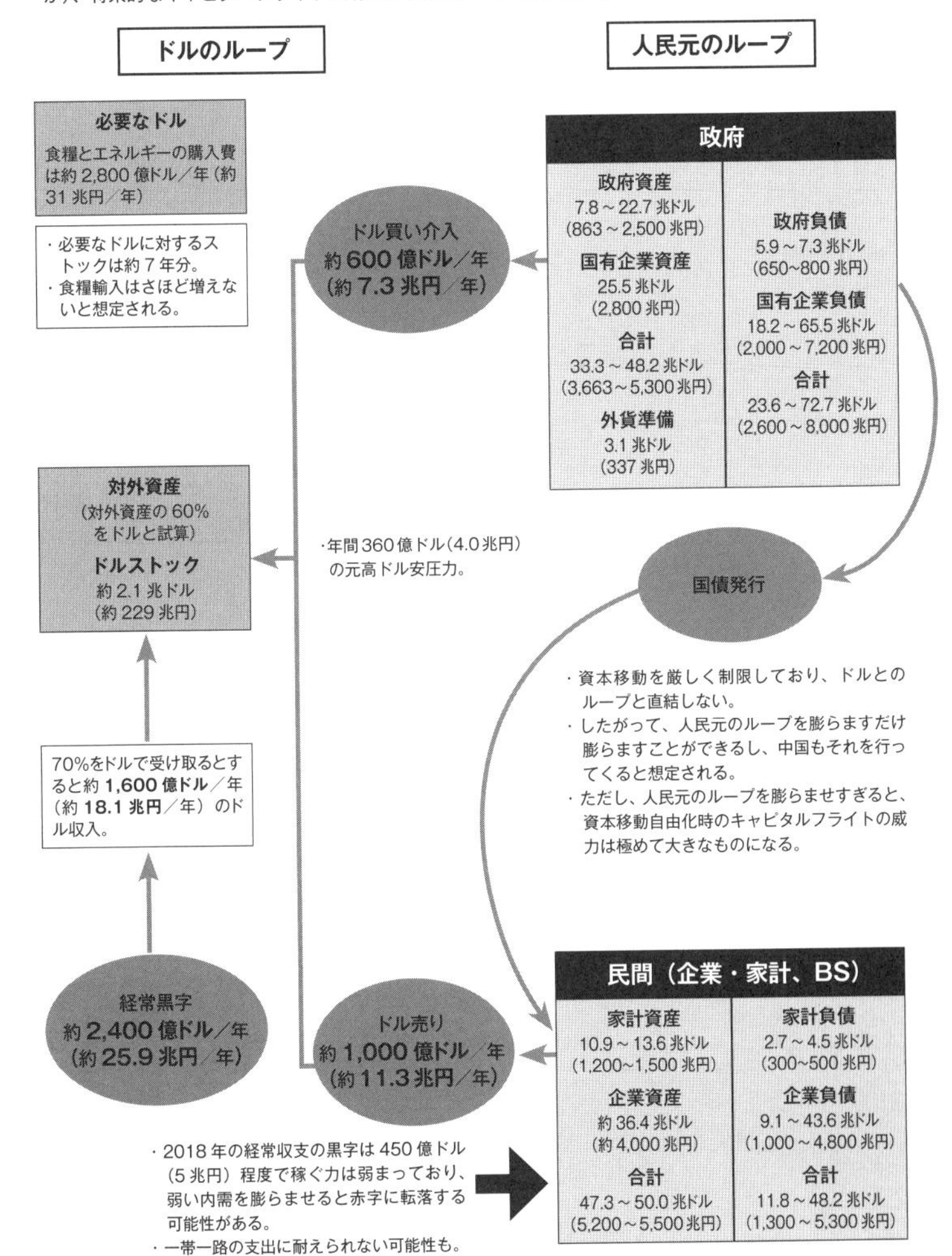

【図表3-2】中国の外貨準備高の推移（1950年〜2019年）

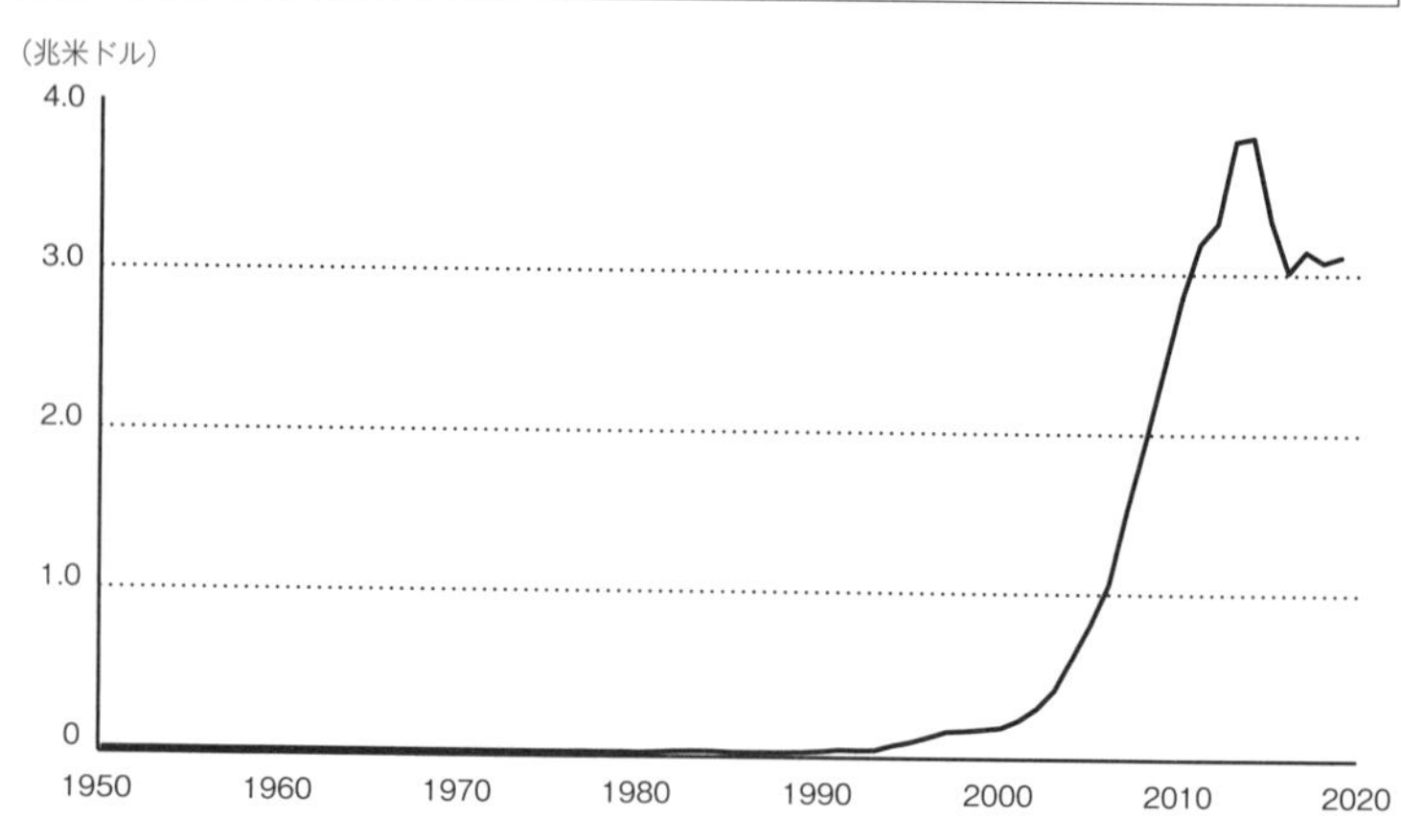

出所：中国人民銀行

国家であり、生存のためのエネルギーや食糧調達に毎年2800億ドルを必要としている（なお、これは原油急落前の数字であり、足元の原油価格水準のもとでは、もう少し小さい可能性がある）。

急激に増加していた中国の外貨準備高も、すでに2014年をピークに減少に転じた。2019年7月28日、SAFE（中国国家外貨管理局）は、1995年から2014年にかけて外貨準備高に占める米ドル比率を79％から58％に引き下げていたと公表した。それでも中国の外貨準備の多くは米ドル建てである。

また、縮小傾向にある経常黒字を反映して、ドルのキャッシュインフローは減少傾向にある。中国は2018年1～3月に約18年ぶりの経常赤字を計上した。2018年7～9月には経常黒字に復帰したが、再び2020年1～3月期

【図表3-3】中国の外貨準備高に占めるドル比率の変遷

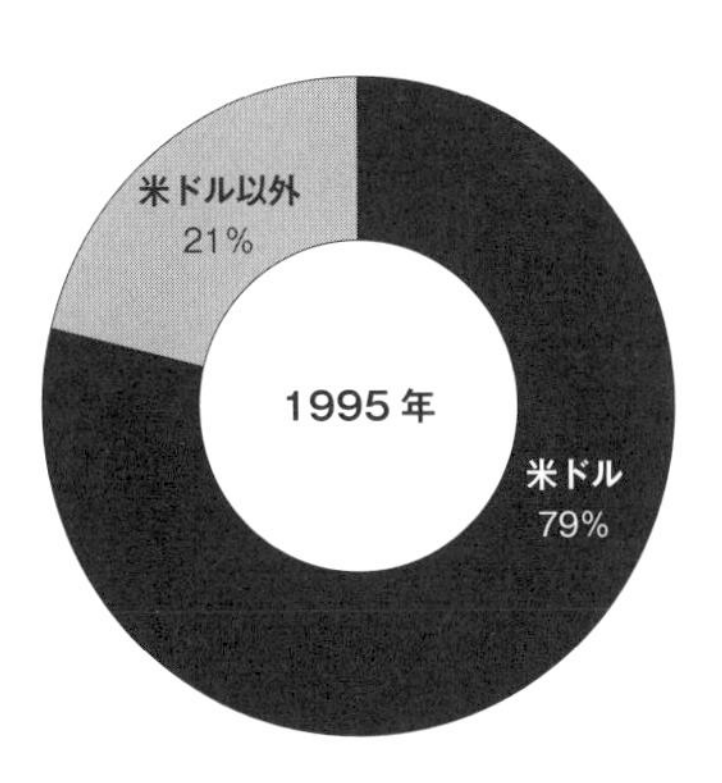

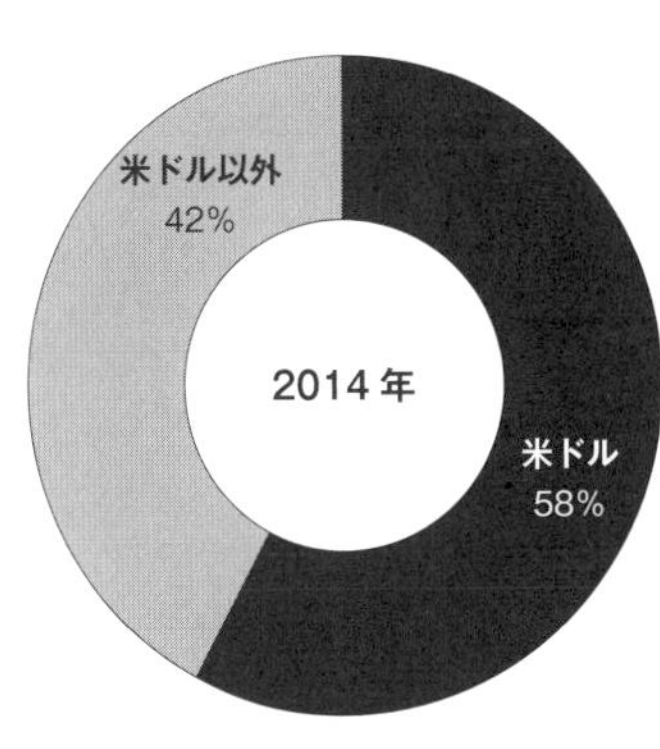

出所：中国国家外貨管理局

には経常赤字に転落するなど、もはや安定した経常黒字国ではなくなっている。中国は巨額の貿易黒字を計上してきたが、サービス収支と所得収支の赤字がそれを相殺するかたちとなっている。

２０１９年４月時点でＩＭＦは、中国の経常収支は２０２２年に赤字に転じると予想していた（その後の収支改善を受けて黒字予想に修正されたが）。本格的に経常収支を改善するには、国内の大胆な規制緩和によって企業の競争力を高め、再び貿易黒字を稼ぐ構造に押し上げる必要がある。

対外純資産を含め、今の状態をいつまで続けられることかできるかを試算してみると、いくつかの問題点が浮かび上がる。２００９〜18年の中国の経常黒字は２４００億ドル／年であり、70％をドルで受け取るとすると

【図表3-4】中国の経常収支の推移（1998年〜2020年第1四半期）

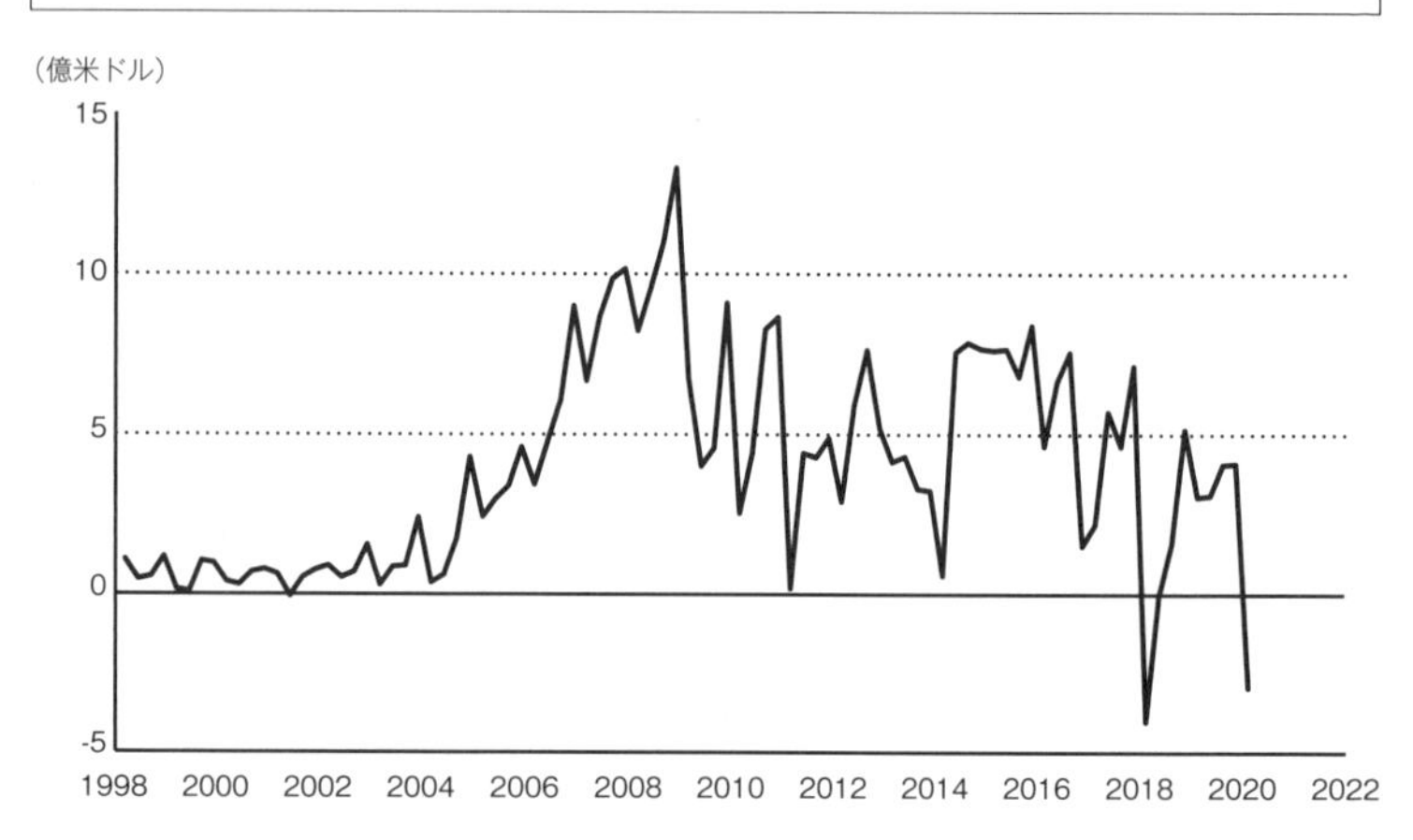

出所：中国国家外為管理局

１７００億ドル／年のドルの収入があった。結果として、２・１兆ドルのドルストックが存在する（対外資産の60%をドルと仮定）。

一方、食糧とエネルギーの購入費は２８００億ドル／年であり、これは生存のためには何としても必要な部分である。仮にキャッシュインフロー（流入）がまったくなくなり、アウトフロー（流出）のみになった場合を想定すると、現状のドルストックでは7年ほどしか賄えない計算だ。生存のためにドルの調達は欠かせないように見受けられる。中国が主張するとおり、西洋諸国の決めた不合理な仕組みかもしれないが、このモデルを見ると中国の息苦しさが手に取るようにわかる。

しかし、今はドルが支配する空間での生存を余儀なくされているので、中国もそれに従うしかない。

3．アメリカのドルによる締め上げ戦略？

２０２０年５月29日、中国が香港への統制を強化する香港国家安全法の対抗措置として、アメリカは香港に対する関税や渡航に対する優遇措置を廃止すると発表した。１９９２年に制定され、１９９７年に施行された「米国―香港政策法」の見直しである。

今回のアメリカの対抗措置が中国にどのくらいの影響を及ぼすのか検証してみよう。香港の２０１９年の対アメリカ輸出額は３０４０億香港ドル（Ⓐ＝４・３兆円）で、アメリカ向けの再輸出額（外国から輸入した通関済みの商品を再度輸出したもの）全体に占める中国原産品は77％に相当する２３４１億香港ドル（Ⓑ＝３・３兆円）ある。地場輸出（その国で製造されたものの輸出）に相当する７００億香港ドル（Ⓐ－Ⓑで算出）は「香港の輸出総額の２％」、中国から香港経由で輸出されるⒷ２３４１億香港ドルは「中国の輸出総額の１％」という規模感であり、双方にとって大きな影響がないように見える。

しかし、アメリカは「中国の香港に対する義務違反に対して著しく貢献する個人や組織」と大規模な取引をする銀行に処罰を検討しているとも報じられている。つまり香港の自由を侵害したものと取引する銀行に制裁を加えるということである。過去においてもアメリカは、イランや北朝鮮など敵対する国に協力してきた銀行に制裁を行なってきた。また、2020年5月20日、アメリカの上院は、アメリカの株式市場に上場している外国企業が外国政府の管理下にないと断定できない場合、上場を廃止するという法案を可決した。これは中国企業を狙い撃ちにしたものであり、アメリカ資本市場における中国企業の外貨調達を困難にすると見られている。

このようなことが現実になった場合、金融面における影響はどうだろうか。

①対象となった中国企業はドルの調達が困難になる。また、多くの中国企業がアメリカの資本市場から締め出されれば、世界の銀行は中国企業のドル調達能力に疑心暗鬼となる。結果的に中国企業全体への与信供与は手控えられるようになり、中国全体の外貨調達が困難に陥っていく。

②外貨の調達を目的として、中国企業や個人による海外資産の換金売りが加速する。中国の公的部門、銀行部門を除いたその他部門(≒企業部門)の対外債務は2019年末で5923億ドル。対外債務全体の外貨建て比率は67%であり、その比率を用いるとその他の部門の外貨建て債務は4000億ドル程度と考えられる。一方で、2018年末の対外直接投資残高は2兆ドルに上る。

③アメリカから香港へ資本が逃避してくるだろうが(すでにアメリカ上場中国企業による香港への重複上場申請が報じられている)、制裁を恐れるため、外資系銀行は香港においても米ドル

の供与を控える。ちなみに香港においての中国企業のドル調達は全体の約半分。香港の外貨調達機能が失われるため、香港の地位・機能が大幅低下し、さらなる景気後退を余儀なくされるだろう。

④香港の政治的、経済的不安で資本流出が加速すれば、香港における米ドルが減少していく。香港ドルのドルペッグ制（米ドルに対する実質上の固定相場制）廃止もますます現実味を帯びて語られるようになる。

⑤中国の対内、対外直接投資の比率が高いことから、その資本戦略は大きな影響を及ぼす。

上記のようにアメリカの制裁が加速していった場合、果たして中国は存続し得るのであろうか。ヘンリー・キッシンジャーの「石油を支配する者は、すべての国家を支配する。食糧を支配する者は、全人類を支配する」という発言に沿って、エネルギー、食糧といった戦略物資の調達可能性について見てみよう。

4．戦略物資のためのシーレーン確保

中国のエネルギー自給率は2016年時点で80％であるが、石油は63％を輸入に依存する。中国の原油輸入は、2009年の2・5億トンから2018年は4・6億トンに増加した。中東から

44％、アフリカから19％、ロシア・ＣＩＳ（独立国家共同体）から16％を輸入している。ただ、それで十分というわけでもなさそうだ。ＩＥＡ（国際エネルギー機関）はＯＥＣＤ（経済協力開発機構）加盟国に対して前年の当該国の１日当たり石油純輸入量の90日分の備蓄石油量を所有することを求めているが、中国の国家エネルギー局によると中国の原油備蓄量は企業備蓄分を含めても80日分にとどまる。

中東やアフリカからの輸入は、インド洋、南シナ海を航行する必要があるが、現段階で同地域はアメリカの支配下にあるため、米中関係がこれ以上緊張すると、調達環境に影響が出てくる可能性がある。そのため中国は、シーレーンでのプレゼンスを高める行動を取るとともに、ミャンマーやパキスタンなどから迂回することを模索している。また、ロシアからなど内陸からの調達により、シーレーンを回避する調達の多様化を進めている。

結果として、天然ガスの輸入は２００９年の76億㎥から２０１８年には１２１３億㎥へと大幅に拡大した。そのうち26％をオーストラリアからのＬＮＧ（液化天然ガス）輸入で、38％をロシアＣＩＳからのパイプライン経由での輸入で実現しており、パイプライン建設に注力している。ミャンマー、中央アジアＡ～Ｃ線に加えて、２０１９年12月にはロシアからの「シベリアの力」が開通した。シベリアの力で年間３８０億㎥のガスが中国に供給されるが、２本目となる「シベリアの力２」の事業化に向けて調査開始が発表されている。こちらの年間輸送能力は最大５００億㎥とされている。

【図表3-5】中国の主な天然ガスパイプラインとLNG受入基地

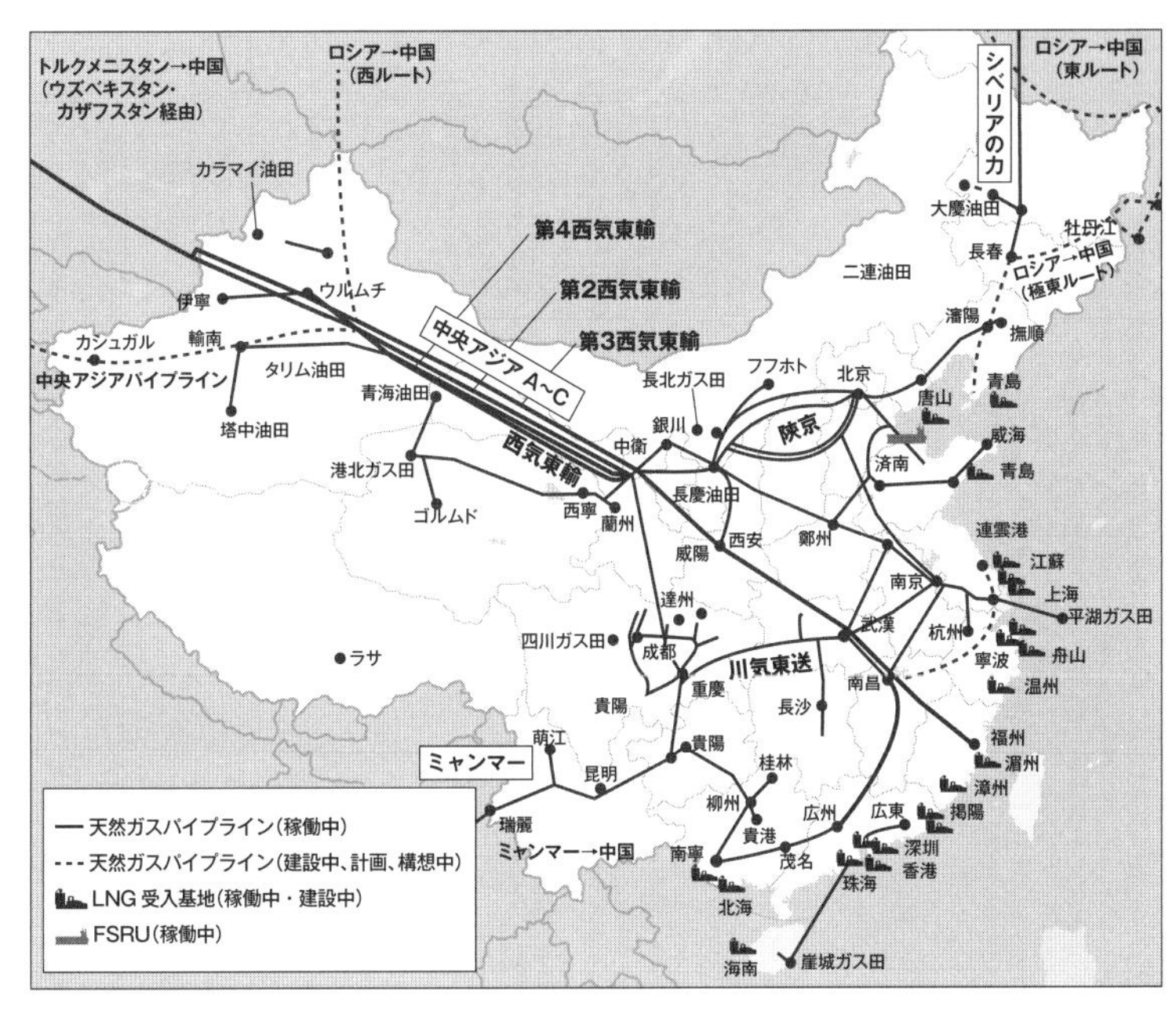

出所：JOGMEC 資料を参考に編集部作成

そしてエネルギーや食糧といった戦略的な貿易は、やはりドルでの取引が多い。食糧とエネルギーの購入費は約2800億ドル／年であるが、原油や食糧の輸入の大半は米ドルで決済されており、事実上アメリカに依存している状態となっている。中国はロシアやアンゴラからの原油輸入の一部をドル決済から人民元決済に変更したり、2018年3月に上海先物取引所で人民元建て原油先物を上場したりすることを通じて、エネルギー輸入のドル依存引き下げに努めている。しかし、クロスポーダーでの（国境を越えた）経常取引に占める人民元決済比率は、2016年の16・9％から、2017年は13％、2018年は14％と低下したままである。エネルギーや原油においても人民元決済の割合はまだ限定的であろう。

エネルギー自給率が80％であるということは、エネルギー消費を20％抑制することができれば、マクロ的にはエネルギーの国内自給が達成できる。これは年率4％程度のスピードでエネルギー消費を拡大させてきた中国にとって、そう簡単ではない。2020年1～2月の電力消費は前年比7・8％減少した（3月は同4・2％の減少）が、コロナ禍でもこの程度である。それを上回る電力消費削減は容易ではない。単純化すれば、経済規模を20％縮小させるか、エネルギー効率を20％改善させるか、あるいはその組み合わせが必要となる。

ただ、非常事態であればなおさら、トップダウン（上意下達型）の政策が浸透しやすい国でもあり、まったく不可能というわけでもないのかもしれない。それが実現できれば、シーレーンへの依存度を引き下げることができるだろう。底値からはやや反発したが、年初来のエネルギー価格下落も、もし継続するのであれば、少ない外貨でより多くのエネルギーを調達することにつながるだろう。

一方、中国の食糧の輸入先は、フランス（10・4％）、アメリカ（9・0％）、オランダ（7・1％）、オーストラリア（6・7％）、ペルー（5・1％）などである。人が直接食べるコメや小麦の主食用穀物と、トウモロコシや大豆などの飼料用穀物、油糧種子は明確に区分されており、前者では「絶対的自給」、後者では「基本的自給」という方針が打ち出されている。前者では「95％の自給率維持」という従来の政策が踏襲される一方、後者は輸入によって補完される（その結果、たとえば大豆の自給率は13％と低い）。95％が自給されているのであれば、マクロ的には食糧の消費を5％抑制すればよい計算である。エネルギー調達と比較すると、こちらははるかにハードルが低そうだ。

5．ドル獲得のための貿易黒字モデルの変曲点？

コロナショックをきっかけに、グローバル・サプライチェーン（製品の原材料・部品の調達から、製造、在庫管理、配送、販売までの一連の流れ）を見直す動きが始まった。2020年2月23日、ピーター・ナヴァロ米国家通商会議議長は「今回の新型コロナウイルス危機で、私が政権内ですべき職務はサプライチェーンを見直すことだ」、「アメリカは製造工程を海外に頼りすぎているので、国内に戻さなければならない」、「コロナに限ったことではない」、「中国には断固とした態度で臨む必要がある」などと発言した。また、2020年5月14日、トランプ大統領は、生産拠点の国内回帰促進を目的として、海外で製造を手掛けるアメリカ企業を対象に新たに課税する可能性に言及した。中国からの資本引き揚げが進めば、「中国の成長の終わり」など新しい時代が来ることになるのかもしれない。

【図表3-6】米中間の直接投資額(2000年~2019年)

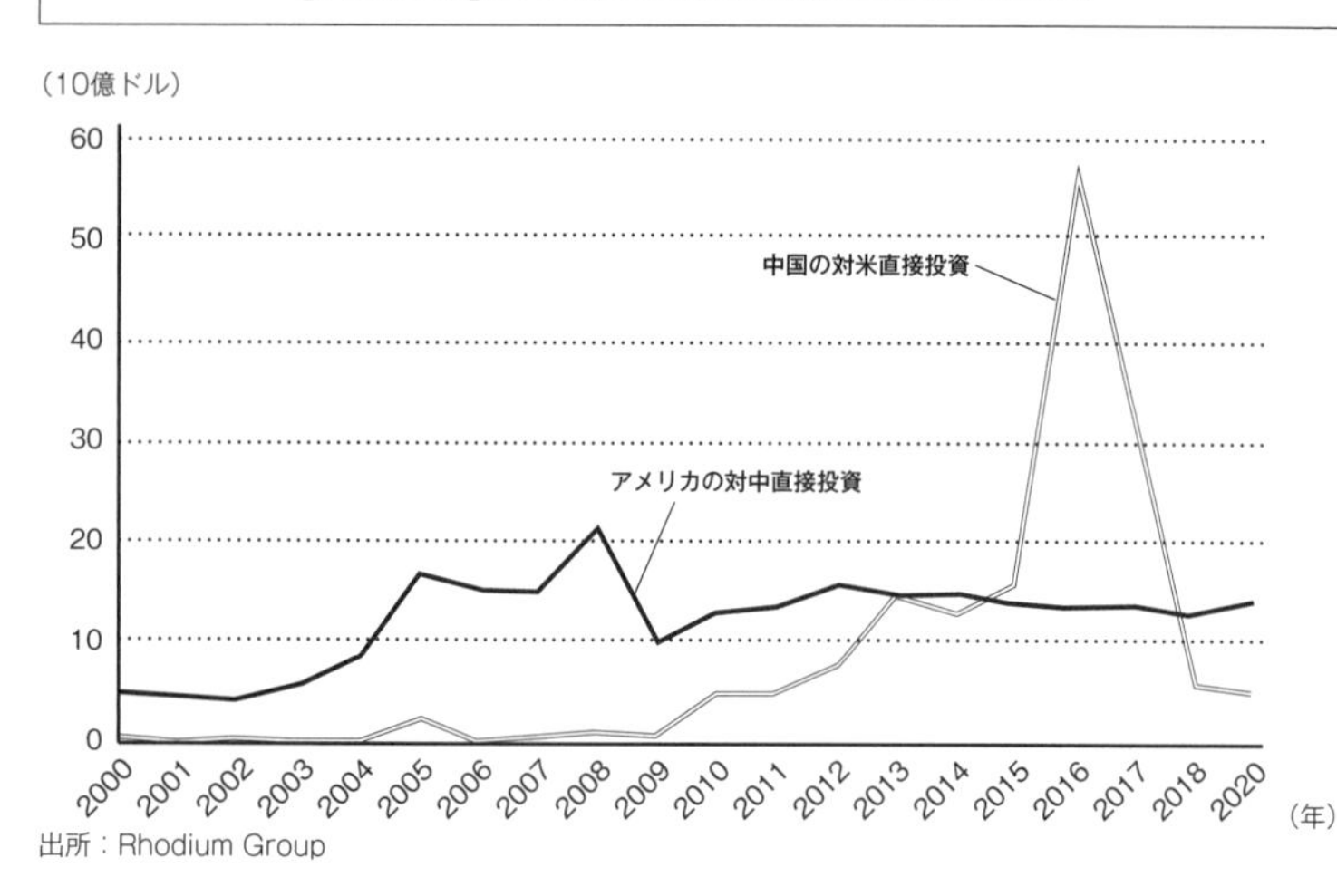

出所：Rhodium Group

US-China Investment Projectの「Two-Way Street : 2020 Update US-China Investment Trends」によると、2019年のアメリカによる中国向け直接投資は前年比微増の140億ドルとなった。そして、2020年第1四半期は23億ドルと、2019年の四半期平均の28億ドルからわずかに減少した。

また、先行きの見通しについて、2020年3月にアメリカ商工会議所が実施した調査を引用して、「アメリカ企業は投資を再考しているが、中国事業を根本的に縮小することを考えていないように見える」と主張している。

その調査は在中アメリカ企業を対象としたものであり、「中国外にサプライチェーンを移す計画」という質問について、84%が「移さない」と回答した。ただ、裏を返せば、16%の企業は一部あるいは全部を中国外に移すと答えたわけ

【図表3-7】在中アメリカ企業を対象としたコロナ後のサプライチェーンの計画

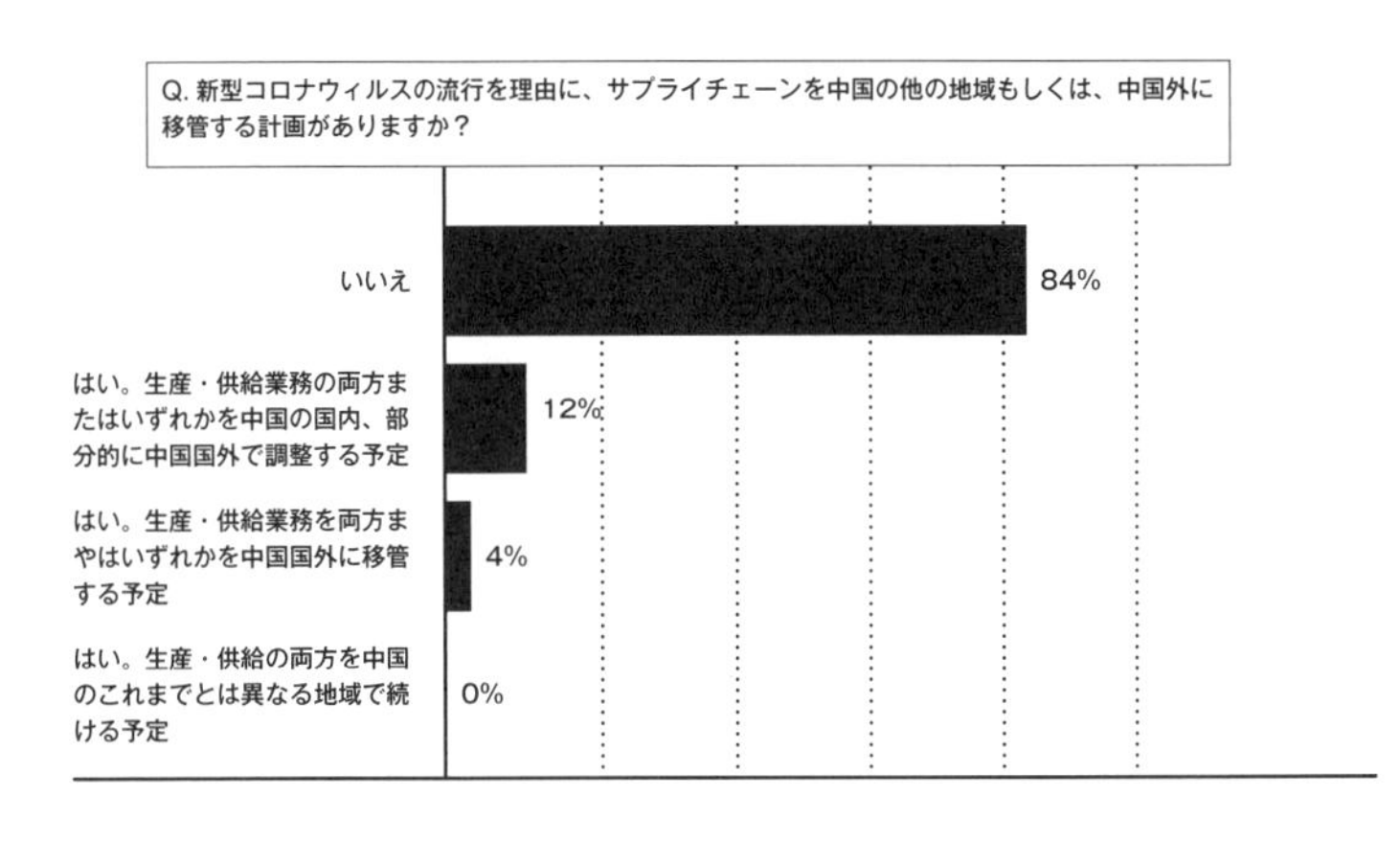

出所：The American Chamber of Commerce in China(AmCham China)

である。そもそも調査対象企業数が25社と限られていることもあり、これだけで結論付けるのは難しいだろう。

ちなみに、2019年9～10月に実施された調査では、製造・調達を中国から移管する計画について、61％が「ない」と回答する一方、20％は「行動中」、19％は「あるが未行動」と回答していた。こちらに回答したのは70社である。

グローバル・サプライチェーン見直しの兆候は、少しずつ出始めたようにも見える。

米経営コンサルティング会社カーニーが公表しているUS Reshoring Indexによると、2019年はアジアの低コスト国（中国、台湾、香港、マレーシア、インド、ベトナム、タイ、インドネシア、シンガポール、フィリピン、バングラデシュ、パキスタン、スリランカ、カン

【図表3-8】アジアの低コスト国からの輸入依存度

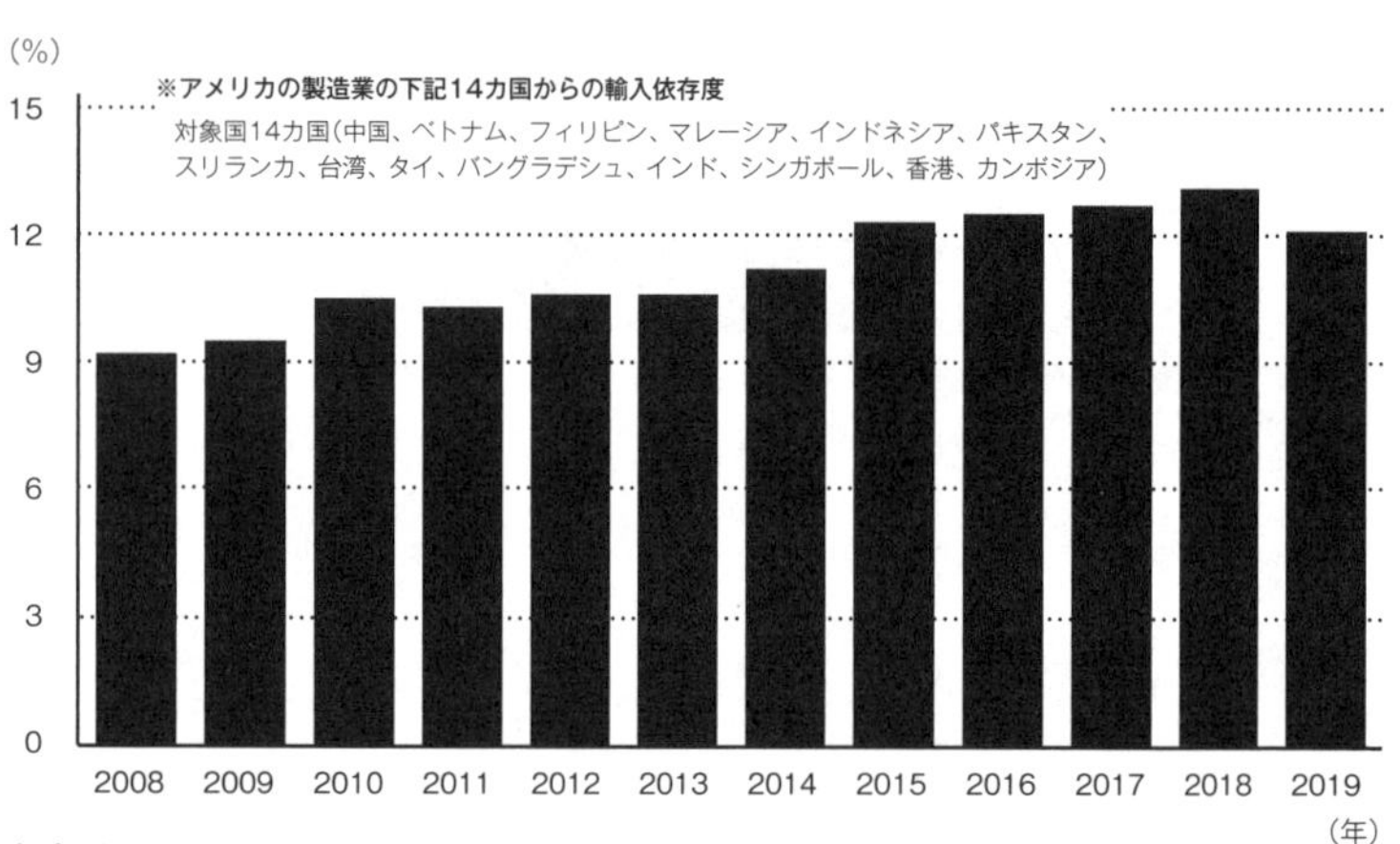

出所：カーニー

ボジアの14カ国）からの輸入総額が7570億ドルであった。アメリカは製造業が産出する1ドルのうち、12・1セントをアジアの低コスト国からの輸入に依存しているという計算になる。アジアの低コスト国からの輸入依存度は持続的に上昇してきたが、2019年は初めて前年比で低下した。第二次世界大戦後、対GDP比で見た世界の貿易総額は長期的に上昇してきたが、リーマン・ショック後はほぼ横ばい圏にある。

　日本でも、グローバル・サプライチェーンの再構築に向けた取り組みが始まった。2020年度（令和2年度）第一次補正予算で措置された25・6兆円のうち、9127億円が「強靭な経済構造の構築」に割り当てられた。「サプライチェーン対策のための国内投資促進事業費補助金」には2200億円が計上されて

【図表3-9】「歓迎台商回台投資行動法案」の成果概要（2019年1月～2020年4月）

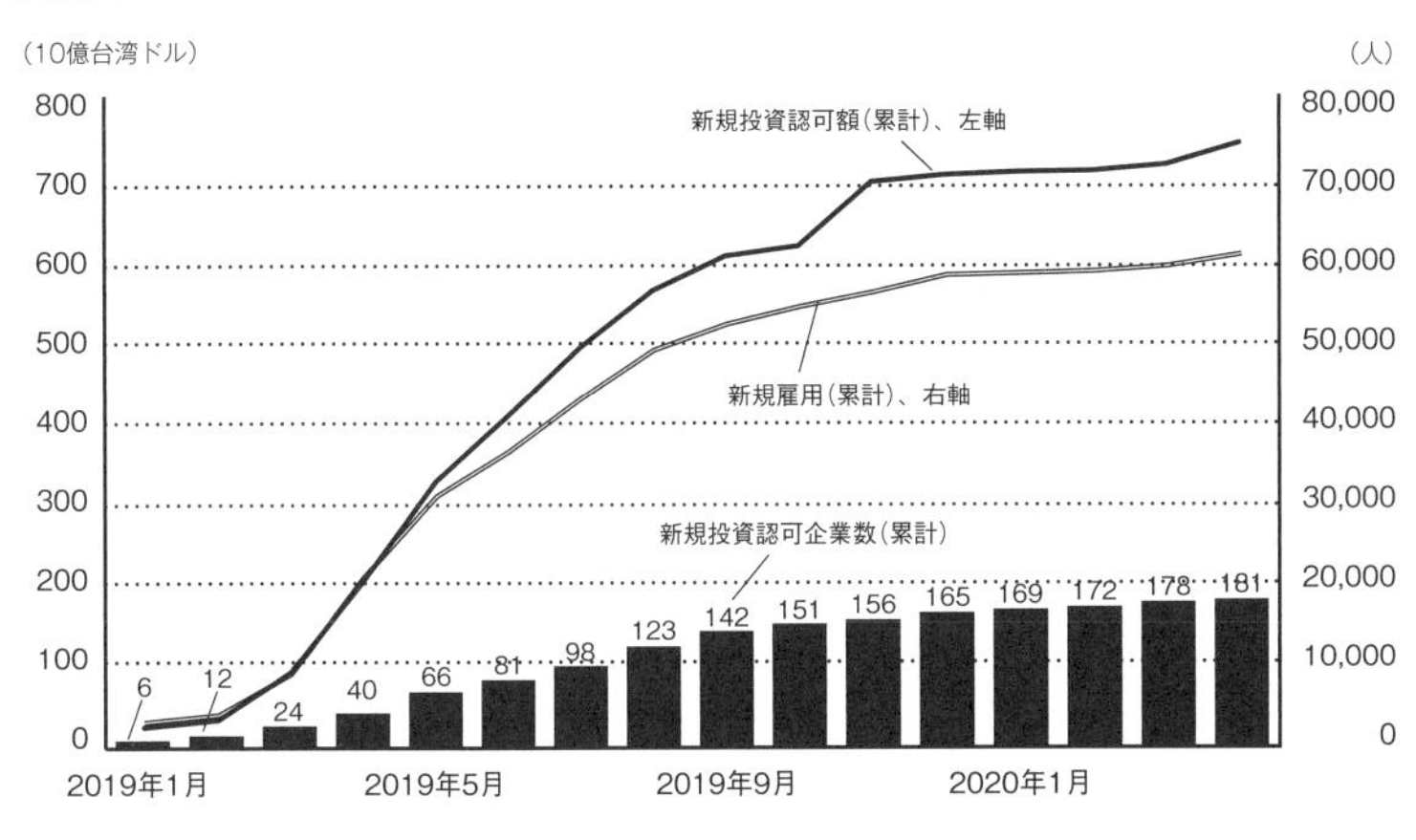

出所：台湾経済部、その他

いる。事業イメージとしては、特定国に依存する製品・部素材の依存度低減のための拠点整備、国民が健康な生活を営む上で重要な製品等の生産拠点等整備が挙げられている。募集要項によると、対象は建物取得費、調査設計費、設備費等、補助率は大企業で1／2～2／3、中小企業等で2／3～3／4、中小企業等グループで3／4、上限額は150億円、想定管理件数は200件程度であることが示されている。コロナショックをきっかけとしたサプライチェーンの再構築は喫緊の課題であり、実際にどのように活用されていくかが注目されよう。

このような政策の有効性はまだわからない。ただ、台湾も、2019年初頭から、中国に生産拠点等を進出させた企業に対して、台湾に投資を回帰させるための支援を行っている。

「歓迎台商回台投資行動法案」と呼ばれるこの事業は、中国に生産拠点等の投資を2年以上行い、米中貿易摩擦の影響を受けた企業を対象としており、2021年12月までの3年間で、国内への新規投資額1兆台湾ドル（3兆5800億円）、新規雇用創出9万人を目指している。

事業開始当初、（台湾に投資を回帰させる）回台企業への融資のための銀行基金を200億台湾ドル（716億円）計上していたが、最初の6か月で使い切ってしまったため500億台湾ドル（1兆7900億円）に拡大された。2019年6月時点での投資認可企業は81社であり、1社当たり平均2・5億台湾ドル（8・8億円）を支援したことになる。2020年4月23日までの投資認可企業は累計181社に上り、投資認可額は総額7518億台湾ドル（2兆6914億円）で目標の75％を、新規雇用は6万1498人で目標の68％がすでに達成された。

6．ユーロの分析と人民元への示唆

基軸通貨を目指す人民元にとって、先行している共通通貨ユーロは参考になる点が多いだろう。戦後のドル支配の中でドイツやフランスはユーロを作り上げ、1999年1月に導入された。欧州連合27カ国のうち19か国で公式に導入されている通貨である。為替市場でのユーロの売買代金比率（200％換算）は、1990年代後半の50％台後半（ユーロ統合前のため、関連通貨の比率を合算した）から、ユーロ発足後、40％弱に低下。その後、30％台前半にまで比率を下げたも

【図表3-10】世界の中央銀行の外貨準備高に占めるユーロの構成比（1995年～2019年）

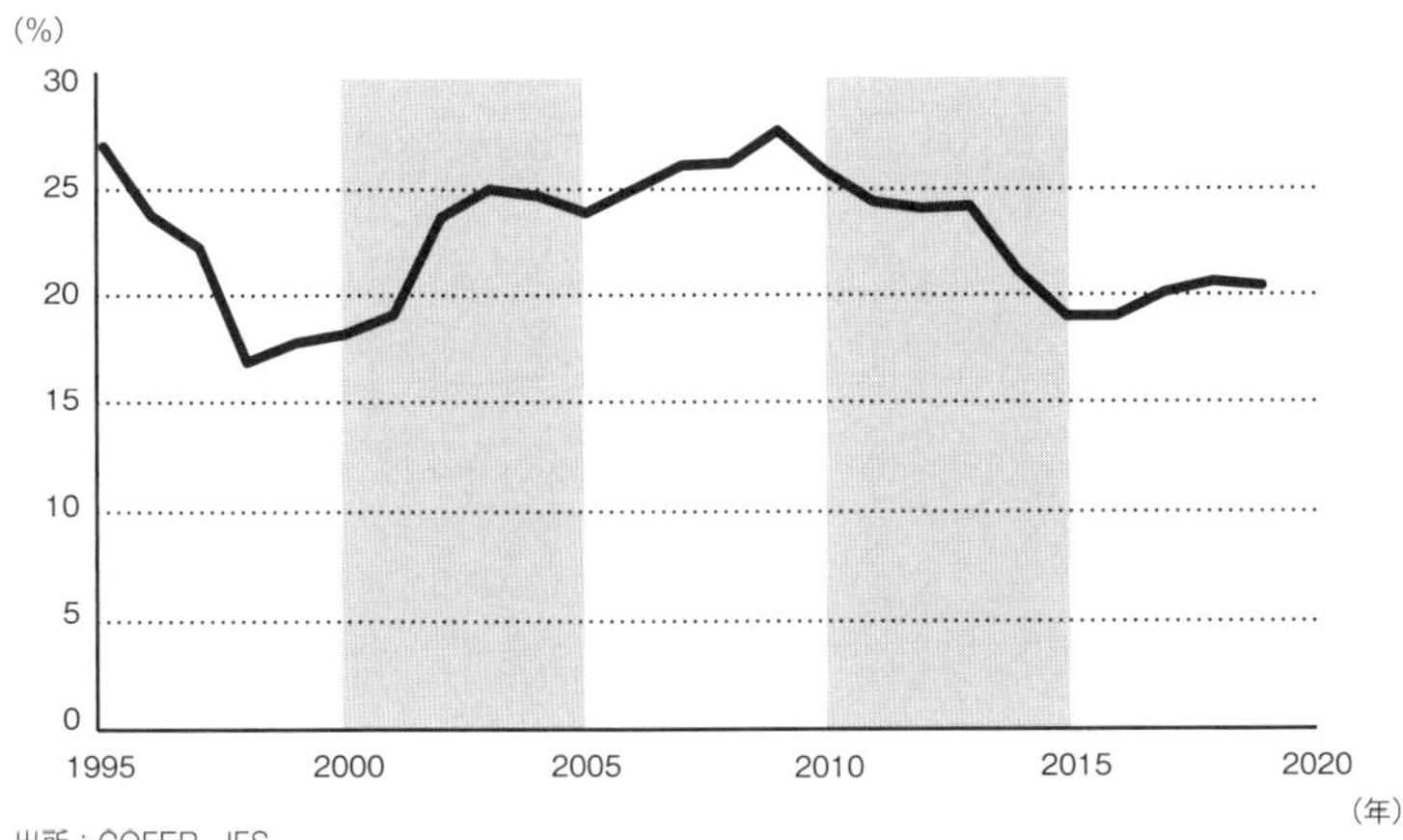

出所：COFER、IFS

のの、第2位の通貨の座は維持している。ユーロ発足直前の1999年末の外貨準備構成比は17・9%。そこから2009年末の27・7%にまで上昇したが、2019年12月末は20・5%にまで低下。こちらも世界第2位の座を維持している。ユーロの決済比率は2015年の29・4%から2018年には34・6%に上昇した。

EU（欧州連合）、ユーロ圏経済の経常収支は黒字であり、ドル依存も脱しつつあるように見える。

ユーロ圏諸国域内での貿易ではユーロが使用されており、ユーロ圏諸国の貿易全体におけるユーロ建て比率は80%前後と見られる。その点で、ユーロは地域基軸通貨の地位を確保していると言える。

2018年の外貨準備は、ユーロ圏各国中央銀行保有分が8233億ドル、ECB保有分が

786億ドルであり、合算ベースでの外貨構成が38%であるのに対して、金準備高の構成比は52%にも上る（なお外貨に占めるドル構成比は概ね70%程度と見られる）。日本の外貨準備のうちドルの構成比は95%であるのに対して金（ゴールド）の構成比は3%、中国の外貨準備のうちドルの構成比は53%であるのに対して金（ゴールド）の構成比は2%と推定される。この点からもEU、ユーロ圏は、ある程度、アメリカから距離を置いた経済圏と言える。

安全保障とエネルギーでは、アメリカの影響を排除できていない。毎年のエネルギー調達に必要なドルは3400億ドルである一方、ドルベースでのインフローは900〜1800億ドル程度と試算され、アメリカ経済圏の影響を強く受ける構造であり、完全な自立を果たしているわけではない。第二次世界大戦後、ソ連に対抗すべくアメリカやイギリスを中心として設立されたNATO（北大西洋条約機構）に安全保障面をEUは大きく依存しており自立は難しい。

しかし、エネルギー面も安全保障面も、アメリカから距離をおくようになってきている。2018年8月、フランスのマクロン大統領は「ヨーロッパ諸国はアメリカからの脱却をすべき」だと主張し、ロシアとの安全保障についての協議を始める考えを表明した。2020年2月、ミュンヘン会議でマクロン大統領は、アメリカに頼らない「強いヨーロッパ」の実現を提唱し、フランスが保有する核兵器での「核の傘」に言及した。また、ドイツ大統領のシュタインマイヤーはアメリカの関心がヨーロッパからアジアに移ったことを指摘し、米欧の分断が露呈した。東ヨーロッパ諸国はロシアへの対抗上、アメリカとの関係を重視する一方、トルコは急速にロシアと

【図表3-11】ユーロの資金フロー概念図(2009年~2018年)

ドイツが牽引し、ユーロ圏全体では経常黒字で、対外純債務も縮小。日本との比較ではドルの蓄積が少なく、ドル価値が下落しても傷つきづらいように見える。一方、食糧・エネルギーの購入費は比較的大きい。

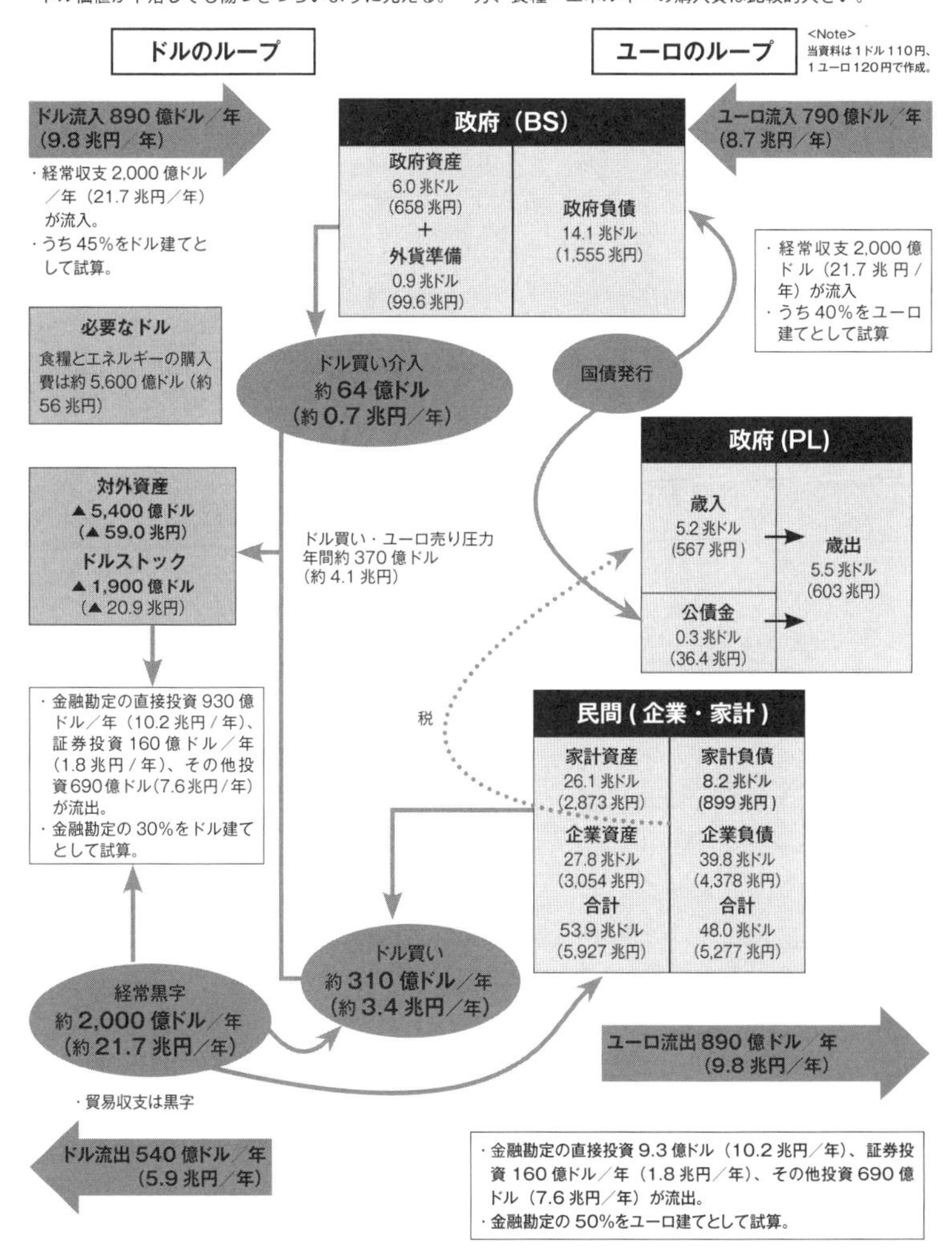

接近しており、NATO内での意思統一が複雑化してきている。2019年2月のミュンヘン会議では、ドイツのメルケル首相とペンス副大統領は独ロのガスパイプライン計画を巡って激しく対立したが、2020年1月、メルケル首相とプーチン大統領はモスクワで会談し、ロシア産のガスをドイツに運ぶ「ノルド・ストリーム2」を完成させることを確認した。なお、2020年6月にロイターが報じたが、アメリカもこの動きに呼応するように、在ドイツ米軍を削減したうえで、その一部をポーランドに再配置する可能性を示唆した。

共通通貨であるユーロは、①域内システムとして経済的地域間格差が是正されにくい、②各国の経済サイクルが異なる、③規律重視度が異なる、という矛盾や欠陥を抱えている。特に財政を統合していないため、「決められないヨーロッパ」と揶揄されることも多い。

国が異なるために、域内では税収の再配分が行われず、域内諸国の生産性格差を抱えたまま（域内では）固定相場制の下で経済が運営されている。国ごとに景気サイクルが異なるにもかかわらず、ユーロ圏では統一的な金融政策が適用される。不景気に喘ぐドイツを念頭に金融緩和が実施されると、大量の短期資金が好況のアイルランドに流れ、不動産を中心としたバブルを発生させるといった事態も発生した。金融機関のシステミックリスクを回避するために必要な公的資金の活用に対しても、ドイツが主張するような国家財政規律重視の姿勢と真っ向からぶつかり、対応ができなくなったり、遅れたり、過小になったりという問題も発生する。

このような問題を根底から解消するには、究極的には「ユーロの分裂」か「（ユーロ共通債発行を含む）財政統合の実現」の二者択一という、極めて難しい選択が迫られる。ユーロ圏共同債も度々議論されている。共同債というのは、各国単位でユーロ建ての国債を別々に発行するのではなく、ユーロ圏諸国による保証の裏付けを付け、あたかも一国の国債という形で発行するものである。国の信用力が違うにもかかわらず、共同債にすると発行条件が均一となるため、経済的に強い国が弱い国を助ける形になる一方、弱い側の国々は、他国の干渉、すなわち財務規律の締め付けで縛られることになる。PIIGS（ポルトガル、イタリア、アイルランド、ギリシャ、スペイン）と呼ばれる国々の経済の弱さが指摘されるが、それらの国への支援が求められる際にも、ドイツやフランスなど北側の国は一貫して消極的な姿勢を継続してきたため、共同債はこれまで実現してこなかった。ヨーロッパはこのような矛盾からくる数々の困難に対して、数々の交渉と妥協を繰り返し、なんとかいまに至っている。

このように矛盾を引きずっている欧州であるが、コロナショックを受けて状況が変わりつつあるのかもしれない。2020年5月18日、メルケル独首相とマクロン仏大統領は、5000億ユーロ（60兆円）規模の新たな再生基金の創設を提案すると発表した。共同債発行で資金を賄う復興基金には全加盟国の支持が必要だが、基金の規模や条件、返済方法、各国への資金分配方法を巡り足並みがまだ揃っていないと報じられている。ただ、6月19日のEU首脳会議では、合意を目指すべく7月に対面式の会合を持つことで一致が見出された。共同債の発行で「決められない欧州」から脱却に向かうのかが注目されよう。

ここまで見てきたように、ユーロ圏との比較において、中国は安全保障面での自立度は高いと見受けられるが、域内における地域基軸通貨の浸透や、エネルギー調達という観点では道半ばという側面が大きい。今の法定通貨の人民元でそのまま基軸通貨を実現するのは難しいというのが、現時点での筆者（白井）の結論である。

課題となっているのは、ドル貿易依存度の高さや戦略物資の調達であり、デジタルでのリープフロッグ戦略（新しい技術に追いつく際に、通常の段階的な進化を踏まずに、途中の段階をすべて飛び越して一気に最先端の技術に到達しようとする戦略）しか道が残されていないように見える。

第4章

習近平が睨む「ブロックチェーンとグレーターベイエリア」

（遠藤誉）

デジタル人民元とは

デジタル人民元とは「中国のデジタル法定通貨」である。現在流通している現金（人民元）のデジタル版だが、既存のアリペイ、ウィーチャットペイなどの電子マネーとしての決済サービスと「国家が管理する法定通貨であるため法律により強制通用力が付与されることや、オフラインでも支払いできるようになる」などの点において異なる。

また、現存の決済サービスは基本的に商業銀行に依存するが、デジタル人民元は中央銀行がコントロールする。中国ではデジタル人民元を実用化するための最終的手段としてブロックチェーン技術の使用が期待されているが、当面は現存の決済サービスとブロックチェーンの利点を採用した中間的プロセスが検討されている。人民元グローバル化戦略の一環だが、中国としてはドル覇権や技術封鎖からの脱却を目指していると位置づけることもできる。

ブロックチェーンとは

ブロックチェーンとは、分散型ネットワークを利用する分散型台帳技術である。さまざまなコンピュータネットワークの点（ノード）に、「ブロック」と呼ばれる記録が保持され、それぞれのブロックには、前のブロックの「ハッシュ値（元になるデータから一定の計算手順により求められた固定長の値）」が保存されているため、まるで鎖のように一つひとつブロックが連鎖していることから、ブロックチェーンと呼ばれている。

同じデータからは必ず同じハッシュ値が得られ、データが少しでも改ざんされると違うハッシュ値になるので、データの改ざんを検証することができる。分散管理、改ざん不可などの特徴があり、暗号通貨（仮想通貨）を含むさまざまな領域で利用されている。

【1】ブロックチェーンとデジタル人民元の経緯

1．早くから計画されていたブロックチェーン

2019年10月24日に、習近平が中共中央総書記として政治局学習会で言った「ブロックチェーン」という言葉が、中国では初めて出てきたものとして世界に衝撃が走ったが、「習近平が言った」という事実がメディアに一気に報道されたのは確かにその日であるとしても、ブロックチェーンという概念はすでに「第13次五カ年計画」に盛り込まれていた。

中国が最初の第1次五カ年計画を打ち出したのは1953年であり、おまけに文化大革命など紆余曲折があったのでややキリが悪いが、五カ年計画は「1」と「6」がつく年に、5年ごとに更新されている。

2016年3月16日、全人代の最終日に、第13次五カ年計画（2016年～2020年）が決議された。

中国語で第13次五カ年計画は「十三五計画」と略称するのだが、十三五計画は「十三五イノベーション駆動と重点戦略」や「十三五消費拡大長期メカニズム研究」あるいは「十三五戦略的新

興産業発展研究」など、約30の研究分野に細分されている。その中のひとつに「十三五信息（情報）経済発展研究」というのがある。

それに応じて、中央行政省庁のひとつである「中華人民共和国工業と情報化部（Ministry of Industry and Information Technology）」（略称：工信部、ＭＩＩＴ）は同時に「十三五国家情報化計画」なる五カ年計画を発布した。実はこの中に「ブロックチェーン」という言葉が出てくる。そこには以下のような言葉がある。

——モノのインターネット、クラウドコンピューティング、ビッグデータ、人工知能（ＡＩ）、ディープラーニング、ブロックチェーン、遺伝子工学などの新技術は、ネット空間を「人と人」から万物のインターネット・パフォーマンス、デジタル化、スマート化へと駆動し、今や、それらが存在しない空間はないというところにまで至っている。

この「十三五国家情報化計画」は２０１６年12月15日に国務院が公表しているので、李克強国務院総理のサインがある。それもあってか、２０１７年5月26日、雲南省貴陽市で開催された「中国国際ビッグデータ産業博覧会」に李克強は祝辞を送り、そこでもやはり「ブロックチェーン」という言葉を、以下の文脈の中で使っている。

——目下、新しい段階の科学技術革命と産業変革が全世界を席巻している。たとえばビッグデータ、クラウド計算、モノのインターネット、ＡＩ、ブロックチェーンなどが絶え間なく湧き出てきて、デジタル経済は、まさに人類の生産と生活方式を根本から変革させようとしているのである。これは経済成長の新たな駆動力となり、目も離せない状況に至っていることに注目しなければならない。

次に「ブロックチェーン」という言葉が出てくるのは、2017年8月24日に国務院が発布した「さらなる情報消費を拡大・レベルアップさせ、国内需要の潜在力を開放させる指導的意見」においてだ。そこでは「二、情報消費供給レベルを高める」の項目の中で、「オープンソース・コードを利用してカスタマイズされたソフトを開発することや、ブロックチェーン・AIなどの新技術の試験的応用を進めることを奨励する」という形で言及している。

続いて、2017年10月13日になると、国務院弁公庁が「サプライチェーンのイノベーションと応用を積極的に推進することに関する国務院弁公庁の指導的意見」で、「サプライチェーンの信用評価体系を作るために、ブロックチェーン・AIなどの新興技術を研究し利用すること」という意見を「国家発展改革委員会、交通運輸部、商務部、中国人民銀行、税関総署、税務総局、工商総局、質検（品質検査）総局、食品薬品監督総局」などに対して発布している。各項目によって対象とする行政省庁や部局が異なるのだが、この発布先を見ることによって、ブロックチェーンを何の目的に使おうとしているかが推測できるのが興味深い。

2018年5月20日、工信部は「2018年中国ブロックチェーン産業白書」を発表した。

実は同日、北京で「チェーンは無限に」というタイトルで「2018年中国ブロックチェーン産業サミット・フォーラム」を開催している。主催した工信部関係者は、そのフォーラムで同白書を発表したのだ。

白書は中国のブロックチェーン産業の発展には、以下の六大趨勢があるとしている。

①ブロックチェーンは全世界の技術発展の最前線のフロンティア領域となっており、国際競争の新たなレースコースを切り拓いてしまった。

②ブロックチェーン領域はイノベーションの新しいホットスポットだ。技術を融合させることにより、新しい応用空間を切り拓くことができる。

③ブロックチェーンはこれからの3年間、実体経済の中で広範な着地点を見出し、デジタル中国を建設するための重要な柱になっていくだろう。

④ブロックチェーンは新型経済プラットフォームを打ち出し、経済新時代を切り開く。

⑤ブロックチェーンは「信頼性のあるデジタル化」を加速させ、金融「脱虚向実」をもたらし、実体経済に貢献する。

⑥ブロックチェーンは監督管理と標準化システムをさらに完備させていき、産業発展の基礎を引き続き地固めしていく。

2. ハイテク国家戦略「中国製造2025」の流れの中で

さらに2018年5月28日、習近平は中国科学院第19回院士大会と中国工程院第14回院士大会で、非常に長い開会のスピーチをした。院士とは（第1章の鍾南山のところで少し触れたが）、中国科学院や中国工程院など、理系の国家アカデミーの最高ランクを示す呼称である。大学でいうならば、学士、修士、博士とあるが、アカデミーには別途その上のランクの「位」として「院士」がある。学問的には、これ以上の権威ある位はない。鍾南山は中国工程院院士だ。

習近平が中共中央総書記に就任することになっていた第18回党大会が開催される直前の2012年9月、尖閣諸島国有化を巡って激しい反日暴動が全中国を覆っていた。日本製品不買運動が燃え盛る中、それを呼びかける手段であるスマホやパソコンの中をばらしてみれば、なんと日本製の半導体ばかりではないか。

そのことに気が付いたデモ参加者たちの怒りは、突如、中国政府に向かい始めた。

では、呼びかける手段であるこのスマホを捨てるのか、パソコンを使わないのか。ならば、どのような手段で日本製品ボイコットを呼びかければいいのか。

われわれ中華民族を、このような屈辱的なところに追い込んだ中国政府は何をやっているのかと、若者の怒りは収まらなかった。だからこそ習近平は2012年11月に中共中央総書記に就任した瞬間から、ハイテク国家戦略「中国製造2025」に着手し、政権スローガンを「中華民族の偉大なる復興」に据えたのである。

そのハイテク国家戦略を練り上げたのは、この中国科学院および中国工程院の院士たちである。中華民族の偉大なる復興を成し遂げられるか否かを決定するのは、まさに院士たちの頭脳だ。ハイテク国家戦略が達成できなければ、「新しい時代の中国経済の成長」は成し遂げることができない。だから習近平は、殊の外、こういった院士たちを大事にしている。

そのため開会の挨拶だというのに、長い演説を行ったのである。その中で言及したのがブロックチェーンだ。その件だけを取り上げてご紹介しよう。

――AⅠ、量子情報、移動通信、ⅠoT、ブロックチェーンなどに代表される新時代の情報技術は新たな応用の突破口を加速させ、合成生物学、遺伝子操作、脳科学、再生医学などに代表される生命科学の領域は新しい変革を育み、融合ロボット、デジタル化、新材料といった先進的な製造技術は製造業とスマート化、サービス化、グリーン化への転換を加速させ、環境保護と高効率的な持続可能性を目標としたエネルギー源技術は全世界のエネルギー源の変革をもたらし、宇宙空間と海洋技術は（陸以外の）人類の新たな生存と発展のための新たな領域を生み出している。

以上により、２０１９年10月24日の習近平発言は決して中国における初めてのブロックチェーンに関する言及ではなく、２０１６年以来、かなり周到に積み重ねられてきた概念と技術であることが読み取れる。

見落としてならないのは、これらが2015年5月に発布された中国のハイテク国家戦略「中国製造2025」の流れの中で位置づけられていることである。拙著『「中国製造2025」の衝撃』で詳述したように、習近平は2012年11月15日に中共中央総書記に選ばれた瞬間、すぐさまハイテク国家戦略に着手している。国家主席に就任するのは2013年3月の全人代においてだが、その前の2012年末からハイテク国家戦略の諮問委員会結成に向けて動いている。2013年が明けるとすぐに諮問委員会結成を発表し、中国が組み立て工場プラットフォーム国家から抜け出すためのハイテク化とイノベーションに向けて国家戦略の枠組みを検討させ始めた。

ブロックチェーン戦略が、その線上にあったことが、前述の「十三五国家情報化計画」で明らかにされている。同計画の「主力攻撃の方向性」には、以下のような記述がある。

——インターネット強国戦略、ビッグデータ戦略および「インターネット＋（プラス）」行動を統帥し、資源の力を統合させ、民衆のイノベーション力と「中国製造2025」を緊密に結合させて（中略）、国家の統治システム現代化のためにデジタル駆動力を提供しなければならない。

また、同計画の「イノベーション融合の情報経済システムを構築する」の項目では、以下のような記述がある。

——「中国製造2025」を推進するプロセスにおいて、製造業とインターネットとの融合を深化させ、自動制御リモートセンサー技術や工業クラウドおよびスマート・サービス・プラットフォームなどの構築を加速させ、デジタル化・スマート化の産業能力を強化していかなければならない。

こうしたイノベーションに国家の力を注ぐために、ＧＤＰの成長に関しては「量から質」への転換が打ち出されて、いわゆる「新常態（ニューノーマル）」という概念を２０１４年5月に発表した。これは研究開発に国家予算の多くを使えば、当然のことながらＧＤＰ規模の量的成長は停滞するが、しかし研究開発が進む分だけ経済成長は良質なポテンシャルを有することになり、将来的に凄まじいジャンプ力を持つことになるという国家戦略である。

3．中国はいつからデジタル人民元の開発を始めたのか？

デジタル人民元も、もちろんこうしたハイテク戦略の流れの中の一環であり、インターネット＋やｅ-コマースなど、すでに仮想通貨（現在は暗号通貨と呼ばれるが、本章では仮想通貨の語を用いる）環境は整っていたが、しかし、これに関しては少しだけ違った要素も入ってくる。

周知のごとく、２００９年にビットコインが運用されると、中国ではたちまち利用者が増えて、２０１３年10月にはバイドゥ（百度）が自社のウェブリイト・セキュリティサービスの利用者にビットコインによる決済ができるようにした。すると、中国を拠点とするビットコイン取引所のBTC Chinaは、日本を拠点とするマウントゴックスと欧州を拠点とするBitstampを追い抜き、取引量において世界最大のビットコイン取引所となった。

そこで2013年12月3日、「中国人民銀行、工信部、中国銀行監督管理委員会、中国証券監督管理委員会、中国保険監督管理委員会」は共同で「ビットコインのリスクを防ぐことに関する通知」（以下、通知）を発布した。中国政府のウェブサイトは、2013年12月6日にその通知を公表している。通知の内容はストレートに言えば、「中国の金融機関はビットコインを使用することを禁止する」ということになる。

それを受けてバイドゥはビットコインの受け入れをやめたが、2014年から中国人民銀行は、来るべき時代に備えて、法定デジタル通貨の研究に着手した。

2015年には中国人民銀行は「デジタル人民元発行と業務運営機構の構築」の研究を軸として、流通環境の整備、法律問題、経済金融システムへの影響、法定デジタル通貨と個人が発行するデジタル通貨との関係、および国際社会におけるデジタル通貨発行に関する研究を深め、一連の成果を出した。

2016年1月20日、中国人民銀行はデジタル通貨シンポジウムを北京で開催し、早い時期にデジタル人民元を発行するだろうと予告した。その中で注目されるのは、ブロックチェーンと関連付けて討論が行われていることである。研究を深めるために、2017年には「中国人民銀行デジタル通貨研究所」が設立されている。

こうして2019年8月21日、中国共産党機関紙の「人民日報」および中国政府の通信社である新華社の電子版「新華網」などが、「デジタル人民元お目見えの真相」という見出しで、華々しいイラスト付きで一気に報道した。色とりどりの風船には「ブロックチェーン」とか「ビッグデータ」あるいは「人工知能（ＡＩ）」などという文字が躍っている。

要は「デジタル人民元の出現は人民元の流通と国際化に有利だ」ということが結論付けられているが、そこには非常に参考になることも書いてあるので、いくつかご紹介しよう。

・デジタル人民元は、ビットコインのような仮想通貨とは違い、国家が法定貨幣として発行する、国家の信用に裏付けられたものである。

・国家だけが貨幣を発行する最高権限を持っている。中国人民銀行は、国家の信用を基に、法定デジタル貨幣を発行する。

・中国人民銀行は8月2日に２０１９年下半期に関するテレビ会議を開催したが、そこでは「我が国の法定デジタル貨幣の研究開発を加速せよ」ということが決議された。また最近（8月9日）、中共中央・国務院は「深圳を中国の特色ある社会主義先行モデル区に指定することを支持することに関する意見」を発布したが、そこには「深圳をデジタル貨幣研究と移動支払いなどのイノベーション応用の基地にすることを政府は支持する」と明示してある。

・２０１９年8月10日に開催された中国金融四十人フォーラムで、中国人民銀行支払い決算司の穆長春副司長は「現在、中国人民銀行のデジタル貨幣開発は、まるで競馬をしているような状態です」と語っている。すなわち、「現在、複数の指定運営機構がそれぞれ違う技術を研究開発しています。デジタル貨幣は必ずしもブロックチェーン技術を利用するとは限らないので、中央集権的な口座システムによる決済でもいいし、モバイル通貨でも構わないのです。どのような技術に対しても、中国人民銀行は対応できます」と説明したという。

この最後の言葉は非常に示唆的だ。たしかに現在、中央はブロックチェーンを推進する政策を進めてはいるが、しかしデジタル人民元は非常に重要な戦略価値を持っているので、比較もせずに、特定の技術を先見的に選択して、その技術に対してのみ依存してしまうのには、国家のリスクがあると言えなくもない。

デジタル人民元を国家が発行するからには、最も優れた技術を採用するのは当然のことだろう。このような状況の中、習近平が生の声で、「ブロックチェーン」に関して発言したのは、とてつもなく大きな意味を持っている。中国はデジタル人民元発行に際して、ブロックチェーン技術を利用することに挑戦する道を選ぶ（可能性が高い）という国家戦略が見えてくる。

4．GRICIの研究員孫啓明教授からのメール

中国問題グローバル研究所（GRICI）の研究員で、中国代表の孫啓明教授とは、日夜メールや電話を通して議論を交わしているが、昨年後半、私（遠藤）がグレーターベイエリア構想や

オフショア人民元、あるいはデジタル人民元とブロックチェーンに関するテーマばかりを投げかけるものだから、孫教授自身が遠藤の視点に刺激されて、自らこのテーマと同じ論考をGRICIのウェブサイトに投稿してくれるようになった。

そういった流れの中で最も気になった彼の主張を以下に記す。

――中国はブロックチェーン技術を応用することによって、アメリカによる技術封鎖を避けながら人民元国際化の独立路線を開拓することができる。アメリカはインターネットの先駆者であり、すべてのIPv4ルートネームサーバは米政府管轄下のICANN（アイキャン：Internet Corporation for Assigned Names and Numbers）が管理している。ICANNは世界中のインターネットのドメインIPv4ルートネームサーバ、ドメインシステム及びインターネットプロトコルアドレスなどを統一的に管理している。世界には13クラスタのIPv4ルートネームサーバしかない。その内、10クラスターはアメリカにあり、ヨーロッパの2クラスターはそれぞれスウェーデン（I）とオランダ（K）にあり、そしてアジアの1クラスターは日本（M）が管理している。

極端なケースを想定すると、アメリカは特定の地域のインターネットを遮断させる能力を持っているということができる。しかしブロックチェーンのP2P（peer-to-peer：端末同士で直接データファイルを共有することができる通信技術）ベースの通信メカニズムは、実質的にICANNの管理をバイパスしている（迂回している＝避けている）。

加えてブロックチェーンには安全性、機密性、オープンソース、グローバル化などの特性があるので、技術封鎖に対抗する非常に有用な手段となり得る。

孫教授が言うように、中国がブロックチェーン技術を重要視する最大の原因は、人民元の国際化のためにデジタル人民元を使おうとしているからだ。それが吉と出るか凶と出るかはともかくとして、この章では習近平の国家戦略と中国の現状をご紹介することに留めたい。

5．ブロックチェーンの開発に注力する習近平の真の狙い

次に述べる習近平のブロックチェーン発言では、あえてデジタル人民元に触れていないということもまた、「習近平の真の狙い」がどこにあるのかを、逆に映し出しているように思われる。

前述したように、2019年10月24日、習近平は中共中央総書記として中共中央政治局第十八回集団学習という会議を招集し、「ブロックチェーンを核心的技術の自主的なイノベーションの突破口と位置づけ、ブロックチェーン技術と産業イノベーション発展の推進を加速させせよ」と述べた。

その会議には浙江大学の教授で中国工程院の院士でもある陳純氏が出席して、ブロックチェーンに関する説明を行い、政治局委員がそれを聞いて質問をするなど討議を行った。習近平政権になってからは、この種類の学習会がよく行われる。

討議が終わると、習近平がやや長いメッセージを発し、この様子を中共中央が管轄する中央テレビ局ＣＣＴＶや新華網あるいは人民日報など、すべての党と政府系のメディアで一斉に大きく報道したということは、中国のブロックチェーン技術開発の本格的な号砲が鳴ったと位置づけなければならないだろう。では、習近平が何を言ったのかに関して、以下に列挙してみよう。

・ブロックチェーン技術応用はすでにデジタル金融、ＩｏＴ（モノのインターネット）、スマート製造、サプライチェーン管理、デジタル資産取引など、多くの領域に及んでいる。

・目下、全世界の主要な国家はブロックチェーンの発展に手を付けており、我が国は特に非常に良好な基礎を築いているので、さらにブロックチェーンと産業および経済社会との融合を加速しなければならない。

・我が国は、この新興領域で理論の最前線を行き、トップランナーとして世界の動向の主導権を握らなければならない。

・そのためには、安全で、国家が完全にコントロールできる技術の掌握が肝要だ。国家によるブックチェーンの標準化を強化させ、国際社会における発言権を高めていかなければならない。マーケットの優勢を発揮して「イノベーション・チェーン」と「応用チェーン」および「価値のチェーン」をつなげていくのだ！

・ブロックチェーン産業エコロジーを構築し、ブロックチェーンとＡＩ、ビッグデータ、ＩｏＴ

などの最前線の情報技術を統合させ、それに貢献できる人材チームを養成せよ。

習近平は引き続き、「民生」との融合に関して「4つの指針」を出している。

①「ブロックチェーン＋民生領域」での応用を模索し、ブロックチェーン技術の教育、就労、養老、精確な貧困対策、医療健康、偽造防止、食品安全、公益における応用を積極的に推し進め、人民に対して、よりスマート化された快適で優秀な公共サービスを提供する。

②ブロックチェーンの技術サービスと新型スマートシティの建設を結合し、情報基礎施設、スマート交通、エネルギー・電力などの応用を模索し、都市管理のスマート化・精密化のレベルを高める。

③ブロックチェーン技術で都市間の情報・資金・人材・信用情報のさらなる大規模流通を促進し、生産要素のエリア内での秩序のある高効率流通を保証する。

④ブロックチェーンの情報共有モデルを模索し、政府業務データの部門間、区画間の共通維持保守と利用を実現し、業務の協同処理を促進し、「一度行けば済む」という改革を深化させ、人民にさらに良い政府業務の体験を与える。

外部から見れば中国は一党支配体制の中央集権的国家なのだから、さぞかしピラミッド式に命令系統や業務系統がきれいにでき上がっているだろうと見えるかもしれない。しかし実際はその逆で、中国は広大過ぎて、政府にもさまざまな部局があり過ぎ、地方政府と中央政府、地方政府と地方政府、また各政府内における各部門の情報流通や意思疎通が非常に悪く、公務員の仕事の効率も凄まじく悪い。

たとえば、ある手続きを遂行するために、某政府部門Ａの窓口に行ったとしよう。すると窓口Ａは、「あ、それなら窓口Ｂに行け」と回答する。窓口Ｂに行くと、「それはＣがやっている。Ｃに行け」とすげなく断る。それをＤ窓口、Ｅ窓口、Ｆ……と延々と「たらい回し」にされて、互いに責任も取らない。これが中国のさまざまなレベルの行政の実態だ。

そのために、中央集権的なシステムをつくるのは難しいという現実がある。おまけにその間に賄賂や汚職、あるいは不正決済など何でもありだ。そこで、まずは「一度行けば、それで済む」という業務を遂行できるだけでも、ブロックチェーン応用には意義があるのである。

説明が長くなって申し訳ないが、実は中国には**「一度行けば済む」改革**というのがあって、**「一度行けば済む」弁公室**（事務局）というものまである。これは２０１６年末に浙江省政府が言い出したもので、中国語では「最多跑一次（最も多くて一度行くだけ）」と表現し、これが全国的な運動へと広がっていった。そのキャンペーン・ソングまである。

日本語的に言うならば「窓口一本化」「ワンストップ・サービス」といったところか。

第18回党大会以後に習近平が言いだした「最后一公里（最後の１㎞＝ラストスパート）」運動

の一環でもあり、「中華民族の偉大なる復興」を成し遂げるために、「中華民族はあともう一歩、ラストスパートの努力をしよう」という運動が中国では展開されている。ブロックチェーン技術が、そのラストスパートを成し遂げると、習近平は位置づけているようだ。

浙江大学の教授が党の学習会に招聘されたのも、この「最多跑一次」改革と無関係ではないだろう。

6. ブロックチェーンへの本気度を裏付ける「国家暗号法」制定

ブロックチェーンに関しては、何と言っても、国家主席・中共中央総書記・中央軍事委員会主席である習近平が言った言葉なので、中国の国家戦略としての本気度に間違いはないのだが、それを裏付けるものが、次から次へと発布された。まず国家暗号法からご説明しよう。

2019年10月26日、第13回全国人民代表大会（全人代）常務委員会第14期会議が開催されて「中華人民共和国暗号法」を可決した。便宜のため、ここでは「暗号法」と略称することにしよう。

暗号法はブロックチェーンのシステム構築には欠かせないもので、その目的は暗号法第一章の「総則」に書いてある。それによれば、暗号法は国家の安全と公共の利益を守りながら、イノベーションなど暗号産業の発展を目的とし、中国共産党の指揮の下、中央政府によって管理運営される。

また、暗号法では機密度の高さによって「核心暗号」、「一般暗号」および「商業用暗号」の3つのレベルに分けている。

・核心暗号　国家が保護する最高レベルの機密性を持つ「絶密級＝極秘レベル」
・一般暗号　最高機密性レベルが「核心」の次の「機密級＝機密レベル」
・商業用暗号　公民、法人、その他の組織のネットワークと情報セキュリティを保護

暗号法は全部で44条もあるので詳細は省くが、第44条に「2020年1月1日から施行される」とある。実際、すでに施行されている。

中共中央は、「党への忠誠を誓う」という「初心」を忘れないアプリをブロックチェーンに填め込むという決定を忘れなかった。

同10月26日、中国共産党新聞は「チェーン上の初心で〝党建設＋ブロックチェーン〟を体験しよう」という記事を掲載した。そこには「チェーン上の初心というアプリが今日アップされました」と書いてある。

何のことだか、大陸にいる中国人以外には「さっぱりわからない」に違いない。これは習近平が2017年10月18日に第十九回党大会で言い始めた「初心を忘れず　使命を心に刻み込め」という言葉からきており、価値観の多様化に伴い、「中国共産党」を特に重要視しなくなった若者や中間所得層などに対して「党の初心」であるマルクス主義を忘れるなと思想教育をするために

生み出した言葉である。

今回のアプリは、ブロックチェーンと「党の建設」を結びつけたもので、党員は自分の「初心」をこのアプリに記録し、改ざんできないブロックチェーンに保存して、未来の自分に見せる、もしくはみんなに公開できるという仕組みだ。

このようなことで人民を統治できると考えるのも、何だか滑稽だが、それに真剣になる者もいるのが、中国の現実かもしれない。

それにブロックチェーンが産業活動や生活上便利であるならば「初心」には目をつぶっていればいいわけだから。

7. 中国人民銀行が「デジタル人民元」について発言

2019年10月28日になると、中国人民銀行科技司の李偉司長は、上海で開催された「中国金融四十人フォーラム」が推し進める第1回の「バンド金融サミット」で、「ブロックチェーン技術はデジタル・イノベーション発展を推進するに当たって絶大な潜在力を持っている」と語った。また民間銀行に対しても、金融事業へのブロックチェーン導入を強化するよう促した。

同フォーラムには中国国際経済交流センターの副理事長を務める黄奇帆（こうきほ）が出席しており、ブロックチェーンを熱く語り「リブラ（フェイスブックの仮想通貨）が成功するとは思えない。中国人民銀行が全世界で最初にデジタル貨幣を使うことになるかもしれない：6大注意点」という見出しで大きく報道された。

彼のスピーチのテーマは「デジタル化リモデリングのグローバル金融エコロジー」。リブラに関しては以下のように述べている。

――デジタル時代、一部の企業はビットコイン、リブラなどの仮想通貨の発行によって法定通貨に挑戦するつもりでいるようだが、このような非中央集権的な通貨は主権国家の信用から乖離して、通貨を発行する基礎の保証もなく、貨幣の価値も安定していない。したがって、本物の社会の財産を形成するのは困難である。私自身は、リブラが成功するとは思っていない。

たしかに一般的に考えてみても、貨幣の信用・価値は国家の徴税権によって保証され、強制通用力を認めることによって、額面で表示された価値を担保できるようになっている。つまり、信用の元が国家にある法定通貨に対して、ビットコインやリブラのような非中央集権的な通貨の信用の元は、ビットコインやリブラを信じる人にあるので、国家と比べると大変不確定なものとなるだろう。こういった論議は後半の章に譲るので、ここでは黄奇帆が何と言ったかに留めておこう。

黄奇帆はあの薄熙来が重慶市の書記をしていたころに副書記および市長を務めていて、何かと怪しげな動きをしており、ずっとその動向を追いかけていたのだが、結局金融方面に強いことから生き残り、今では「デジタル人民元」推進の中心的存在になっている。彼を生き残らせた胡錦濤政権とそれに続く習近平政権の「人物」の使い方には、少々感心するものがある。

黄奇帆は続けた。

――貨幣のデジタル化は天地をひっくり返すような作用をする可能性を秘めている。将来的には、定量的投資（決められた規則・モデルに沿って投資する）やロボアドバイザー投資（ロボットが自動的に設定に従って投資をしてくれる）、人工知能定価（ＡＩで商品・中古品の価格を決める）あるいは「保険で賠償する場合の金額計算をＡＩで決める」とか金融クラウドサービス、「証拠・証明書をブロックチェーンに保存する」など、新金融業態が絶えず進化し、金融業界は、これまでになかった新しい時代に突入していく。それを中国がリードしていくことになる。

黄奇帆はまた、「６大注目点」として以下のような爆弾発言をした。

①ブロックチェーンはＤＮＡ技術のように、さまざまなレベルで基礎ステータスの底上げに役立つ。

②ＳＷＩＦＴ（Society for Worldwide Interbank Financial Telecommunication：国際銀行間通信協会）とＣＨＩＰＳ（Clearing House Interbank Payments System：クリアリングハウス銀行間支払システム）は技術が古くて、効率も低い。国際送金に何日もかかるし、大規模な送金に対応できない、かつ手数料が高いという問題がある。したがって**世界にはブロックチェーンをベースにする新型精算ネットワークが必要**。

③ビットコインやリブラが成功するとは思えない。貨幣の価値は信用から生まれる。信用のない

仮想通貨は、根のない草に等しい。**中国中央銀行はすでにデジタル通貨を5～6年にわたって研究してきた。したがって最初にデジタル通貨を発行する銀行になるかもしれない。**

④通貨のデジタル化は世界の貨幣事情を変える。昔の貨幣は金本位制、その後は国家の信用に基づくことになった。**アメリカが軍事と経済の実力により、石油と国際貿易のドル決済を独占し、実質的な世界通貨となったが、それがデジタル通貨（デジタル人民元）によって打破される。**

⑤個人の支払い方法を革新させる。中国のデジタル支払い（キャッシュレス）は世界トップクラスで、２０１８年の支払い金額が39兆ドル（約４２９０兆円）であるのに対して、アメリカは１８００億ドル（約19・８兆円）でしかない。ブロックチェーンは支払い機構と銀行を繋ぐネットワークとなり、クロスボーダーの支払いをより簡単かつ迅速化できる。

⑥デジタル化は産業チェーンの効率を上げることができる。５Ｇのモノのインターネットに融合できて、消費者向けだけではなく、産業向けのインターネットを構築し、効率を大幅に上げることができる。

彼の発言の「爆弾性」は④の「デジタル人民元の発行によって、場合によっては米ドル覇権世界を打破することができるかもしれない」ということにある。

8. ブロックチェーン産業パークと発展リポート

中国ではブロックチェーンを利用した産業や行政業務遂行などが、数年前から試験的に進められており、「ブロックチェーン産業パーク」というものも、中国各地に設立されるようになった。これに関して2019年7月に、『2019中国ブロックチェーン産業パーク発展報告』というリポートが発表された。調査したのは賽迪情報産業集団（略称「サイディ」CCID）で、これは中央行政省庁の一つである工信部直属のITサービス企業（半官半民）だ。

報告によれば、最初の「ブロックチェーン産業パーク」は、2016年11月に上海の宝山というところに「ブロックチェーン孵化基地」として誕生し、杭州（浙江省）、広州（広東省）、重慶市……と、まるで雨後の筍のように林立し始めた。この中には深圳がないが、深圳はむしろ自発的にすでに数多くブロックチェーン企業が誕生しているので、わざわざ産業パークを設立して鼓舞しなければならないという事情がないからである。

2015年時点における中国のブロックチェーン市場規模は、ほぼ「ゼロ」で、2018年で0・81億人民元（約12億円）になり、2020年には5・12億人民元（77億円）の市場規模になるだろうと予測している。

一方、サイディ（CCID）は「中国ブロックチェーン生態（エコ）連盟」とともに2020年3月に『2019―2020年　中国ブロックチェーン年度発展報告』を出している。これは

２０１９年全体のデータを扱っているので、主だった現状を見てみよう。

・ブロックチェーンに関する政策は大幅に増え、２０１９年における全世界のブロックチェーン関連政策は６００項目以上出されており、そのうち２６７項目は中国で、全世界の45％を占めている（遠藤注：これはすなわち、ブロックチェーン技術に関して、いかに中国が世界の先を行っているかを示しているデータだと中国は位置づけている）。

・工信部が２０１９年11月4日に「ブロックチェーン分散型簿記技術標準化委員会」を設置し、ＩＳＯ標準化を積極的に進めている。

・中国には97の研究機構があるが、そのうち大学の研究機構が31％で企業は36％である。

・２０１９年の産業規模は12億元に達している。

・ブロックチェーン産業に対する融資額の増加が緩やかになっている。

・中国には１００６社のブロックチェーン関連企業がある。

・中国には12のブロックチェーン産業基金があり、その総規模は４００億元。

・中国の23都市に34のブロックチェーン産業パークがある。

・ブロックチェーン発展レベルでのトップ5都市は「北京、深圳、杭州、上海、広州」で、主な企業としては「アリババ、ファーウェイ、百度、テンセント、京東」などがある。

・デジタル政府業務が大幅に増加し、２０１８年の28から２０１９年の85になった。中国政府は

【図表4-1】各国ブロックチェーン政策数(2019年)

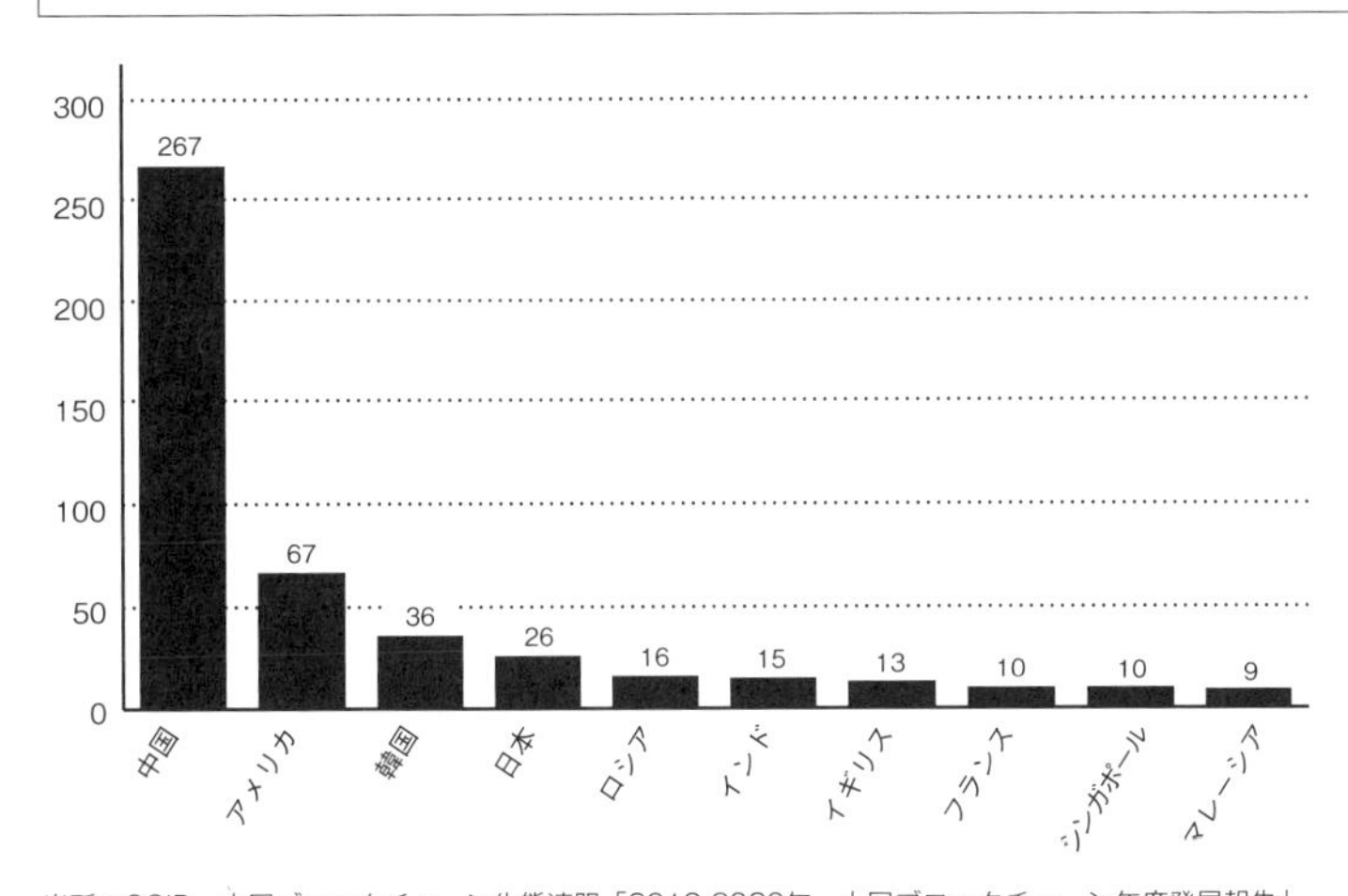

出所：CCID、中国ブロックチェーン生態連盟「2019-2020年　中国ブロックチェーン年度発展報告」

積極的にブロックチェーン技術を取り入れている。報告書ではこれらのケーススタディとして、2つの深圳のケースを取り上げている。

・中央人民銀行を始めとした四大国有商業銀行を含む36の銀行がブロックチェーン応用を実施している。

列挙すればキリがないので、この辺にしておくが、新華社は今年4月20日、デジタル人民元は「深圳、蘇州、雄安、成都および冬季オリンピック会場」などで内部テストが行われていると報道した。農業銀行でも同様のデジタル人民元支払いに関する内部テストが行われている。

またコロナ期間に休業を強制した者への補填の一部はデジタル人民元で支払うことが試

みられた。コロナが人民元のデジタル化を促進したのは言うまでもないが、その現状と今後の可能性に関しては第5章で白井氏が詳述し、第8章では孫啓明教授が「特別寄稿」などを通して分析している。

【2】巨大金融市場を有する グレーターベイエリアのポテンシャル

1．グレーターベイエリアの中心都市・深圳

中国では「ブロックチェーン＋（プラス）」というプロジェクトが注目されており、またその着地点として、習近平は広東・香港・マカオの「グレーターベイエリア」を国家戦略の大きなフレームに位置づけている。中でも「深圳」を「先行示範区」と指定して、デジタル人民元の開発を託している。

グレーターベイエリアを重視するのは香港デモの影響を回避するためであり、それがデジタル人民元開発を加速させているのだが、「深圳」に注目するのは、習近平が唱える「新時代」を、40年前の改革開放の再到来「新開放」という新しい幕開けとして位置づけているからだ。

習近平が２０１７年10月の第19回党大会において「習近平（による）新時代（の）中国（の）特色（ある）社会主義思想」という文言を党規約に入れたのは、まさにこの「深圳」を起点として、１９７８年12月に鄧小平が提唱した「改革開放」を、再び新しい段階に引き揚げ、「新しい改革開放」を成し遂げようとしているからである。

この「新戦略」の骨幹を成しているのは「中国製造2025」に代表される「ハイテク国家戦略」であり、その「ハイテク」の「ハイ」のレベルが、ブロックチェーンという新しい産業革命あるいは金融革命に相当する「ハイレベル」の技術であり、行き着くところは国家が司る「法定デジタル人民元」の出現なのである。習近平をそこに追い込んだのが、実は2003年から激しく繰り返されてきた「香港デモ」だという皮肉も見えてくる。

ここではまず、グレーターベイエリア構想とは何かをご紹介し、なぜ習近平が深圳に重点的に重きを置いているのかを読み解き、次に「ブロックチェーン+」プロジェクトを通して、中国がデジタル人民元をどのようにして実社会で活用し始めているかを考察する。

また香港が栄えた理由のひとつに、第1章でも少し触れたように、投資環境に適応しているコモンロー（英米法／判例法）という英米を中心とした法体系があるが、そのことが、同じ「一国二制度」で外貨取引が自由なはずのマカオが国際金融センターになれる可能性を低めている。そこにはポルトガル領であったマカオが、英米以外の西ヨーロッパ大陸で採用されてきたシビルロー（大陸法／成文法）を使っている事実が横たわっている。

中国大陸も同じ大陸法系列であることから、国際金融センターとしての役割に限界があることを、習近平はＡＩＩＢ（アジアインフラ投資銀行）を通して学んだ。

そこで「深圳」を「先行示範区」に指定した目的のひとつに「中華人民共和国憲法に違反しない範囲内で、深圳市独自の法を制定する裁量権を深圳市に与える」という項目があることに注目しなければならない。東京証券取引所の歴史を考えたときに、今から深圳で何を起こそうとしているのかを考察することによって、ゾッとするような中国の未来図を垣間見ることに気づくだろう。

2. グレーターベイエリア構想の狙いは香港のウエイト低下にある

「グレーターベイエリア」構想とは、「広東（粤）・香港（港）・澳門（マカオ＝澳）」を結び付けたベイエリア経済圏構想を指す。中国語で「粤港澳大湾区」と書き、英語では「Guangdong-Hong Kong-Macao Greater Bay Area」と表現し、GBAと略記される。

香港、マカオという「一国二制度」を実施するふたつの中華人民共和国特別行政区と、それに隣接する広東省の珠江デルタ地区9都市「広州、深圳、珠海、佛山、惠州、東莞、中山、江門、肇慶」から成る。

総面積5万6000㎢、人口7000万人で、GDPは1兆5000億ドル（2017年）。中国の改革開放以来、経済活動量において最も大きな変化を遂げた地域だ。全国の5%の人口しか占めていないグレーターベイアリアは、中国という国家全体のGDPの12%を生み出している。

世界3大ベイエリアと呼ばれている大東京圏、グレーター・ニューヨーク、サンフランシスコ・ベイエリアに匹敵するベイエリアを創出するという計画で、2030年までにこの地域が「製造、

【図表4-2】グレーター・ベイ・エリア（粤港澳大湾区）

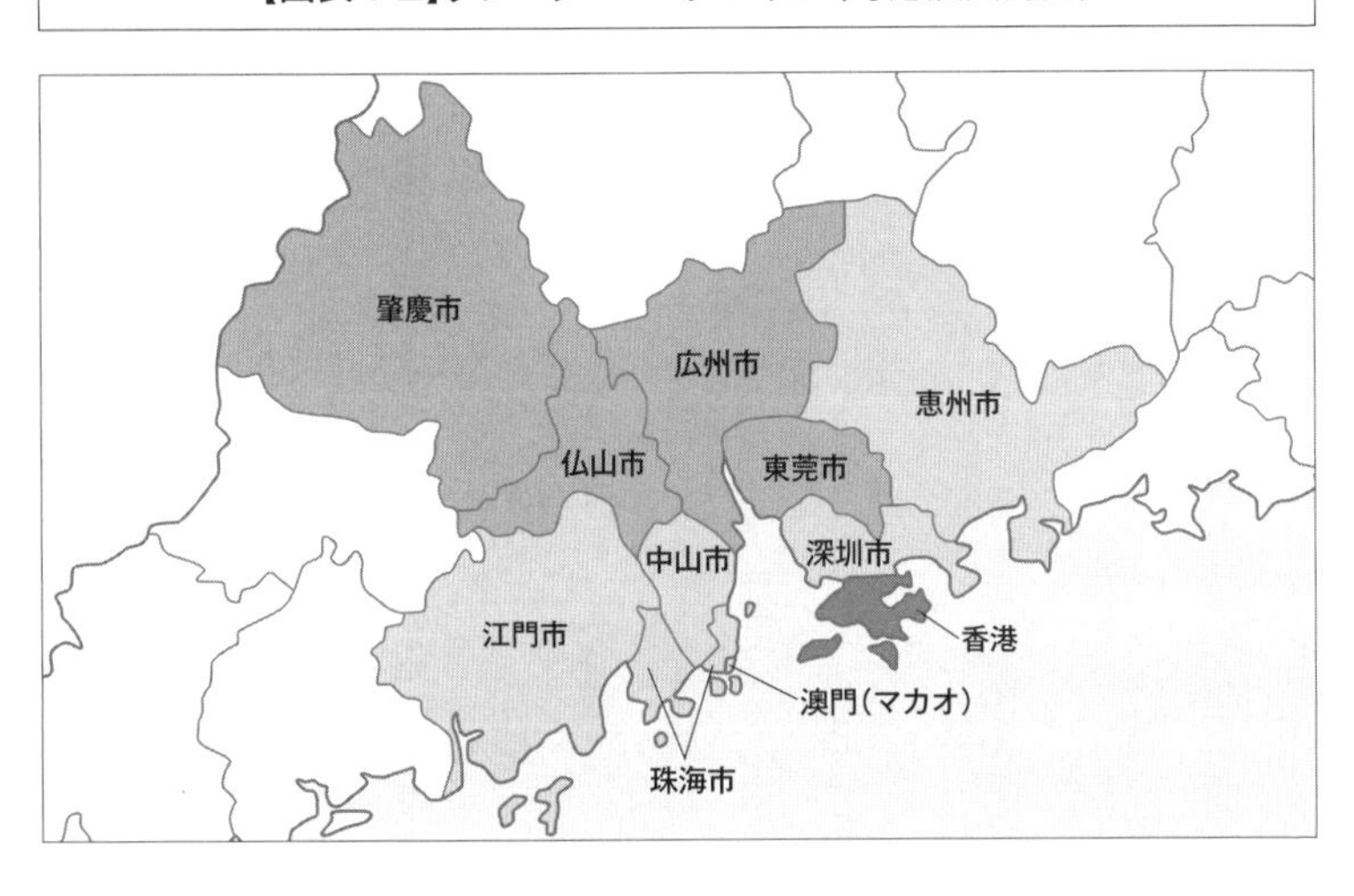

イノベーション、輸送、貿易、金融」などの中心的かつ最先端の役割を果たすことが期待されていると一般的には言われているが、習近平の狙いはそういうところにはない。真の狙いは、香港が２００３年以来、反中反政府デモを繰り返してきており、常にアメリカの干渉を受けているので、香港のウェイトを軽減させて、マカオや深圳にシフトさせていくのが目的だ。

学術的に「グレーターベイエリア」という概念が出てきたのは１９９４年で、香港科技大学の学長だった呉家瑋（ごかい）氏（１９３７年生まれ、物理学、博士）が提案したものである。１９５５年にアメリカに留学し、66年にワシントン大学を卒業した呉家瑋は、１９８３年にカリフォルニア大学の学長にもなったことがある。同年、鄧小平・サッチャー会談が行われ、翌年には中英連合声明が発表された。

香港がいずれ中国に返還されることを知った呉家瑋は、1988年に香港科技大学の学長として香港に戻り、香港やマカオが中国大陸とともに囲む港湾地域を、サンフランシスコ・ベイエリアのような形で発展させると良いのではないかと提唱したのである。

これはあくまでもアカデミックな提案だったのだが、その後、2003年から香港におけるデモが繰り返されるようになると、「粤・港・澳」三地区の政府レベルで何度か連携を強化しようとする動きが見られるようになった。それが中央レベルで正式に動き始めるのは、2016年3月の第13次五カ年計画（十三五）以降である。

明らかに2014年における香港の雨傘デモに手を焼いた習近平政権が、何としても香港デモが北京政府に与えるダメージを避けねばならないと考え始めたと解釈すべきだろう。「十三五」において国務院は「広州と深圳がともに手を携えて香港・マカオと協力してグレーターベイエリアの建設に励むよう要求する」という趣旨の意見を発表するのだが、さらに鮮明に国家戦略として打ち出されたのは2017年のことである。

何が何でもグレーターベイエリアを介して香港・マカオを中国大陸と一体化させ、香港だけに依存せず、デジタル人民元を加速させようという習近平の目論見が見えてくる。

アメリカによるドル覇権を覆すために習近平は人民元の国際化を狙ってきたが、現在流通している通貨では、中国に勝ち目はない。その意味でも「法定デジタル人民元」の実現は中国という国家の差し迫った課題なのである。

3. 深圳をデジタル人民元の拠点に――新時代「改革開放」

2019年8月9日、香港デモが燃え盛る中、中共中央と国務院は「深圳を中国の特色ある社会主義先行モデル区に指定することを支持する意見」（以下、「意見」）を発布した。

この「意見」の狙いを読み解くことにこそが習金平の狙いを読み説くカギが潜んでいるので、慎重に考察を試みたい。

まず、「意見」に書かれている内容で重要と思われるものを拾い上げて以下に記す。解釈は、その後に試みる。

①深圳は改革開放を始める際の経済開発特区として大きな役割を果たしてきたが、今や最もダイミックな活力と魅力あふれる国際化したイノベーション型都市に成長した。

②（新時代の習近平思想で明記したように）現在、中国の特色ある社会主義国家は新時代に突入した。それに沿って深圳が「新時代の改革開放」の旗を高く掲げることを支持し、深圳を「新時代の中国の特色ある社会主義のモデル地区」に指定する。

③深圳をデジタル経済イノベーション発展の試験区とし、「デジタル通貨」研究とモバイル決済

などのイノベーション応用を発展させていく。

④深圳に国家科学センターを設立して、「5G、AI、IT、バイオ」などのハイテク研究室の設立を支援する。

⑤深圳と、香港・マカオの金融市場との相互接続、および金融（基金）産品との互換性を高めること。人民元の国際化を推進するに当たり、先行的に試験的行動を行い、クロスボーダー的な金融の監督管理のイノベーションを模索すること。

⑥深圳を法治都市のモデル区とし、法治により政府と市場のボーダーを規範化し、公平で透明な、予期される国際的に一流の法治化されたビジネス環境を作り上げる。

⑦深圳に高レベルの自由貿易区を試験的に設置し、国際的な慣例に従った開放型経済の新体制を制定する。

⑧憲法や法律および行政法規などを順守するという前提のもとに、イノベーション改革実践のニーズに応じて、深圳独自の法律、行政法規あるいは地方性法規を新たに制定する権限を深圳市に与える。

⑨深圳の「先行モデル区」指定は、必ずやグレーターベイアリアの発展戦略実現に利し、「一国二制度」の事業発展の新実践を豊かなものに持っていくことだろう。

これらをひとつひとつ丁寧に解釈していくと、「とんでもないことが起きる可能性」を予感させる。

一項目ずつすべて解釈を試みるのは煩雑なので、いくつかの注目点を拾い上げて全体的に見えるものを以下に示す。

《解釈1》習近平の父が関わった改革開放の地で「新改革開放」

まず、「意見」のまとめ①と②から見えてくるものを述べてみたい。

1978年12月に鄧小平が改革開放を提唱したとき、「白猫も黒猫も、ネズミを捕る猫が一番いい猫だ」（白猫黒猫論）とか「先に富める者から富め」（先富論）など、多くのキャッチフレーズを発表したが、それでも1949年の中国建国以来、金儲けをする者は「走資派」という罪人として逮捕投獄されてきたので、人民はなかなか改革開放を信じようとしなかった。

特に1978年といえば、まだ文革が終わったばかり。また逮捕するための罠に違いないと疑う人民もいた。

そこで習近平の父・習仲勛が、鄧小平に「経済特区」構想をアドバイスするのである。

というのは、（第1章で述べた事実と一部重複するが）習仲勛は中華民国時代の1932年から、中国共産党の西北にある陝甘辺区という「革命特区」を根拠地として活躍していた。毛沢東が長征（1934〜36年）で西北に逃げて落ち着き先に迷ったとき、延安で毛沢東を待ち受けて助けてあげたのは習仲勛である。そんなことから習仲勛は鄧小平に「革命特区により中国共産党は勝利を収めた。中国の国土は広く人民の数は多い。いきなり全中国で改革開放経済を実施すれば混乱を招くかもしれない。革命特区のように経済特区を設けて、そこから徐々に広げていくといいのではないか」と提案したのだ。鄧小平はひどくその考えが気に入り、採用することとなった。

　このとき習仲勛は広東省人民政府の職にあった。中国建国以降、国務院副総理（副首相）（1959年4月〜62年10月）を務めていたのだが、当時、中央人民政府副主席など務めていた高崗（こうこう）（習仲勛と同じ陝西省生まれ）が「反党分裂活動を起こした」と厳しく批判され、失脚に追い込まれるという事件があった。高崗は1930年代、習仲勛とともに西北革命根拠地を守っていた。高崗は1954年に自殺するが、習仲勛は高崗とともに反党分裂活動を行ったとして1962年に投獄されるのである。

「反党分子」として糾弾された習仲勛

　そのため、1978年に釈放された当初習仲勛は中国共産党広東省委員会第二書記という、投獄前に比べると、かなり低い身分から再スタートしている。それでも鄧小平とは建国前から懇意だったため、気軽に鄧小平に忠告できる仲だった。

　鄧小平は改革開放を進めるに当たって、香港を憧れの模範としていた。それもあり、習仲勛は香港の隣りに位置する広東省の「深圳」を「経済特区」にしてはどうかという提案をしたのだった。

こうして1980年8月26日、国務院は「広東省経済特区条例」を発布して、「深圳経済特区」が誕生した。深圳市ではこの日を「誕生日」として記念している。

これは自分の父親が16年間の牢獄生活を生き延び耐え忍んだ結果「生み落とした」父親の不屈の魂の結晶だ。

だから習近平は2019年の香港デモが燃え盛る最中でも、敢えて8月を選んで深圳を新たな「開放示範区」に指定したのである。そこには習近平の父親への思いと執念が込められている。

余談だが、先日（2020年5月に）出たテレビ番組で、同席したジャーナリストがマイケル・ペルズベリーを取材したときにペルズベリーが「中国で隠されていた内部事情で発見したのだが、習仲勛は1978年に香港に行ったことがある」と言っていたとのことで、深圳の経済特区構想は、そこから来ているものと思われるという話をしておられたが、これはペルズベリーの事実誤認だろう。

そもそも習仲勛が広東赴任を命ぜられたのは香港への違法移民が多すぎるからで、香港への密航者を取締るために派遣されたのが最初の目的だった。

その実態を視察するために習仲勛は1978年7月に香港と広東省の宝安県を結ぶ中英街にある羅湖橋に視察に行った。1952年から1977年までの間に、この橋を通って香港に密航した中国人の数は6万2305人に達しており、宝安県の人口の18・7％を占めていた。中英街の中国大陸側には密航者を拘束した収容所があり、習仲勛は密航者から意見を聴取して、それを中央に報告しただけであって、香港には行っていない。

1979年1月に宝安県を撤廃して、「深圳市」と命名した。命名したのは広東省中国共産党委員会で、その時の党第一書記は、なんと習仲勛だった。

すなわち習仲勛が「深圳市」を創設したことになる！

1979年3月に国務院は「宝安県を深圳市と改名する」ことを正式に批准した。これらのことが評価されて1981年に習仲勛は北京に戻り中共中央書記処の書記に返り咲くのである。その間（1980年）、第一章で述べた胡耀邦は習仲勛に会うために、わざわざ広東省にまで来ている。

これらは複雑に絡んでいくが、16年間の監獄生活から解放された自分の父親が創設したような深圳市に習近平が深い思いを抱かないはずがないだろう。

深圳は今では「中国のシリコンバレー」と呼ばれるほどハイテク産業が発展し、中国トップクラスのハイテク企業の密集地となっている。ファーウェイ（5Gなどの通信機器）、テンセント（ウィーチャットなどSNSの開発運営）、DJI（大疆創新科技有限公司、ドローンの世界最大手）、BYD（比亜迪股份有限公司、リチウムイオン電池、自動車など）、伝音科技（トランシオン、携帯電話メーカー）などの大手民営企業が本社を置き、ZTE（中興通訊、通信設備、通信端末など）のような国有企業もある。さらに、世界最大級の遺伝学研究所を擁するBGIグループなど、バイオテクノロジー産業も盛んだ。

1990年には深圳証券取引所が設置され、外国人が投資できる株式（B株）を扱う。そのため金融センターとしても評価されるようになった。

習近平にとって、深圳は父親が残した国家への遺産に等しい。何としてもその深圳を格別の地位に持っていきたい気持ちは強いに違いない。

そこで②にあるように、習近平が自らを「新時代」と位置付けた、その新時代の「新しい改革開放」の地として、再び「深圳」を選んだものと考えることができる。そして「新改革開放」は「デジタル人民元」から幕開けすると位置づけているに違いない。この父親との関係もまた、習近平が「デジタル人民元」に執着する理由のひとつと考えていいだろう。

なんと言っても、2015年1月8日に、習近平はすでに「深圳」に焦点を当てた「重要な指示」を発布している。そこには「第18回党大会以来、深圳は経済特区としての改革開放精神を新しい段階に引き上げ、新たな活力とダイナミズムを発揮している。我が国の改革開放は深水区に入ったのだ（深化したという意味）。経済発展は新常態に突入した。深圳市はこのことを銘記し、さらなる改革開放の高みに至るよう、全市を上げて新たな経済特区の建設とイノベーションに取り組め」といった主旨のことが書いてある。

こうして中共中央に「改革開放を深化させる領導小組（指導グループ）」が結成された。

かかる流れを考えるとき、「深圳をデジタル人民元の根拠地にせよ」という発想は、2014

年の香港の雨傘デモから、すでに動いていたものと推測される。

《解釈2》デジタル人民元の拠点を深圳に

ではなぜ深圳はデジタル人民元の拠点にふさわしいのだろうか？

③にあるように、深圳を「デジタル通貨」すなわち「デジタル人民元」の拠点にしていくことは、国家戦略として明らかだ。しかし、⑤にあるグレーターベイエリア全体として「人民元の国際化」を目指すのは、現時点における状況分析でスッと頭に入りやすいが、「デジタル通貨」の論理を支えるのは基本的にブロックチェーン技術である。ブロックチェーンに限らず、ハイテクを進展させるのに、あまり地域性は選ばない。それでもデジタル人民元の拠点に「深圳」を選ぶ背景には、習近平の父親への「強い思いと執着」以外に、いくつかの外的要因が考えられる。

㈠前述したように、中国の大手ハイテク産業の圧倒的多数が深圳に集中して「中国のシリコンバレー」を形成している。

㈡全世界のブロックチェーンに関する特許の多くは「深圳」企業が取得している。

たとえば2019年9月に中国知財のIPRdailyが「2019年の全世界のブロックチェーン企業の特許申請数に関するランキング」を発表した。それによれば、世界トップ100の企業の中での国別申請数を見ると、中国（60％）、アメリカ（22％）、日本（6％）、韓国（5％）、ドイツ（3％）と、圧倒的に中国が多い。なかでも、深圳市の特許申請総数は、世界トップである。したがって、「深圳」が「デジタル人民元」の根拠地になるのも頷ける。

(三)もうひとつの大きな要因として、実はすでに「準備はでき上がっていた」ということもいえる。というのは、2018年6月15日、中国人民銀行デジタル通貨研究所が深圳で唯一の100％子会社「深圳金融科技有限公司」を設立していたからだ。この会社の法人代表は2019年4月18日に、中国人民銀行デジタル通貨研究所の運営総監だった李紅崗（りこうこう）に変更された。また「深圳金融科技有限公司」は、蘇州にある「長三角（長江デルタ）金融科技有限公司」にも投資しており、この会社の法人代表は中国人民銀行デジタル通貨研究所の副所長（狄剛（てきごう））である。

すべて「中国人民銀行デジタル通貨研究所」によって占められているのだ。つまり、早くから中国人民銀行は深圳にデジタル通貨の拠点を置く構想があったということになり、これは即ち、習近平が早くからそこに向かって動いていたことを証拠づける客観的事実であることが読み取れる。

(四)豊かな人材。中国のシリコンバレーと言われるほどハイテク企業が集まっているので、当然のことながら豊富なハイレベルの頭脳から工場における熟練工に至るまで、人材に関しては事欠かない。高給で雇用するということにおいても、他の地域の企業と異なる優位性を持っている。「意見」のまとめには書かなかったが、実は「意見」には「人材誘致政策」に関しても書いてあり、「人材、資金、技術および情報など多角的に効率の高い流動を促進せよ」という文言もある。

【図表4-3】全世界のブロックチェーン企業の特許申請数に関するランキング(2019年)

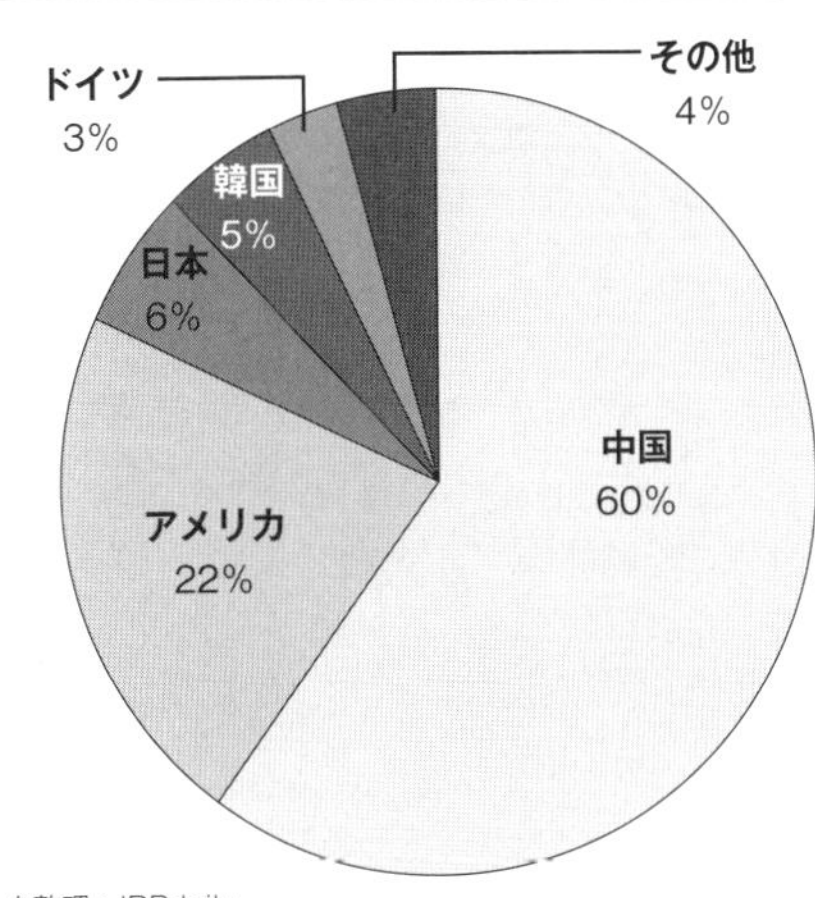

出所：incoPat　データ整理：IPRdaily

(五)
(四)にあるように、深圳には5Gで世界の最先端を行くファーウェイがある。デジタル人民元の周辺開発にはファーウェイの5Gクラウドなどの技術が欠かせない。そのため深圳市は中央と連携しながら、早くからデジタル人民元拠点化の動きを見せていた。

中央からの水面下の指示があったものとしか解釈できないが、その有無は別として、少なくとも深圳市政府自身が打ち出してきた方針をいくつか拾い上げてみる。

●2016年12月：深圳市は全国で初めてのフィンテック（中国語で金融科技）デジタル通貨連盟と研究院を創設。このときから深圳を全国法定デジタル通貨試験点とする基礎を築いている（11月に中国人民銀行が「デジタル通貨研究所」を設立するときには、「実はひとつか二つの先行試験区を考えている」と述べている)。

●2017年1月：中国人民銀行が正式に「デジタル通貨研究所」を設立した。

●2018年9月：「グレーターベイエリア貿易金融区ブロックチェーン・プラットフォーム」を深圳に設立。

このような深圳市自身の動きもあった上で、本節冒頭に書いた2019年8月の深圳市を「先行モデル区」とする「意見」が中共中央・国務院から出た流れがある。

《解釈3》深圳市内で法律を変える権限

これに関しては、「意見」にほのめかされている「法体系を少し変える権限」が深圳市に試験的に与えられていることを述べておきたい。⑤～⑧は特に注目しなければならない。

繰り返しになるが、香港が国際金融センターとして栄えることができたのは、香港がイギリス領であったために、今もなおイギリス連邦（Commonwealth、コモンウェルス）の法体系であるコモンロー（英米法）によって統治されているからだ。香港より2年遅れで中国に返還されたマカオはポルトガル領であったために、今もポルトガルが使っていた大陸法を用いている。香港問題や中国の人民元国際化などを考察する際には、この「法体系」を考慮に入れないと、本格的には分析できないのではないかと思う。

さまざまなその分野の専門家の分析によれば、どうやら判例を重視するコモンローのほうが、成文法を重視する大陸法より、投資家を保護する度合いが高く、より良い投資環境を形成するらしい。

中国大陸は基本的に「大陸法」を採用している。くり返しになるが、大陸法の「大陸」という文字は「中国大陸」の「大陸」ではなく、あくまでも「ヨーロッパ大陸」のことで、「大陸法」はもともと「ヨーロッパ大陸で使われてきた法体系」である。

マカオは香港と同じ一国二制度で、外貨を取り扱うという点においては香港と同等の位置づけにある。にもかかわらず国際金融センターになるのが困難なのは「大陸法」を使っているからだ。中国大陸内でも同じような状況にあるのに、「意見」では「国際市場のニーズに合わせて法律を変える権限を深圳市に与える」となっている。

これは取りも直さず、「大陸法から漸次（漸近的に）、コモンローに移行させていき、大陸法とコモンローの混合型あるいは融合型を形成する」ことを意味し、香港問題がどうなろうと、深圳証券取引所が取って代わるか、あるいはグレーターベイエリアが「深圳・香港・マカオ」という鼎立(ていりつ)三点において香港を代替することを示唆している。

新時代の「改革開放」は人民元国際化のための「試験区」であり、「デジタル人民元」をターゲットにしているものの、それでも現行の通貨で現行の法体系による人民元国際化を、同時に図ろうとしていることが見えてくる。

海南島と習近平の父・習仲勛の物語

なお、グレーターベイエリアからはかなり離れてはいるが、香港問題とは必ずしも無関係なわけではない海南島に関してひとこと触れておきたい。

海南島はグレーターベイエリアの西南の方向にあり、大陸から突き出ている中国最大の島で海南省の大部分を占めている。

習近平は2018年4月13日、「海南省設置」および「海南経済開発特区建設」30周年記念を祝うために海南島を訪れた。

それは習近平にとって特別の日だった。

なぜなら30年前の1988年4月13日に、海南島一帯を「海南省」に昇格させ、同時に「海南経済開発特区」を設立させたのは、なんと、習近平の父・習仲勛だったからである。

それまで海南島には複数の少数民族が住んでいて、ほぼ未開の南国の島に等しいような存在だった。当時は広東省の管轄下に置かれ、広東省の書記をしていたのは習仲勛だった。深圳を経済特別開発区に指定して改革開放を進めることを鄧小平に進言したように、習仲勛は何としても海南島を経済発展させるためには海南島に一つの行政区「省」としての権限を与え、しかも省ごと経済開発特区に指定しなければならないと考え、そ

葉剣英に同行する習近平（右端）

海南島視察した習近平（左）と習仲勛

のアイディアを鄧小平に提出した。

１９８８年４月13日、習仲勛は全人代執行主席として第七回全人代の閉幕式において、中華人民共和国に新しく「海南省」を設置し、海南省すべてを「海南経済特区」に指定することを可決させ、宣言した。

１９７９年４月までは清華大学の学生だった習近平は、休みになると広東省に赴任した父・習仲勛のもとに何度か遊びに行っている。習仲勛は習近平を海南島に連れて行ったこともある。

１９７９年１月15日から24日、全人代常務委員会委員長だった葉剣英（ようけんえい）が海南島にある楡林海軍基地の視察に来た時、習仲勛は葉剣英のお供をしたのだが、そのとき習近平はこの視察に同行している。

実は葉剣英は広東省生まれで、釈放された習仲勛の最初の勤務先を強く推薦した人物でもある。

自分の生まれ故郷を推薦したというのは、よほどの思い入れを習仲勛に抱いていたこともあろうが、そこにはきちんと計算された目論見もあったことが窺われる。

これこそが中国の政治なので、「物語」が拡散しない程度に少しだけ触れておきたい。

これまで何度も習仲勛の出獄のために奔走したのは胡耀邦で、胡耀邦に頼み込んだのは習近平の母親だったと書いた。それはその通りなのだが、もう少し細かく言うと、実は習近平自身も胡耀邦の長男・胡徳平を経由して父親の釈放をお願いしている。

習近平は同時に、葉剣英の長男・葉選平を経由して葉剣英にも救いを求めている。

結果として習仲勛は釈放されたが、葉剣英は自分の長男・葉選平を「いずれは広東省に送ろう」と目論んでいた。そのため、「先ずは、投獄される前は国務院副総理にまで昇格していた習仲勛を広東省に派遣し、習仲勛がそこで地盤を創ったら、いずれ中央に戻る人物なので、その後釜に自分の息子を据えていく」という計算をしていた。

案の定、葉選平は1978年に政界入りし、1980年には広東省の副省長に抜擢されている。あとは広東省で出世街道をひた走り、広州市党委員会副書記（1980年5月）、市長（同年7月）、広東省党委員会副書記（1985年）、広東省省長などを歴任して葉剣英の期待通りに広東省に葉家の地盤をずっしりと固めていくのである。

1987年11月の第13回党大会で中国共産党中央委員会委員に選出され、1992年の第14回党大会でも再選されている。

その意味では「情けは人の為ならず」と言うか、葉剣英の場合は「その代わり、私の息子のことを頼みましたよ」という意味合いが込められていたのである。

ところでその海南島は、2010年には国際観光島として大規模開発とノービザ・免税などによる観光産業の推進に乗り出した。すると観光客が増え、投機資金も流入して地価が急激に高騰し、「中国のハワイ」と呼ばれるようになった。2001年以降は、毎年博鰲（ボアオ）アジア・フォーラム（世界経済フォーラムのアジア版）を毎年開催するようになっている。

2018年4月13日に中共中央総書記・国家主席・中央軍事委員会主席として海南島を訪れた習近平は、海南島全島を「自由貿易特区試験区」とすると宣言。同年10月16日に国務院から「海南自由貿易区」設立の正式文書が発布された。

そして2020年6月1日に、習近平は「海南自由貿易港」を設立すると宣言した。

ここからがやや香港と関係を持ってくるのだが、実は昨年（2019年）香港が逃亡犯条例デモで燃え盛っていた頃、国務院副総理である韓正が海南島の自由貿易港とすることに関する審議を中共中央政治局会議などで盛んに行っていたのである。香港デモが注目されていた時期なので、世界はそのようなことに注意を払っていなかったが、そこで審議された結果が、2020年3月15日に海南省自由貿易港に関するウェブサイトで正式に発布されている。

6月8日、国務院新聞弁公室は「ゼロ関税の海南自由貿易港建設」に関する記者会見を行った。冒頭で「対外開放をさらに高いレベルに高め、多国間主義を堅持し、経済のグローバル化を推進するため」と述べ、「海南自由貿易港建設計画は貿易、投資、クロスボーダー資金流動、人や物資の往来が自由かつ便利で、またデジタルデータの安全で秩序が保たれた流通など各方面で体系的な制度の構築を進める」と説明。ゼロ関税を基本的特徴とする自由で便利な制度を整え、サービス貿易では「申請即審査批准」を基本的特徴とするそうだ。計画によると、2025年までに海南島のビジネス環境を中国国内の一流のレベルにまで整備し、2035年までに海南自由貿易港を中国の開放型経済の「新たな高み」に到達させるとしている。また、今年中に「クロスボーダーサービス貿易のネガティブリスト」を制定する予定で、これは中国で初めてのサービス貿易に関するネガティブリストになるという。

中国問題グローバル研究所の中国代表である孫啓明教授は、まさにその海南島におけるさまざまな調査をするために2年前まで海南島にいた人物だ。

孫教授に「習近平は香港の機能の一部を、いつかは海南島に担わせようとしているのか」と尋ねたところ、「それは鋭い質問です。しかし金融に関してはいかなるインフラもないので、習近平としては2025年までに一定程度のインフラを整え、2035年には香港機能を深圳とともに補わせようとしています。まあ、かなり先の話になりますがね……」と言葉を濁した。

海南島が目下それ以上の役割を果たしているのは、南シナ海を睨んでいることだ。

中国政府は2020年4月20日、海南省三沙市について、行政区の「西沙区」と「南沙区」を新設すると発表した。西沙区はパラセル諸島（西沙諸島）のほかスカボロー礁とマックレスフィールド堆（中沙諸島）を管轄し、南沙区はスプラトリー諸島（南沙諸島）を管轄する。こうして南シナ海を実効支配していくのが習近平の狙いだ。

そこに毛沢東によって16年間も牢獄生活を強いられ、胡耀邦（および葉剣瑛）によって釈放され、鄧小平に見込まれた父・習仲勛の「怨念」のようなものが渦巻いていることを知る人は少ないだろう。

しかし、歴史にも政治にも、そこには「人間」がいる。それを深く知らないかぎり、中国の真相もアメリカの真相も見えてこないのではないだろうか。

第5章

新型コロナウイルスは世界をどう変えるのか

（白井一成）

【1】コロナショック前の世界経済を振り返る

1．コロナショックまで10年続いた好景気のメカニズム

リーマン・ショック以降に形成された、中国を経済成長のエンジンとして世界全体が成長するというポジティブフィードバックを、コロナショックは一瞬で破壊した。

この10年のバブルは、2つのミスリードした目標関数、具体的には「リフレ政策」と「GDP至上主義」によるものだ。

「リフレ政策」とは、中央銀行が世の中に出回るお金の量を増やし、人々のインフレ期待を高めることでデフレ脱却を図ろうとする金融政策のことである。多くの国では、インフレ率に対して政府・中央銀行が一定の範囲の目標を定め、それに収まるように金融政策が行われている。インフレ率は経済の体温計と呼ばれ、中央銀行の適切な金融政策でインフレ率を適切な範囲にコントロールすれば、経済が安定化するとされていた。経済危機の克服を目標とする場合も、目標のインフレ率を設定することが多く、それを目的として金融緩和を行い、目標の達成や経済指標の改善が見られれば、段階的な金融引き締めによって正常化させることが伝統的な手法であった。し

【図表5-1】世界のインフレ率の推移(1981年~2019年)

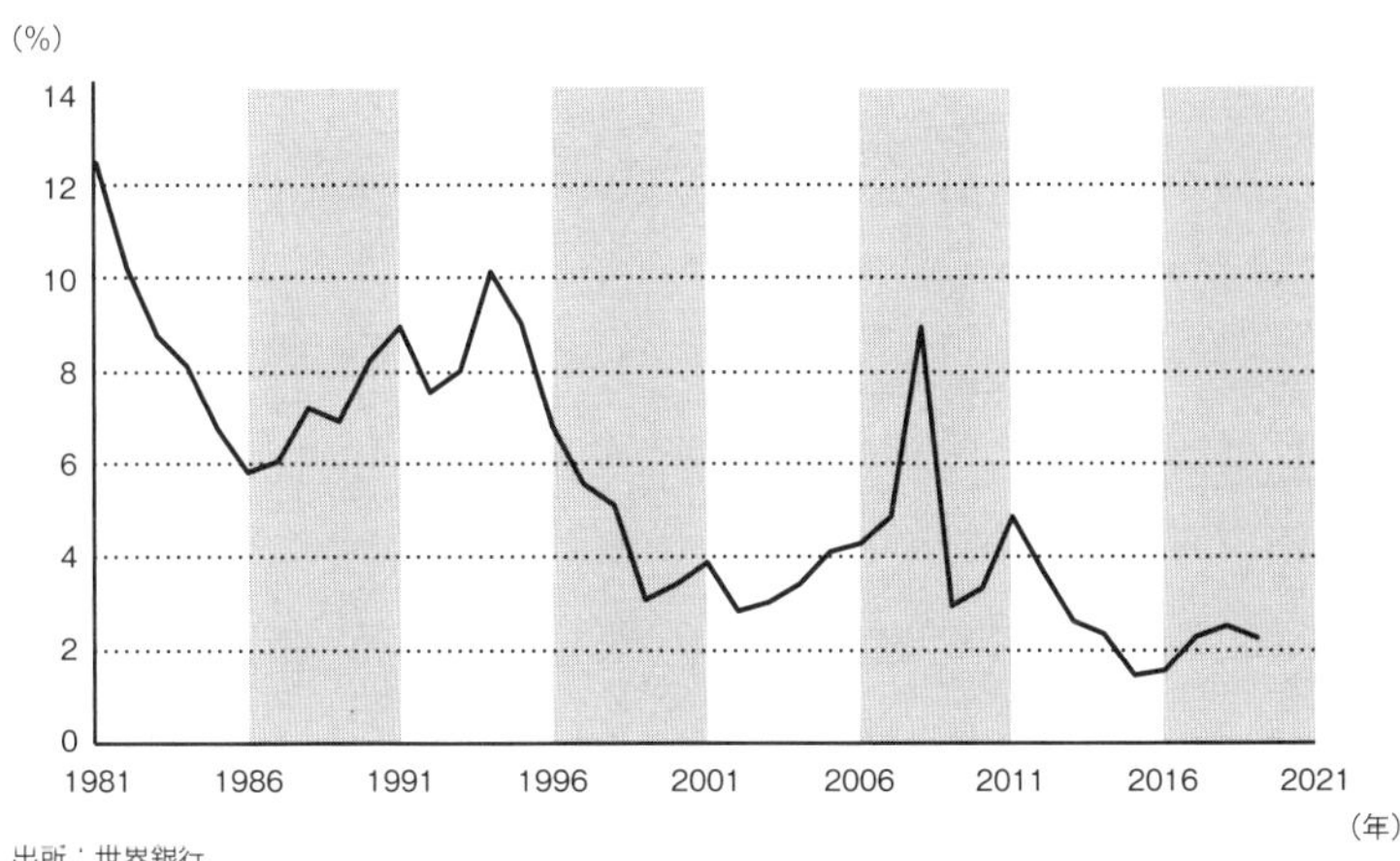

出所:世界銀行

かし、世界金融の現実では、経済が正常に戻る前に次の経済危機が発生し、金融緩和を継続あるいは拡大せざるを得ない状況が続いていたのだ。

昔は多くの中央銀行がインフレ率を「抑制」することに専心してきたが、すっかり状況は変わってしまった。

長期化するインフレ率低下が「デフレへの恐怖」を励起させ、中央銀行の政策の主眼はインフレ率を「押し上げる」、すなわちデフレ状況を回避することに置かれるようになった。

イギリス、カナダ、ニュージーランドなどはインフレ・ターゲットを2%としているほか、アメリカでも長期的な物価安定の目標を2%としている。日本の物価安定目標も2%である。ユーロ圏では物価安定の数値的な定義を示すという形がとられており、その値は「2%未満かつ2％近傍」とされている。細かい点は異なるものの、2％程度の物価上昇率を目標に金融政策を運営することは、今やグローバル・スタンダードである。

ただ、リフレ政策の有効性には不明な点も大きい。金利がゼロに近づくと金融政策の有効性が失われるという「流動性の罠」も指摘されるところだ。金融政策も金利水準を目標とする伝統的なものから、非伝統的なものへと範囲を広げ、財政政策との境界が薄れてきた。それでも、多くの国で物価安定目標を達成できていないというのが現実である。しかし、日銀黒田総裁は「必要に応じて適切な対応を躊躇なくとっていく」という発言を繰り返す。表立ってはこれに疑問を挟めない状況が続き、インフレを刺激するためアメリカを始め世界の中銀がお金を刷りまくり、バブルの燃料を供給し続けた。

一方で、低い金利で債務を調達したアメリカ企業は、自社株買い（企業が発行した株式をその企業が買い戻すこと）を積極化させ、株高を演出した。FRB（米連邦準備制度理事会）によると、上場非金融企業の資産に対する負債の比率は、過去20年間で最高水準にある。スターバックスのように、過度な自社株買いで債務超過となる会社も生まれた。

中国の企業債務も高水準で伸び続けた。後述するが、新興国にお金がなだれ込み、旺盛な世界需要を見込んだ設備投資が行われ、企業は負債比率を高めた。これらのポジティブフィードバックプロセスにより、世界的に資産効果（名目資産の価格及び価値の上昇に伴い、消費や投資、あるいは雇用などが活発化すること）が生じ、世界的な需要爆発が起こった。

2. もはやGDPだけでは経済の状態を正確に捉えられない

インフレ率は長期的に低下基調を辿っているが、これは現代の経済の大きな謎である。しかし、デジタル技術の進展と、コストがより低い生産地へのシフトを指向するグローバル化によって、物価が下がる経済構造であったと考えると納得がいく。

物価の変動は、供給要因（供給曲線のシフト）と需要要因（需要曲線のシフト）に分けられる。物価指数の下落には、需要要因と供給要因が混ざっており、必ずしも「物価下落＝デフレ」とは限らない。「価格下落＋数量増加」のパターンは、企業が創意工夫や競争圧力によって、値段を下げたり品質を向上させたりするときに起こる変化である。消費者余剰が拡大し、物価とGDPを低下させたのだろう。消費者余剰とは、ある財・サービスについて、消費者が支払っても良いと考える金額からその財の価格を差し引いた金額を指す。GDPなどの従来の枠組みでは十分にとらえきれない豊かさを数値化する取り組みのひとつである。

デジタル化とグローバル化の進展により、あらゆるものがタダもしくは廉価で手に入るようになった。スマホが1台あれば、音楽、映画、ゲーム、ニュース、仕事などあらゆることが可能となり、クリックひとつで低価格で高品質なモノが地球の裏側から数日で自宅に配送される。20年前に同様のサービスを受けようと思えば、消費者は相当な負担を求められたはずだ。

供給サイドのイノベーションによって、既存産業の破壊を伴いながら、より良いものがより安く提供されている。需要が悪化して物価下落を引き起こす状態であるデフレとは異なり、供給側の要因で物価が下がることは消費者にとって歓迎すべき面もある。物価とGDPは下落するが、我々消費者の幸福度は上がっている。

リフレ政策と同様、金融緩和がGDPを刺激するため、金融危機が起こるたびに金融緩和が行われてきた。GDPとは、一定期間に生み出された付加価値の総和である。国民の豊かさであり、経済規模を求めようとしたものだ。しかし、GDPは完璧とは言えないため、GDPに軸足を置いて経済運営をすれば、重要な点を見誤る。

たとえば、対GDPでの政府債務比率は、経済規模と債務残高を比較できるが、企業分析では一般的である債務返済余力を計ることはできない。経済規模であるGDPは外貨創出能力と同義ではないし、そもそもGDPの構成割合は国によって大きく違う。国家債務においても外貨建てか自国通貨建てかによって外貨返済能力は変化するため、対GDPの国家債務比率はあまり意味を持たない。実際、対GDP比で見た公的債務の水準と経済成長との関係は、諸説ありながらも結論は見出されていない。

仮にGDPの債務残高比率を下げたければ、GDPを大きくすれば良いわけであるが、GDPには「政府支出」が含まれるため、政府が支出を増やせばGDPをいくらでも膨らませることができる。しかし、GDPが豊かさを表すのであれば、「政府支出」はコストであるため、本来は

GDPから減じられるべきであるが、実際には、サイモン・クズネッツが指摘したように、GDPは「政府支出が経済成長の数字を増大させることを同語反復的に認めているにすぎず、人々の豊かさが向上するかどうかは考慮されていない」という構造になっている。

3．「投資主導」から「消費主導」の経済への転換を図る中国

GDPの基礎は1920～1930年代に作られたが、軍事支出を正当化したい政府によって、「政府支出」が加えられることとなり、第二次世界大戦後においても経済の指針として扱われてきた。「政府支出」は「政府最終消費支出」と「公的固定資産形成」に分けられる。「政府最終消費支出」は一般的な政府の活動や社会福祉のための支出であり、「公的固定資産形成」は道路や橋の建設といった公共工事のための支出である。「公的固定資産形成」によるGDPの嵩上げには特に注意が必要である。本来、投資はリターンが基準となっており、プロジェクトの経済合理性で均衡するはずである。つまり、リターンが低ければ、投資継続は難しくなる。さらに原材料の輸入も必要になるので、外貨の減少もブレーキになるはずだ。しかし、GDPそのものを目的にすると、効率性が考慮されず、行き過ぎることになる。

多くの資源を投じればGDPが拡大するのは自明である。中国のGDPは固定資本形成の比率が高い点が特徴的である。2018年の対GDP比で見た固定資本形成は44%と、中所得国（⊪

新興国）の30％を大きく上回った。しかし、すでに経済規模が大きくなったことから、投資でGDPを稼ぐことはより厳しくなっている。また上記で述べたとおり効率性への意識が乏しくなるため、外貨を浪費してしまうという側面もある。

実際に、中国もその点は重々認識していると見られ、投資主導の経済から消費主導の経済へと転換を図ろうとしている。米コンファレンス・ボードによると２００７～12年以降、中国の全要素生産性（労働や資本を含むすべての要素を投入量として、産出量との比率を示すもの。技術上の進歩を表した数値と言われている）はマイナスの伸びを続けており、中国の経済成長はヒト（労働）とカネ（設備投資）で嵩上げされてきたという面もある。本来は、ヒト、モノ、カネが生み出すものという観点から生産性がもっと注目されるべきなのかもしれないが、生産性の測定はなかなか難しく、またそこまで一般的な指標でもない。

中国は「雪辱の１００年を取り返す」というスローガンのもと、中国の夢として２０１０年のＧＤＰを２０２０年に倍増するという計画を打ち立てた。このような「ＧＤＰ至上主義」は、莫大な外貨準備を背景に、無規律な投資を際限なく行うことが可能であったからこそ、打ち出されたという側面もあろう。「一帯一路」のような壮大な計画を実践できたのも、中国ならではと言えるだろう。

いずれにせよ、アメリカの旺盛な需要に応えたことで、中国の輸出産業は発展した。また、海外からの投資が活発化することで、巨額の外貨準備の形成につながった。国内景気が刺激されるので、国内需要も伸びる。海外からの輸入も活発化し、好景気は世界に波及した。マネーがなだれ込んだ新興国も、世界の需要に応えるために設備投資を行い、貿易黒字を拡大させ、国内経済が刺激された。これがリーマン・ショック後の長期景気拡大の構造である。

【2】コロナショックが世界経済・金融市場に与えた影響

1．かつてないスピードで急速に悪化する世界経済

そこにコロナショックがやってきた。コロナ対策によって、国際的な人の移動制限やロックダウン政策から消費活動が大幅に制限される一方、グローバル・サプライチェーンも分断された。また、公衆衛生の新常識や戦略物資の調達懸念も浮上した。

2020年2～3月以降の世界経済の悪化は著しい。中国の2020年1～3月GDP成長率は前年同期比6・8％の減少と、1992年以降で初めてのマイナス成長となった。アメリカのGDP成長率は前期比年率で4・8％の減少と、減少幅は2008年第4四半期（8・4％減）以来、11年3カ月ぶりの大きさである。そして、米議会予算局によると、4～6月の成長率は前期比11・8％減、年率換算39・6％減少と、もう一段の落ち込みが予想されている。見たことのない数字のオンパレードであり、もはや多少の数字では驚くことができなくなってしまった。

2020年4月、IMFは2020年の世界経済成長率をマイナス3・0％と予想した。1月時点の見通しからは6％ポイントの下方修正である。2021年はプラス5・8％と予想されて

【図表5-2】世界のGDPの水準(2019年〜2024年)

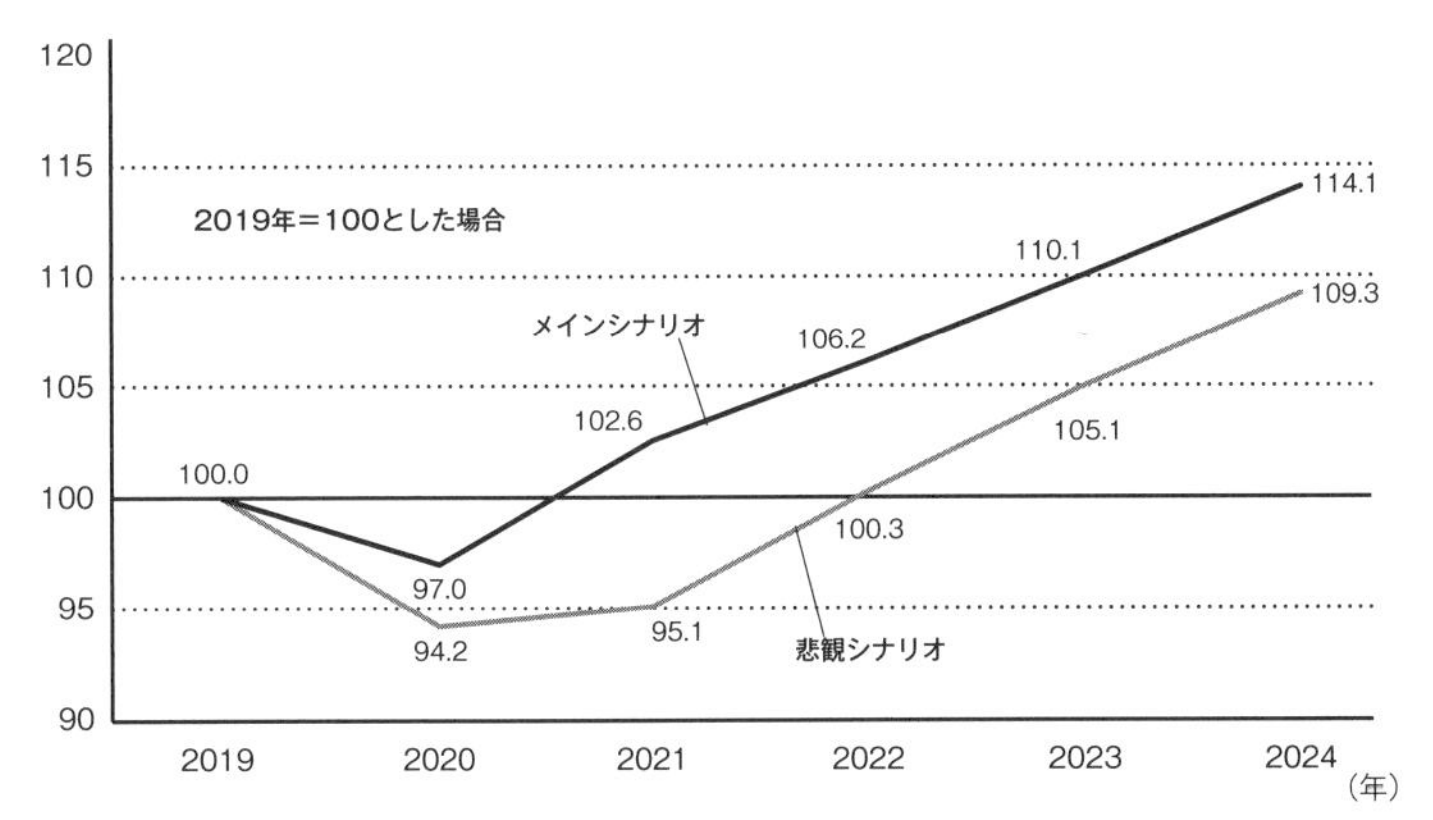

出所：IMF(2020年4月時点)

【図表5-3】世界のGDP成長率(2019年〜2024年)

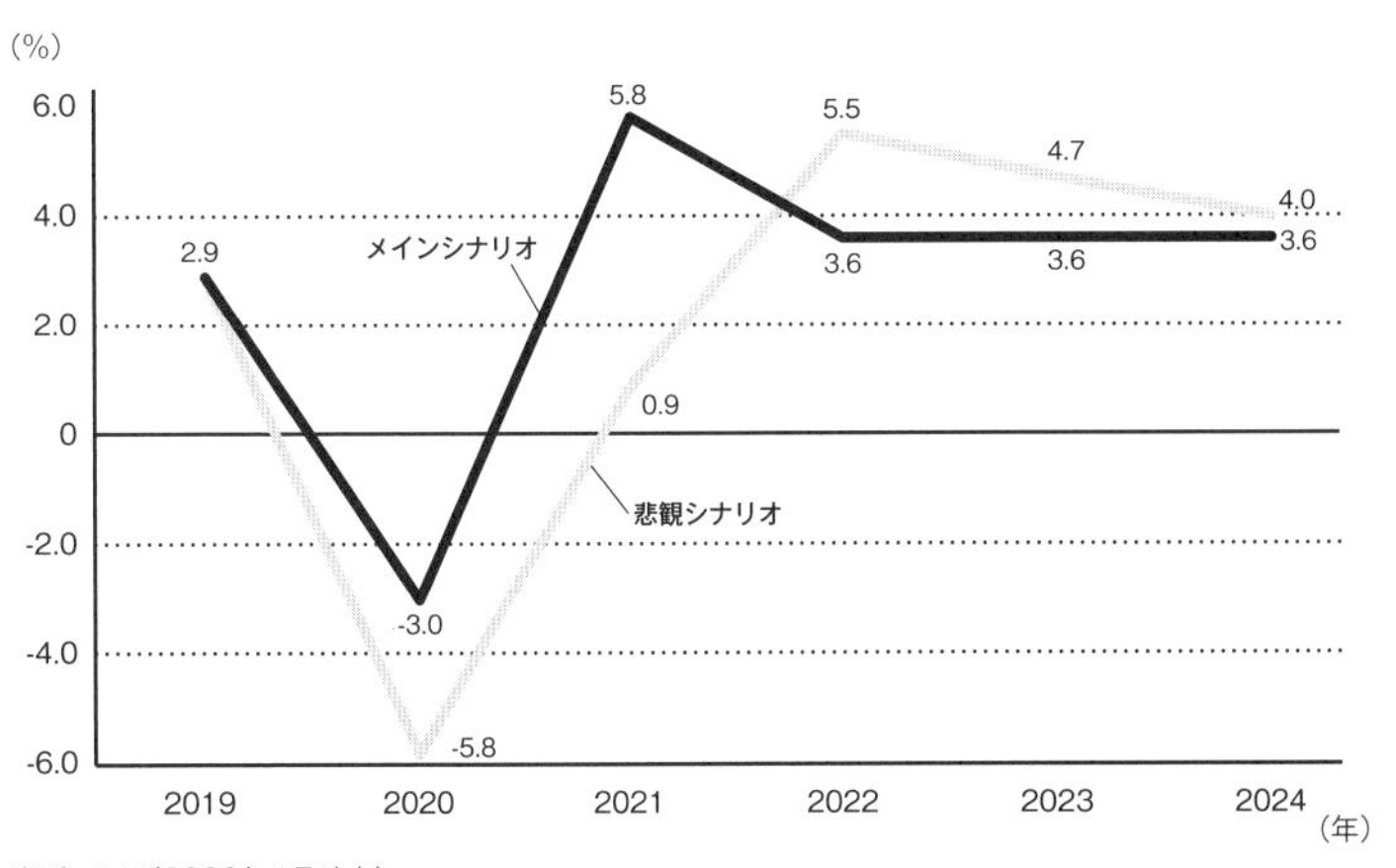

出所：IMF(2020年4月時点)

いたこともあり、２０２０～21年の世界ＧＤＰの損失は合計約９兆ドルに上る見通しである。そして、今後の状況は「新型コロナウイルスの感染次第」と言わざるを得ず、極めて流動的である。ＩＭＦ自身、パンデミックが２０２０年のもっと遅い時期まで続けば２０２０年のＧＤＰはベースライン・シナリオよりも３％低くなり、２０２１年は８％低くなるという見通しを併記している（その後、６月に見通しが改訂され、２０２０年はマイナス４・９％成長、２０２１年はプラス５・４％成長と予想されている）。

景気悪化のスピードの速さにも目を奪われる。

２０２０年３月19日に公表されたアメリカの週次新規失業保険申請件数は28・１万人であったが、３月26日は３２８・３万人、翌週の４月２日は６６４・８万人と、まさに激増である。４月の鉱工業生産は前月比11・２％減少し、わずか２カ月で15・３％の減少となった。ちなみにリーマン・ショックの際には10カ月後の２００９年６月に、２００８年８月比で13・６％減少したが、それがボトムとなった。世界大恐慌の際に同程度の減少となったのは１９３０年６月（15・４％減少）で、１９２９年10月から８カ月後である。

そして景気悪化は多くの国に及んでいる。４月のＰＭＩ（購買担当者景気指数）は、製造業では調査対象の31カ国・地域のうち30カ国・地域で、サービス業では調査対象の12カ国すべてが、景況感が前月に比べて悪化したという声が優勢で、状況は３月よりも悪化した。まさにパーフェクト・ストームである。唯一景況感を改善させたのは中国の製造業であるが、これも２月の悪化の反動の範囲内である。

このような急激な景気悪化に対して、各国政府は財政の大盤振る舞いで対応している。具体的には、企業の資金繰り支援、給付金、休業支援などが中心である。

IMFによると、2020年4月8日までにG20はGDP比3・5%に相当する財政政策を発表したが、これは2009年の2・1%を大幅に上回る。もっとも金融支援まで含めればさらに金額は膨らむわけであり、GDP比10%超の経済対策を発表した国も少なくない。足元でも財政出動は続けられており、日本でも6月12日に2020年度(令和2年度)第2次補正予算が成立した。

2. コロナショックの悪影響はさまざまな方面へ波及する

コロナショックは、さまざまなことに波及しつつある。短期的には人の移動の制限によるサプライチェーンの寸断によって、中長期的には戦略物資の自国生産や中国依存からの脱却(デカップリング)によって、各国でサプライチェーンの見直しが起こり、局所的な物価上昇が観測されるだろう。

次に、バランスシート不況(資産価値が暴落すると、企業は財務を修復するために収益を借金の返済にあてるようになり、設備投資や消費が抑圧されて景気が悪化すること)へ引きずり込まれる。企業の供給能力（資産）とそれに対応する負債は今までの需要を前提に形成されていたが、コロナショックによる短期的な影響と、中長期的な本格的な不況の到来で需要が減少する。このキャッシュフローや売上の減少は企業や国の資金繰りに直結するため、借入で賄うことになる。

バランスシートでは、今まで利益を資本化していたものが、損失を借入で賄うことになり、負債比率が上昇する。一方、需要がないので企業は供給過剰になるわけだが、減少したキャッシュフローの現在価値でその資産を評価しなければならず、資産の時価は大きく低下するはずである。したがって、コロナショックで影響を受ける企業は、加速度的に負債比率は上昇し、自己資本は減少する。上場株式には株価の下落として顕在化する。

航空会社を例にとるとわかりやすいだろう。２０１９年までの需要をもとに多数の航空機を保持していたが、需要はそう簡単に戻らない。資金繰りのために借入を増やし、バランスシートを悪化させ、最悪な場合は倒産や国有化を想定しなければならない。航空会社は極端な例だが、影響を受ける企業はすべて似た構造である。

これは投資家の富の喪失につながるため、逆資産効果からさらに需要を減少させ、スパイラル的な不況になる可能性がある。なお、このようなバランスシート問題は、新興国も似た状況にある。

日本で緊急事態宣言が解除された5月後半時点では、ひとまず景気は底打ちしつつあるようだ。どういうわけか株価は上昇傾向にあり、今後の景気回復がV字型なのか、U字型なのか、L字型なのか、それとも逆N字型なのかが関心を集めている。「コロナが過ぎ去れば元に戻るだろう」

という幻想もあるが、一度傷ついたバランスシートの回復は難しい。不況は長期化する。

新型コロナウイルスとの戦いは、想像以上に長引くかもしれない。戦いを完全に終息させるには、治療薬とワクチンの開発が不可欠であるが、各国政府や関連企業の必死の努力にもかかわらず、目処が立ったとは言いづらい。ワクチンが２０２１年のどこかで量産化の時期に入ったとしても、その時点でのワクチンは「戦略物資」であり、日本国民全員に供給されるのははるか先であろう。仮に3社が年間１０００万本のワクチンを生産できるようになったとしても、全国民に供給されるのに4年かかることになる。人口の多くが免疫を獲得することで感染が広がらなくなる「集団免疫」について、イギリスとスウェーデンの研究グループは「人口のおよそ43％が免疫を獲得すれば、集団免疫が達成される可能性がある」と主張する。しかし、集団免疫形成の進展は驚くほど遅いようだ。

ロックダウン（都市封鎖）を行わず、集団免疫戦略を目指すのがスウェーデンであるが、政府発表によるとストックホルムの抗体保有率は7・3％で、希望者を対象にした民間検査でも14％にとどまる。ちなみに、２０２０年6月16日に厚生労働省が公表した新型コロナウイルスの抗体保有調査によると、東京都の抗体保有率は0・１０％、大阪府が0・１７％、宮城県が0・０３％であった。しかも、抗体が時間とともに減少する可能性も指摘されている。中国の重慶医科大学などによる研究結果では、調査対象の74名の患者について、感染後しばらくして作られる抗体は、当初80％以上の人で検出されたが、退院からおよそ2カ月後には、抗体が検出された人のうち無症状者の93・3％、発症者の96・8％で抗体が減少したとのことである。「見えない敵」に怯え続けることで、消費者の心理が長期的に委縮する可能性も考えられる。国境を越えた人の移動が完全に元に戻るには、数年という時間を要する公算が大きい。

負債比率が高まれば、少しでも返済に向けるため、投資を抑制し、従業員をリストラすることになる。今回のコロナウイルスによる需要の減少は、最初は小売や飲食、旅行業などから始まったが、耐久消費財企業にも波及しつつある。これらは経済全体を低迷させ、デフレを誘引する。負債比率が高まり、キャッシュフローが減退すれば、発行体の信用リスク（債務者が債権を履行できなくなるリスク）が高まる。そうすると、貸し手の資産も痛めるため債権回収を急ぐことになり、結局市中に資金が供給されず企業をさらに苦しめる。このような悪循環が、貸し手を疑心暗鬼にさせ、信用と流動性の危機を発生させる原因となる。

危機は現時点では本格的なものにはなっていないが、3月の株価暴落時にはその端緒が観察された。新興国からの資本流失と企業の信用だ。3月の新興国の非居住者による証券投資は833億ドルと、リーマン・ショック、テーパータントラム（バーナンキ元FRB議長による「量的金融緩和縮小の可能性」示唆）、人民元切り下げの時の資金流出を大きく上回るものであった。企業のクレジット商品も軒並み大幅安となった。リーマン・ショック当時を上回るペースでの格下げも発生した。

これに対して、FRBを始めとした世界の中銀や各国政府は素早く対応し、金融市場は一旦落ち着きを取り戻した。ＦＲＢは自国企業への貸付を支援する政策を積極化させると同時に、同盟国へ通貨スワップ協定という安全弁を提供した。不均衡な経済システムが存在している場合、些細なきっかけでもそのバランスが崩れ、金融危機から大崩壊へと繋がる。資産価格はいったん下落すれば、本来あるべき水準を大きく下回り、必要以上に経済を傷つけてしまうという特性がある。この防止のために政府の関与が必要とされている。

しかし、今後、本格的な金融危機が発生したとき、世界中の国や企業のドル需要に対して、十分なドルが供給されるだろうか。答えは否であろう。後述のとおり、ＦＲＢはすべての国と通貨スワップを結んでいるわけではない。

たとえば、トルコがドル不足に陥った際、アメリカは無制限にドルを供給するだろうか。トルコでは２０２０年2月末時点で７７４億ドルあった外貨準備高が、5月15日時点では４８９億ドルに減少してしまった（5月末時点では５４４億ドルに回復）。歯止めがかからない外貨準備高の減少を受けて、２０２０年3月27日にトルコのエルドラド大統領は「米連銀は（トルコを含む）すべてのG20加盟国とドル・スワップ協定を結ぶべき」と訴えた。しかし、これまでのところ、この要請は聞き入れられていない。仮にドルが供給されても返済は必要である。世界的需要が減退し、貿易黒字を返済に回せない状況で、どのように返済するのだろうか。インドネシアの企業がドル不足に陥った際、インドネシアの中銀は自国企業に十分なドルを供給できるだろうか？ やはりそれにも自ずと限度があろう。

ＦＲＢが非同盟国や関係が悪化した国までも、理由なく助けるとは考えづらい。いわゆる「トリアージ（人口呼吸器をどの患者を優先するかという命の選別等）」である。ドル不足の新興国は、食糧やエネルギーの輸入のためにドルが必要だが、そもそも自国の外貨建て債務を返済できないし、新規借入も不可能だろう。ＩＭＦの管理下で構造調整を行うしかないが、今後起こるかもしれないすべての危機が、ＩＭＦがまかなえる規模のものかどうかは疑問である。無理な場合は、新たな世界経済救済パッケージが必要だろう。中国が友好国を支えるシナリオも考えられるが、そのドル需要は中国の外貨準備（３・２兆ドル）だけでは賄えないし、自国向けにも必要であるため、そう簡単には他国に提供しないだろう。

3. 世界的な債務拡大で暴発寸前の債務バブル

２０１９年12月に世界銀行が公表した「Global Waves of Debt：Causes and Consequences」というレポートでは、足元は「第４の債務の波」にあると分析している。当レポートでは、南米・カリブ海やサブサハラアフリカの低所得国での第1の波（１９７０～89）、東アジア・太平洋、欧州、中央アジアや南米・カリブ海の発展途上国での第2の波（１９９０～２００１）、欧州、中央アジアでの第3の波（２００２～09）と、２０１０年以降にすべての新興国で発生している第４の波を取り上げている。

【図表5-4】世界の債務対GDP比（1970年~2018年）

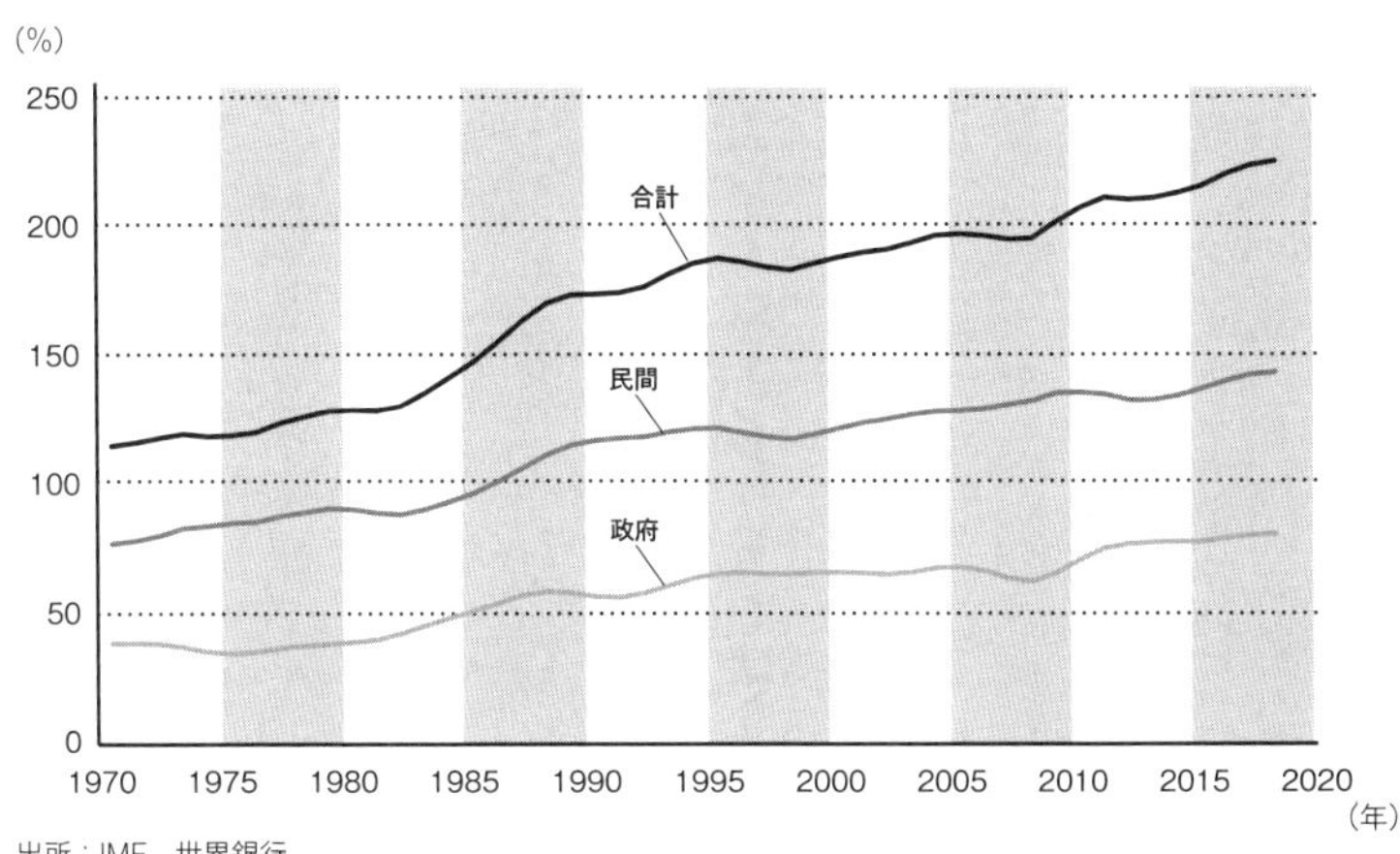

出所：IMF、世界銀行

高い負債比率は良い方向にも悪い方向にも加速度をつける効果があるが、債務が膨張した状態から反転し負の連鎖が回り始めれば、急激な下落を伴って想定以上の価格まで資産が売られることがあり、何回も金融危機のエンジンとして働いてきた。第1~3の波は、最終的に世界的な景気後退（1982年、1991年、2009年）か景気減速（1998年、2001年）につながった。

では、信用と流動性の危機の爆弾ともいうべき債務がどのくらいあるのか見てみたい。

BISによると、2019年末の債務総額は191・4兆ドル（2京1056兆円）であった。2009年末の債務総額は127・0兆ドル（1京3965兆円）であり、過去10年間で債務総額は51％増加した。企業の債務総額は2009年末での47・7兆ドル（5249兆円）から74・4兆ドル（8182兆円）へと、56％増加した。

アメリカの債務残高は金額の大きさが圧倒的である。2019年末の債務総額は54・5兆ドル（5991兆円）で、2009年末の35・9兆ドル（3944兆円）から52％の増加である。企業の債務総額は2009年末の10・1兆ドル（1117兆円）から16・1兆ドル（1776兆円）へと58％増加した。対GDP比では74・9％と、必ずしも高いとは言い切れない水準である。ただ、時系列に見ると、対GDP比で見たアメリカの企業の債務残高は、長期的には上昇基調の中、一定の幅で循環してきた。そして、現状はその上限に位置している。

4．サブプライムローンどころではない!?　ハイリスク商品は時限爆弾か？

世界的な債務拡大と世界的な低金利を背景に、リーマン・ショック以降のクレジット市場は大きく成長した。リスクの高いクレジット商品には、レバレッジド・ローン（信用格付けがBBB未満の企業向け貸付）、ハイイールド債（信用格付けがBBB未満の社債）などがある。IMFの「Global Financial Stability Report」によると、2019年末のレバレッジド・ローン残高は5・5兆ドル、ハイイールド債残高は2・5兆ドルに上る。大雑把にいえば、16・1兆ドルのアメリカ企業の債務から、9兆ドルの高リスククレジット商品が生み出されたことになる。

2008年のリーマン・ショックの一因は、本来住宅ローンを受けることができない人々へ

【図表5-5】世界、アメリカ、中国、新興国の債務総額

		金額		対GDP比		対マネーストック	
		2009年末（10億ドル）	2019年末（10億ドル）	2009年末（%）	2019年末（%）	2009年末（%）	2019年末（%）
世界	非金融	126,951	191,421	230.9	243.2		
	一般政府	42,293	68,517	76.9	87.0		
	家計	36,903	48,519	67.1	61.6		
	非金融企業	47,720	74,385	86.8	94.5		
米国	非金融	35,856	54,460	248.2	254.2	421.1	351.9
	一般政府	11,750	22,253	81.3	103.9	138.0	143.8
	家計	13,951	16,149	96.6	75.4	163.9	104.4
	非金融企業	10,155	16,058	70.3	74.9	119.3	103.8
中国	非金融	8,909	36,765	175.1	258.7	80.9	128.9
	一般政府	1,760	7,697	34.6	54.2	16.0	27.0
	家計	1,195	7,848	23.5	55.2	10.9	27.5
	非金融企業	5,948	21,220	116.9	149.3	54.0	74.4
その他新興国	非金融	13,180	22,910	123.3	138.6		
	一般政府	4,894	8,320	45.8	50.3		
	家計	2,889	5,396	27.0	32.7		
	非金融企業	5,335	9,155	49.9	55.4		

出所：国際決済銀行、米連邦準備制度理事会、中国人民銀行

過剰貸付を行い、信用格付け（金融商品または企業・政府などの信用状態に関する評価を記号化したもの）を高く見せる技術を活用した商品を投資家へ転売することで、過剰な経済成長を演出したことであった。ちなみに、リーマン・ショックの元凶となったサブプライムローン（優良客よりも下位の層向けのローン商品）は1・3兆ドルであった。いかに今回の問題が大きいかがわかるだろう。

上記のレバレッジド・ローンを証券化したのが「CLO」であり、資産担保証券（資産を裏付けとして発行される証券）の一種である。証券化とは、複数の企業向

【図表5-6】世界のリスクが高い信用市場のエコシステム

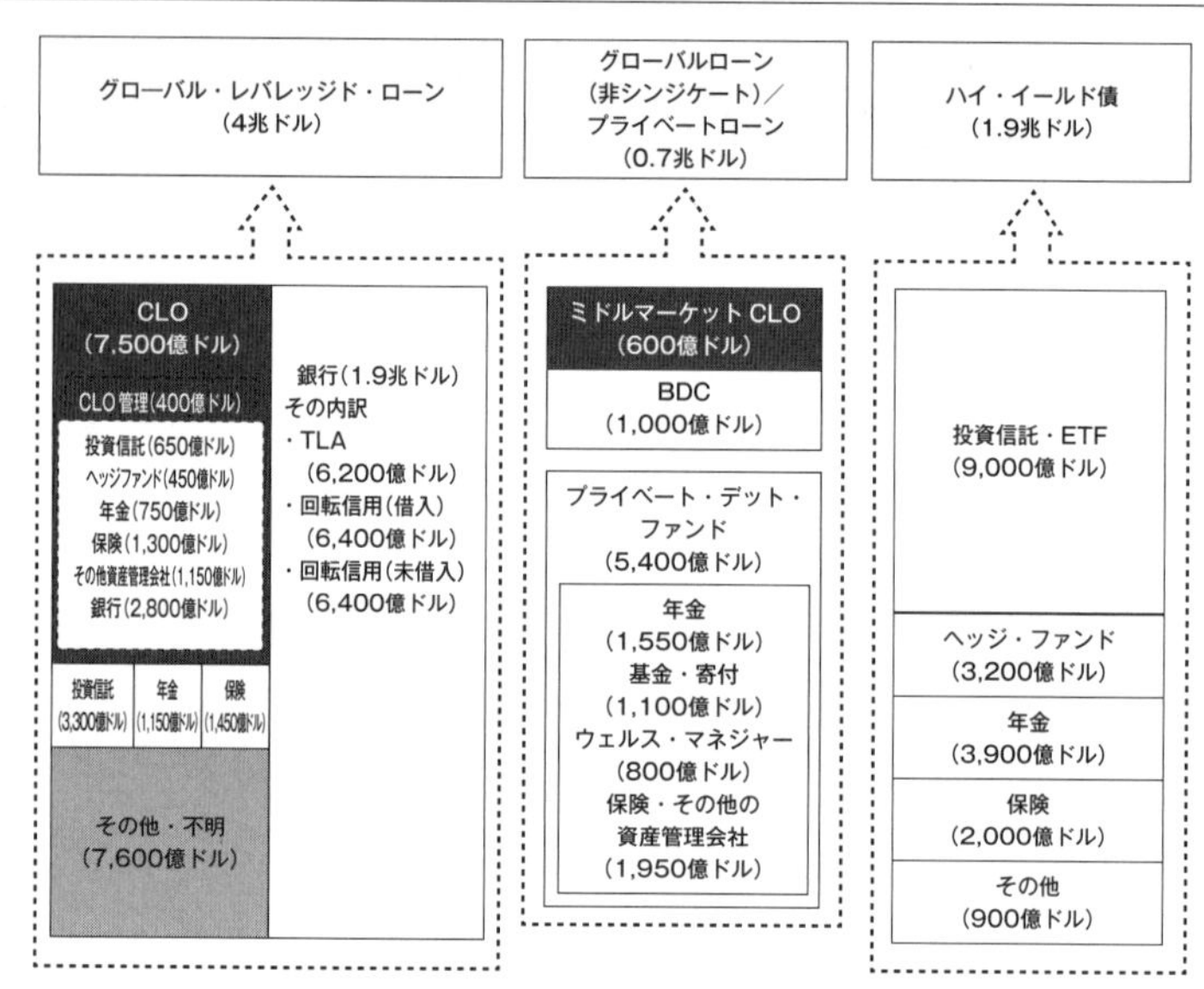

出所：IMF

けローンを原資産とした証券を発行することであるが、原資産のキャッシュフローを再構築することにより、複数の異なるリスクとキャッシュフローの証券を生み出すことができる。

CLOは、運用難に喘ぐ日本の金融機関も積極的に投資してきたため、2019年10月の日銀金融システムレポートなどでも重点的に説明されていた。

CLOは「クレジットスプレッド（信用力の差に基づく利回りの差）」、「分散投資効果（複数の投資対象に分散して投資することで、リスク要因が分散できるという効果）」と「信用補完（元利払いを確実にするために商品の信用を高めるための仕組み）」を活かした金融商品である。もっとも、リーマン・ショックの際と同様に、大幅な景気後退の際に想定された相関が機能するかには、懐疑的な見方も少なくない。ＣＬＯの担保はほぼすべてが信用格付けが相対的に低いＢＢ以下の投機的格付けである一方、それが10％弱のエクイティ（資本）、10％弱のＢＢ以下のトランシェ（リスクの水準や利回りなどの条件で区分された各部分）、80％強の信用格付けが相対的に高いＢＢＢ格以上の投資適格のトランシェに再編されるという点にも、サブプライムローンと同様に既視感と違和感を覚える向きは少なくないだろう。

ＣＬＯの残高は７６００億ドルであり、レバレッジド・ローンの多くを保有する。間接的には、アジア先進国の大手銀行を含む国際的な銀行が世界のＣＬＯの約１／３を保有しており、第２位の買い手は保険会社である。銀行は基本的にリスクの低い部分を保有し、保険会社や年金はややリスクの高い部分を保有する。

リーマン・ショック後の世界的な景気拡大局面で、レバレッジド・ローンの質（≒信用格付け）は徐々に悪化していたと指摘されている。それを受けて、ＣＬＯの質も悪化傾向にあった。一方で、リーマン・ショック以前に組成された「ＣＬＯ 1.0」との比較感では、リーマン・ショック以降に組成された「ＣＬＯ 2.0」は、ＡＡＡトランシェを保護するためのクッションとして、エクイティとメザニン（Ａ格以下）の比率が高めに（相対的にリスクが低く）設計されている。

前述のＩＭＦレポートは、「レバレッジド・ローンの回復率は世界金融危機時より20％ポイント低いが、他は世界金融危機時と同じ」というリスクシナリオのもとで、クレジットの損失額を１・

3兆ドル（損失率20％）と試算した。そのうちＣＬＯの損失は２０００億ドルであり、残高の27％に相当する。それであれば、エクイティやＡ格以下のメザニンには影響が及ぶものの、ＡＡ〜ＡＡＡ格のトランシェには影響が及ばないと結論付けられている。

ただ、コロナショックを受けた相次ぐ格下げを受けて、レバレッジド・ローンを発行する企業の信用格付けも、相次いで引下げられた。ＡＡのトランシェまでクッションが失われたＣＬＯが登場したという報道もあり、徐々に津波が押し寄せつつある印象も否定しづらいところである。「ＡＡＡ格のＣＬＯはリーマン・ショック当時でもデフォルトを回避した」というのが投資家の支えとなっているが、コロナショックでＣＬＯの商品性が本当に瓦解しないかが試される。

ちなみに前回のリーマン・ショックでは住宅ローンの焦げ付きも大きかったが、今回もその点は類似している。詳細には立ち入らないが、商業用不動産ローンを証券化したＣＭＢＳ、住宅用不動産ローンを証券化したＲＭＢＳについても、原債権の返済が困難化していることから、顕著な価格下落が発生していることは付け加えておきたい。

5．今後の動向が懸念される中国をはじめとする新興国の巨額債務

中国の債務は金額の大きさのみならず、伸び率も突出している。２０１９年末の債務総額は36・8兆ドル（４０４４兆円）となった。２００8年末時点での8・9兆ドル（９８０兆

円）からは4・1倍である。企業の債務総額は2008年末の5・9兆ドル（654兆円）から、2019年末は21・2兆ドル（2334兆円）と、3・6倍となった。GDP比で見ても116・9％から149・3％への上昇となり、日本のバブル時のピークである147・6％（1993年末）を上回っている。

中国の企業債務のうち多くは国内で調達されているとみられるが、格付会社のフィッチによると、オンショアで債券を発行した中国の民間企業のうち、2019年1～11月のデフォルト率は過去最高の4・9％と、2014年の0・6％から上昇した。SAFEによれば、2019年9月末の中国の対外債務は2・0兆ドル（220兆円）で、短期対外債務は1・1兆ドル（121兆円）。企業部門（を表すと見られるその他セクター）の対外債務は0・6兆ドル（66兆円）、短期対外債務は0・4兆ドル（44兆円）である。中国は膨大な外貨準備（約350兆円）を使い、危機封じ込めのために最大限の努力をするだろうが、成功するかどうかはわからない。ただ、その結果、2014年をピークに水準が低下した外貨準備は、もう一段減少する可能性もある。

2019年末の新興国（除く中国）の債務総額は22・9兆ドル（2520兆円）であった。2009年末の13・2兆ドル（1450兆円）からは74％増となる。企業の債務総額は2009年末の5・3兆ドル（587兆円）から2019年末は9・2兆ドル（1007兆円）と、72％増加となる。中国ほどでないが先進国を大きく上回るペースで負債が増加しており、債務比率が悪化している国も少なくない。

【3】ポストコロナの〝新しい世界〟における基軸通貨ドルの行く末を考える

1. ポストコロナで世界はどう変わっていくのか

金融危機を経て実体経済は規模を縮小させたあと、どこかで均衡点を模索し始めるだろう。しかし、悪い面ばかりでもないはずだ。過去の「○○ショック」では、さまざまな構造変化がもたらされた。

たとえば、1995年の阪神淡路大震災では、神戸港のハブ機能が失われ、その後も需要が戻らなかった。

2008年のリーマン・ショックでは、ウォール街などの拝金主義の反省からゴージャスなライフスタイルが敬遠される一方、西海岸的な自然体のライフスタイルが好まれるようになった。加えて金融機関への風当たりも非常に強くなり、金融機関の規制強化に舵が切られたのもこの頃である。

2011年の東日本大震災は、日本企業の海外展開を加速させ、サプライチェーンの重要性を認識させ、各企業はBCP（事業継続計画）の導入を進めた。当時の円高環境も影響し、企業の海外移転が加速し、日本の設備投資ストックが海外に流出してしまったため、その後の輸出の戻りを限定的なものとした。

コロナショックの経験から、公衆衛生の観点や、巣篭もりで経験したデジタル社会の利点を再発見し、その転換が加速する。テレワークももはや珍しくなくなった。どうして日本人はあのような満員電車に乗っていたのだろうか。「はんこ」も風前の灯だ。これまでのような押し付け型、紋切り型の「働き方改革」ではなく、真の「働き方改革」が台頭する可能性もあるだろう。来るべき5G（第5世代移動通信システム）時代もそれを支援していよう。

中国人民銀行副総裁は、感染拡大を防ぐため、現金の衛生管理を行う方針を示し、市中から現金の回収を始めた。人々が直接接触する頻度が急減する中で、短期的には企業や個人は現金・紙幣の使用を控え、電子決済への依存度を高めている。これが習慣化されれば、汚染リスクのないデジタル通貨の導入が促される可能性があろう。

日本でも消費増税の軽減策としてキャッシュレス化が推進されたが、現金・紙幣使用の敬遠傾向もキャッシュレス決済比率の上昇に貢献しているという見方もある。折しも世界的に金融緩和がもう一段押し進められた。法定通貨がさらに切り下がれば、暗号資産の魅力は相対的に高まるだろう。また、デジタル経済化が加速すれば、暗号資産やデジタル法定通貨の利用が促進され、暗号資産の価値を押し上げるといった相乗効果が見られるだろう。

2. デジタルでの効率性を高める「消費者余剰型経済」へ

2020年3月の大暴落前後で、デジタル企業の株価が相対的に強い動きとなったが、今後においてはデジタル企業が旧来型の企業に比べさらに大きく成長するはずである。元来デジタル企業は、高いリターンを狙って積極投資を行う投資ファンドのベンチャーキャピタルや資本市場からエクイティでの資金調達を中心としており、また旧来型の企業に比べ、事業に必要な資産は少なくて済む。そのため、デジタル企業の負債比率は低い傾向にあり、新しい経済への投資余力は高いと言える。一方で、旧来型企業は構造的に負債比率が高く、旧来ビジネスの需要減少によるバランスシート不況に苦しむことになるため、新たな事業への投資余力は少なく、デジタル企業との差はさらに開くこととなるだろう。

これは国家でも同様の現象が観測されるだろう。潤沢なドルを使え、外貨建て債務が小さい国家は新たな経済への転換が容易となる一方で、外貨建て債務が大きい国家はその返済に手間取るだろう。グローバル化で安い生産拠点と成長市場を求めた今までの「グローバリゼーション型経済」から、デジタルでの効率性を高める「消費者余剰型経済」への転換である。つまり、強者がますます強くなり、弱者は忘れられるという経済に転換するはずだ。実体経済の中でもGDPでは捕捉しきれない部分がさらに拡大していこう。

先進国の中央銀行は、国内経済を救済するために、好むと好まざるとにかかわらず、公的機関が発行した貨幣を財源に支出を行うヘリコプターマネー、そしてＭＭＴ（現代通貨理論）の世界へ誘われる。「インフレにならない限り、財政赤字には問題がない」と主張するＭＭＴもここ数年少しずつ広がりを見せている印象だが、コロナショックを受けた雇用対策が積極化されていることもあり、ベーシックインカム（最低限所得保障の一種で、政府が全国民に対して最低限の生活を送るのに必要とされている額の現金を定期的に支給する政策）のような社会保障制度ともつながりながら、さらに注目されていく可能性もある。

もはや伝統的な金融緩和だけでは、この構造変化による景気の底割れを止めることはできない。すでに各国政府による巨額の金融緩和や財政出動が行われているが、今後もっと大胆な施策を何度も要求されるはずだ。日本の第二次補正予算に含まれる「10兆円の予備費」というのは、まさにその証左かもしれない。

しかし、日本などのように、潤沢なドルを持ち、無制限スワップの対象国である先進国には相対的に問題が少ないだろう。ヘリコプターマネーは、前述のバランスシート不況の項で述べた需要を大きく刺激し、ポジティブなフィードバックプロセスを再び点火する。このような形で、先進国経済はゆっくり立ち直るはずだ。ただし、繰り返すが、デジタルと従来型の経済や企業は、ますます差が開くことになる。

このプロセスで莫大なマネーが実体経済に投下されマネーの価値も低下するが、生活に必要なものはデジタル化でますます安くなり、相対価値はあまり変わらないかもしれない。また、ドル

【図表5-7】主要国の金準備高(2019年12月)

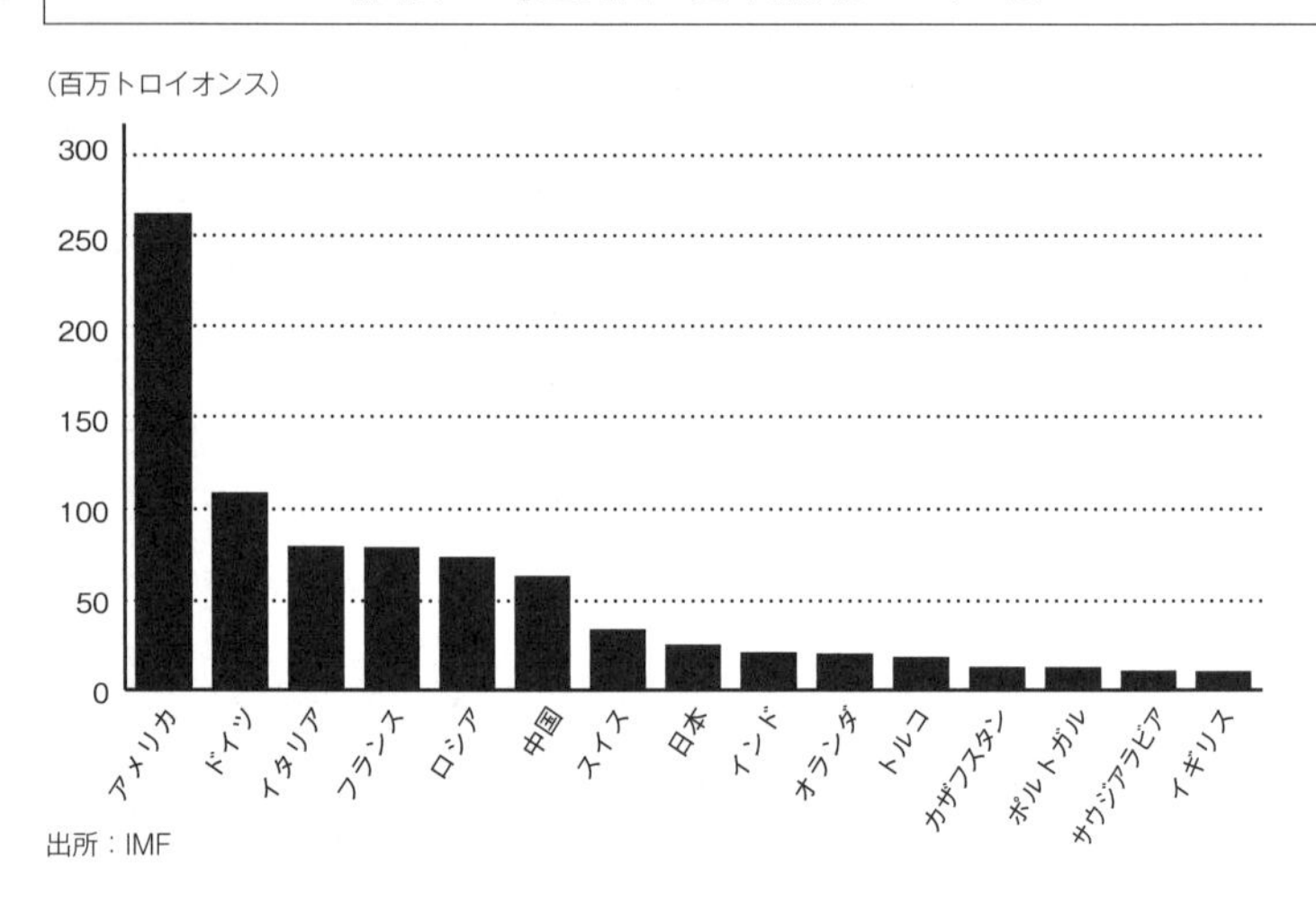

出所：IMF

を持たない発展途上国はドル需要に対して借入に依存せざるを得ず、発展途上国通貨は先進国通貨に対して大きく下落するだろう。

一方、複製できない希少な資産は、先進国通貨に対して大きく上昇する可能性がある。長期化する金融緩和や新型コロナウイルス対策の影響で法定通貨の価値が大きく低下しているためか、その裏側で金価格の上昇が続いている。金先物価格は一時１７００ドルを突破した。先進国諸国が金融緩和を続けると、自己循環的に金が上昇することとなる。これが続くと、外貨準備に占める金の割合が多い欧州は大勝ちし、金の準備高が少ない日本は大負けする。世の中の資産はすべて相対価値である。

２０１９年12月時点で金準備高が突出しているのはアメリカ、ドイツ、イタリア、フランス、ロシア、中国の6カ国であり、その中にはユーロ圏のうち多くの国が含まれる。第一次大戦後からニクソン・ショックまでのアメリカが金保有を減少させたのに対して、ドイツ、フランス、イタリアなどのヨーロッパ大陸各国が金保有を増やしたが、最も増やしたのはイギリスであった。海外に保管されていた金準備高も多かったが、ドイツは、2017年までの4年間で、海外に保管されていた金準備の多くを取り戻すなど、金準備高を重視している姿勢が特徴的である。

小さいながら「ユーロのループ」の構築を目指すユーロ圏は、ドルストックは限られる一方、外貨準備高に占める金(ゴールド)の構成比は52％と高い。ドル価値が低下した場合でも、国力に影響が生じないように備えてきた面があるのだろう。そのように考えると、世界の主要地域の中でデジタル通貨に対して積極姿勢を示していることも頷ける。

3. にわかに注目を集める基軸通貨ドルの〝寿命〟

世の中のすべての資産は相対価値であるのであれば、状況をみて機敏に勝ち馬に乗る必要がある。戦後、旧円は紙屑になった。そして、1971年のニクソン・ショック以前に金とペッグしていた米ドルは、ニクソン大統領によって何の裏づけもないドルに変わった。石油を筆頭として米ドルによる取引がスタンダードであったことに加え、強大な軍事力で現状維持を他国に強制することで、ニクソン・ショック後もドルは基軸通貨として使われてきた。

アメリカは、敵対する国家や企業集団、個人に対し金融制裁を行っているが、これはドルが基軸通貨であることの圧倒的な優位を見せつけている。しかし、気が付けばニクソン・ショックからもうすぐ半世紀となる。そろそろドルの寿命も尽きてきたのかもしれないという議論は必要だろう。

「ドルの寿命」はたびたび話題に上る。リーマン・ショック当時にはアメリカ発の金融危機が深刻化する中、ドルの信認が問われ、国際通貨体制改革を巡る議論が活発化した。中国もドルに対する懐疑的な姿勢を強めた。

周小川(しゅうしょうせん)・中国人民銀行行長(当時)は、2009年3月23日の「国際通貨体制改革に関する考察」で、特定の国の通貨が準備通貨(基軸通貨)の役割を兼ねる現在のドルを中心とする国際通貨体制の限界を指摘した上、主権国家の枠を超えた準備通貨の創出を提案した。

金融危機の克服などもあり、国際通貨体制改革待望論はひとまず終息した。ドルの先行き議論も沈静化していたが、世界の中央銀行が外貨準備で保有する米ドル比率は、長期的には低下傾向を辿っている。暗号資産の登場や中国の本格的な台頭もあり、再び「ドルの行く末」議論が脚光を浴びている。

アメリカが、膨張したドルから、新たなドルへシフトさせる可能性も考慮しておかないといけない。特に日本のほとんどの外貨準備はドルなので、この問題には他国以上に敏感になるべきである。ニクソン・ショックでは、ドルの本質が大きく変わり、世界のマネーの動きも大きく変化した。今後、デジタルドルが導入され、既存のドルが相対的に下落するシナリオや、金が暴騰するシナリオをシミュレーションし、日本がどのように対応するべきかという思考実験を始めるべきである。

既存のドルを抱えたままでは、一人取り残され、一直線で最貧国に向かうことになりかねない。

第6章

米中デジタル覇権の「5つのシナリオ」

（白井一成）

【1】デジタル通貨を支える技術を理解する

1．ブロックチェーンのイノベーション構造

前章で見たとおり、コロナショックをきっかけに、経済構造はこれまでのものから大きく変わっていく可能性が高い。その中で、米中のデジタル覇権はどのように展開していくのであろうか。それを考察するために、ブロックチェーン、そしてデジタル通貨について、もう少し深く考察してみよう。

世界中で稼働しているシステムのほとんどは、「中央集権」的な思想で構築されている。中央集権的な思想によるシステムとは、特定のサーバーに存在する「台帳」にデータが管理されており、システム管理者がシステム全体を運営しているという集中管理方式を指す。しかし、プログラムのバグが発生したり、ハッカーの侵入や、地震などの物理的な破壊などがあれば、データが改竄されたり失われたりする可能性がある。そういったリスクを避けるため、物理的距離が離れた複数のサーバーにデータの複製をしたり、2重のシステムを構築したりすることなど、莫大な費用をかけてデータの安全性を保持してきた。

それと対極にある思想が「ブロックチェーン」である。こちらはオープンソースであり、商用、非商用の目的を問わずソースコード（プログラム）を利用、修正、頒布することが許容されている。データの保存や変更は世界中に分散化、分権化されているため、①改竄耐性、②高可用性、③透明性、④正確性、⑤恒久性、⑥低コスト、が特徴となっている。「中央集権」に比べ大量の取引処理が苦手で取引の処理スピードも遅いという問題もあるが、技術的進化により改善されてきている。

ブロックチェーンは、２００８年にビットコインの基本的な概念である「Ｐ２Ｐ（ピア・トゥ・ピア、サーバーを介さずに、端末同士で直接データファイルを共有することができる通信技術）で取引ができ、中央の管理者がいない通貨を支える台帳（分散型台帳）」として発表された。この仕組みは、世界中のコンピューターに過去データを記録（フルノードという）し、相互に検証させることで正確性を保っている分散された台帳システムである。

思想的共感やエンジニアとしての興味、暗号資産取引所の運営、「マイニング」というビジネス目的などが、フルノードを所有する人の動機である。送金を行いたい人は、その送金データをすべてのノードに知らせ、過去のデータと検証される。銀行の口座番号に相当するものがアドレス（公開鍵）であり、過去の履歴から現在の残高まですべて公開されている。残高を動かすには、銀行の暗証番号に相当するもの（秘密鍵と呼ばれる）が必要である。

「マイニング」とは、利益を得たい人をできるだけ多く集め、彼らに競争させることで、新しいデータの追加に正確性や透明性を与える機能である。この仕組みは、Proof of Work（ＰｏＷ）と呼ばれる。世界中に存在する無数の「マイナー」と呼ばれるコンピューターが、一定期間のビットコインの送金データをブロック単位にまとめて生成する作業に従事する。未承認の送金情報と、直前のブロックを元に生成された文字列（ハッシュ値という）を、与えられた形の文字列へ変換するという問題を競わせて解かせる仕組み（答えはナンスと呼ばれる）である。基本的には最初に解いた人が新たな「ブロック」を生成することになる（通常、最初に解いた人に何らかの悪意がなければ、それをすぐに伝播させるので、他の人は次のマイニングに取り掛かることになる）。この問題の結果である文字列に次の取引データを加えたものを、次のブロックとして「マイニング」することで、ブロックが過去からチェーン状に繋がることになる。

なお、結果である文字列から元のデータには復元できないため、過去の一時点におけるデータを改竄すれば、それ以降のすべてのブロックを作り直さないといけなくなる。この仕組みが改竄を事実上不可能にしている。ビットコインの場合には、ブロックの生

【図表6-1】ブロックチェーンの仕組み

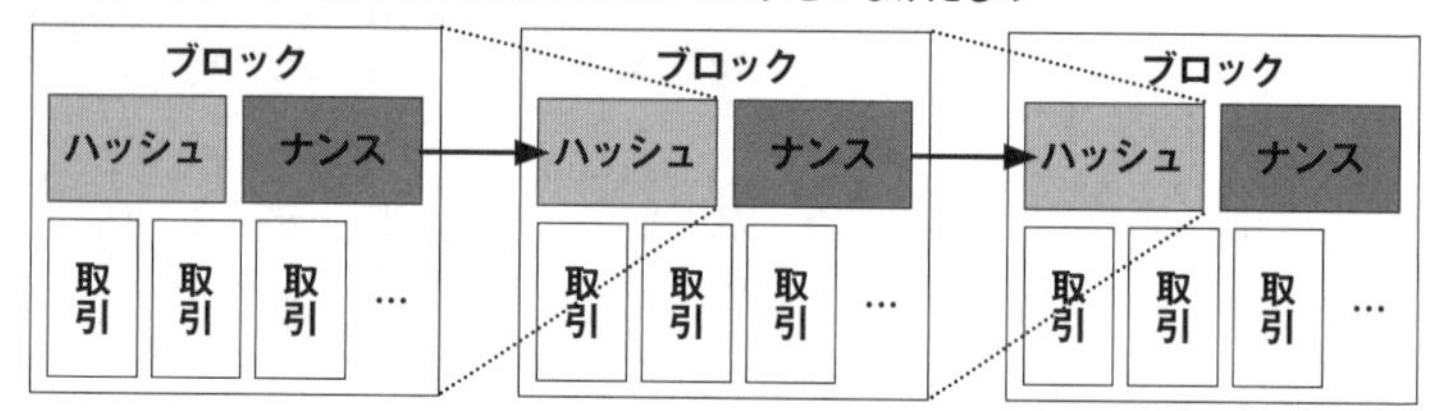

成を行ったマイナーは、ブロック生成のインセンティブとして「新規発行」されるビットコインと、そのブロックに記録された送金取引からの手数料（銀行送金手数料のようなもの）を、マイニング報酬（ブロックを承認した報酬）として受け取ることができる。この「新規発行」されるビットコインの総量はあらかじめ決められており、またマイニング報酬として払われるビットコインが徐々に減っていく仕組み（半減期という）であるため、価格は需給で決まることが想定されている。発行者（中央銀行）が恣意的に供給量を決めることができる現代の貨幣に対してのアンチテーゼである。

これが分散型台帳というブロックチェーンの開発思想とともに、熱烈なファンを生み出している一因であり、採掘量が限られる金に倣ってデジタルゴールドと呼ばれている所以である。マイニングには、コンピューターの膨大な計算力が必要であり、多大な投資が求められるため、参加者の独占につながらず適度な競争状態となっており、不正が起こりにくい設計となっている。仮に、51%以上の計算力を持ったマイナーが登場したときには、①不正取引の承認と、②正当な取引の拒否、③マイニングの独占、が可能となるが、実際には、その計算力を保持する費用に比べ、ブロック生成の不正で得られる利益が低いため、現実的でないと考えられていた（実際には、小規模のブロックチェーンに対する51%攻撃の事例も出てきている）。

2．スマートコントラクトとは？

また、ブロックチェーンの応用例として非常に重要なものは、スマートコントラクト（システム上での自動契約）である。ブロックチェーン上のプログラムが、事前のルールに基づき参加者の暗号資産をロックし、約束されたことが満たされれば、決められた手続きを執行するという仕組みである。取引相手のカウンターパーティリスク（取引の相手方が破綻などして契約が履行されずに損失を被るリスク）なし（トラストレス）に手続きを行うことができ、管理者が介在することなく（分散型）、P2Pでの取引が可能となる。暗号資産を使ったエスクロー（商取引の際に信頼の置ける第三者を仲介させて取引の安全を担保する第三者預託）の様なものであるが、執行コストが低く、小額からでも可能であり、執行時間が圧倒的に短い。スマートコントラクトは、特に経済、金融の手順に関連する分野については、法とその強制の相当な部分を代替することが可能となる。契約行為、その履行、エージェンシーコスト（依頼主と代理人の利害が一致しないことで生じる費用のこと）やカウンターパーティリスクの監視、紛争解決、刑事罰など経済や金融にかかるあらゆるコストが不要になる訳であり、立法、司法、行政が果たす役割は将来的に小さくなり、非中央集権化を促進する面もあろう。

スマートコントラクトを使ったアプリケーションをＤａｐｐｓ（ダップス）（Decentralized Applications、分散型アプリ）、金融に特化したものをＤｅＦｉ（ディファイ）（Decentralized Finance、分散型金融）と呼び、応用範囲が急速に広がっている。民泊などの電子的鍵と利用料の交換や、サプライチェーンなどの物流や商流と資金決済をトラストレスで自動化することもできるだろうし、遺言や保険、小口分散などの金融商品などへの応用も考えられる。

3．暗号資産の特性がもたらす法定通貨の変化

金融庁は、2020年5月の資金決済法改正に伴い、仮想通貨を暗号資産と呼称変更した。暗号技術を使ったデジタル上での資産ということで、より実態に即しているということであろう。

地球上には、確認されているだけでも5000以上の暗号資産が生成されており、すべてあわせた時価総額は30兆円（2020年6月11日現在）に上る。これらはすべてビットコインの思想から派生したものであるが、目的がはっきりしない簡易的なものから、高度な技術が使われていたり、画期的な機能が備わっているものまで、さまざまである。

前述のように、ビットコインは、マイナーによる計算力への投資によって、管理者不在という分散された台帳による安全性と透明性が担保され、また法定通貨の際限ない膨張に対するアンチテーゼとして誕生した。しかし、先進国では、その思想から長期的な上昇を期待した投資商品として買われ、また、大きな価格変動から投機対象としても扱われている。

そのため、ビットコイン否定論者は、価格変動が大きいためビットコインは貨幣にはならない

と主張する。しかし、これは現時点の先進国通貨と比較した話である。南米など自国通貨の信用度が低い国々では、ビットコインは早くから自国通貨の逃避先として使われていた。新興国通貨も価格変動が大きいことから、どちらが信用できて、安全に価値を保存できるかという問題であろう。

新興国の国民が、政府による財産権侵害を心配していることも、利用の拍車を促しているはずだ。ビットコインに代表される暗号資産は、インターネット上に価値が保存される。政府が関与できる銀行預金や証券、持ち運びに苦労する金（ゴールド）などの実物資産と比較すると、さまざまな物理的制約から解放される自由な資産と言えるだろう。さらに、小さい単位に分割もでき、世界の裏側へ瞬時に送金することができる。つまり、貨幣と資産の特徴を持ち合わせるという、デジタルの優位性を持つのだ。

ドルなどの信頼できる法定通貨に連動しつつ、暗号資産の高い使い勝手を備えた「ステーブルコイン」というものが、ビットコインなどの暗号資産投資家の決済通貨として作り出された。実際のドルを裏付け（信託等）資産として、ステーブルコインの価格は理論的には1対1に固定されている。発行者は民間企業であり、アメリカの企業が発行するステーブルコインは当局の認可を受けている。これなら法定通貨で生活している我々にとって使いやすい。

暗号資産の売却益を確定し、それを法定通貨に戻す場合には、ドルを扱う交換所に送金する必要があるが、交換所の数は限られており、またその手続きには非常に手間がかかる。一方、ステーブルコインを扱う交換所は世界に無数にあるため、売却益は暗号資産建てでステーブルコインとして保持しておき、次の投資機会に迅速に対応したいというニーズは多い。また、暗号資産の世界では、日々数多くのプロジェクトが発表され、開発された先駆的な金融商品が暗号資産取引所で取引されている。そのうち多くの投資機会は、暗号資産建てでしか投資することができない。そのため、一度法定通貨から暗号資産に両替されれば、その資産は暗号資産の空間に止まりやすい。

2019年6月、フェイスブックは、ステーブルコインの概念を発展させたリブラ構想を発表した。今までのステーブルコインは、あくまで暗号資産投資の中での決済通貨という位置づけを抜け出せずにいたが、リブラは発展途上国の金融包摂（貧困や差別により金融サービスを受けられない人に対して金融サービスを受けられるようにすること）を目指していたことから、法定通貨の地位を脅かす存在として、各国政府をはじめ公的機関から批判が集中した。

リブラの裏付け資産として複数通貨のバスケットが考えられていたが、現在、単一通貨裏付けのステーブルコインが検討されている。各国の強い拒絶感は、すでに技術的に可能である非常に大きな変革が目の前に迫っていることを雄弁に物語っている。2019年12月、日銀の黒田総裁は、「影響力を持ったステーブルコインが現れると、中央銀行の金融政策の効果が弱まり、金融の安定が損なわれることになるので、ステーブルコインの価値が不安定化し、様々な経済に悪影響を及ぼす」と述べた。この状況を、金融版の共有地の悲劇（参加者が利己的な行動を取ることで全体が悪くなること）に例え、金融が統合された世界で金融安定を実現するためには、ステーブルコインに対して「国際的に整合性のとれた規制をする必要がある」と強い警戒感を示した。しかし、フェイスブックではなく、アマゾンなど自社内に巨大な経済圏が存在する企業が参入した場合は、発展途上国の金融包摂だけでなく先進国経済の相当部分の決済や貯蓄などを代替するものになるため、その影響は計り知れない。

【2】デジタル通貨をめぐる世界の国々の動向

1．各国のデジタル法定通貨に対する姿勢

リブラの発表に背中を押される格好で、各国中央政府は対応を急いでいる。

中国は2014年からデジタル法定通貨を研究していたが、2019年7月初旬に周小川中国人民銀行前総裁がリブラに強い危機感を示し、2020年5月には、中国の4都市でデジタル法定通貨の実験を開始した。

日銀の黒田総裁は「日本の現状は、現金流通量が増加しているため、国民がデジタル法定通貨を求めているとは考えられないが、将来のために調査・研究をしておく」という見解を示していたが、2020年1月、日銀は、ECB、イングランド銀行、カナダ銀行、スウェーデンのリクスバンク、スイス国立銀行、国際決済銀行（BIS）とデジタル法定通貨の共同研究のための組織を立ち上げたと発表した。

2019年12月、アメリカのムニューシン財務長官は、「パウエルFRB議長と議論し、今後5年FRBはデジタル通貨を発行する必要はない」と発言したが、2020年6月17日、パウエ

ルＦＲＢ議長は、「法定デジタル通貨は、真剣に研究する案件の一つ」、「世界の基軸通貨としての地位を保つ必要がある」、「ドルは各国の準備通貨であり続ける必要がある」などと述べた。しかし、実際には前述のように、アメリカの法律で合法とされた複数のステーブルコインがすでに世界中で流通しており、暗号資産の世界でもドルの存在感が高まりつつある。

リブラ構想がブロックチェーンを前提としているため、法定デジタル通貨はブロックチェーンを元に開発されるものだと考えられがちであるが、実はデジタル法定通貨の形態にはさまざまなパターンがある。次項では、ＢＩＳの分類に基づきデジタル法定通貨を整理してみよう。

2．デジタル法定通貨の分類

ＢＩＳは、通貨を、

①発行主体が中央銀行（法定通貨）か、それ以外（私的通貨）か
②形式がデジタルか実物か
③アクセスの可能性が広範囲に使用されるリテール型か、銀行間など限定された範囲で使用されるホールセール型か
④移転の仕組みが仲介機関を経由せず直接行われるトークン型か、仲介機関を経由する口座型か

という4要素で分類した上で、中央銀行デジタル通貨を、③と④の要素を元に、

Ⓐリテール・口座型
Ⓑリテール・トークン型
Ⓒホールセール・口座型
Ⓓホールセール・トークン型

という形態に分類している。トークンはブロックチェーンの仕組みを使って企業や団体などが独自に発行するデジタル権利証のこととも言われるが、必ずしも明確な定義があるわけではない。広義では、デジタル上の一定の範囲内において、法定通貨のように使えるものを指していると思われるが、本書において「トークン」とは、暗号資産のような管理者の関与がなく自由に送金できるデジタル資産を指すものとする。また、「トークン型」とは、管理者が存在するか否かにかかわらず、トークンと同様の使い勝手を有することを意味する。

Ⓐリテール口座型は、すべての人が中央銀行に口座を持っているイメージだ。中央銀行内に口座を持っている人同士でしか送金できず、振替作業はすべて中央銀行内で処理されるため、すべ

ての資産状況が中央銀行に把握される。一方、非中央集権のスマートコントラクトには不向きであるため拡張性は乏しい。

Ⓑリテール・トークン型は、中央銀行が総発行量などの重要事項を管理するものの、暗号資産のように中央を介さない送金が可能となり、その特性を生かしさまざまな拡張が可能である。ブロックチェーンを採用するのかどうか、する場合、どこまで解放するのかなど、さまざまなパターンが考えられる。中央銀行がどこまで個人資産に関与するかなどのサジ加減を自由に設計できる。

Ⓒホールセール・口座型は、現在の市中銀行が中央銀行に口座を持っている状態とあまり変わらない。設計の自由度は、中央銀行に口座を持つ特定の法人の対象をどこまで広げるかといった程度に限られよう。

Ⓓホールセール・トークン型は、貿易や銀行融資が想定される。これもリテール・トークン型と同様、中央銀行がどこまで関与するかによって大きく形は変わり得る。スマートコントラクトが実装されれば、その便益は大きい。

このように、口座型のデジタル法定通貨の発展範囲は限られている一方、トークン型には幅広い応用が可能である。そしてそれは政府の設計方針に大きく左右される。

トークン型のデジタル法定通貨は、ブロックチェーンから示唆を得たものと想定されるが、本来の自律分散のブロックチェーンではないはずだ。中央集権のシステムでも送金を暗号通貨的にすることも可能であるし、また、ブロックチェーンであっても、政府の都合の良いところのみを引き継ぐかたちで作り上げることもできる。

政府、中央銀行は、自らの関与を放棄して取引の承認作業を完全にインターネット上に依存することを望まないだろうし、有事の際には、積極的に関与してシステムを維持しようとするだろう。しかし利用者の視点からは、利用者の財産が政府の関与を受ける状態にあり、また、完全な監視社会の形成の危険性をはらむ。政府への信頼関係がない場合は、利用者からの支持は受けづらいはずだ。

ブロックチェーンベースのデジタル法定通貨を「合意形成の仕組み」、「ウォレット（暗号資産の秘密鍵を管理するソフトウェア）の公開、非公開」という2つの軸で整理し、ブロックチェーンから生成される暗号資産の取引形態を考察してみよう。

前述の通り、取引をブロックに書き込むためには、合意形成が必要となる。合意形成には、パブリック型、プライベート型、コンソーシアム型などがある。パブリック型の代表例はビットコインのＰｏＷであるが、これ以外にもパブリック型にはさまざまな形態が存在する。しかし、管理者がおらず、誰でも取引に参加ができ、インセンティブを求める多くの参加者がシステムの安全性を担保するという思想はＰｏＷと同じである。一般的に、パブリック型の場合は、プログラムのソースコードも公開されているので、参加者は安心して自分のマシンで動作させることができるため、参加者が集まりやすくなる。

一方、プライベート型は、特定の組織がシステムを管理し、合意形成も行うものである。取引の承認にインセンティブは必要なく、また取引の承認速度はパブリック型に比べて一般的に早いという利点がある。また、合意形成の参加者が特定の取引を承認しなければ、口座を簡単に凍結することもできる。プライベート型から派生したコンソーシアム型は、システム上のメリットやデメリットは同様であるが、複数の組織が協調してシステムを運用している点が唯一の違いである。利害が一致しない組織がコンソーシアムに参加することで、システムの安定を高めることが期待されている。しかしその場合には、利害の一致しない参加者に対して合意形成を強制する仕組みが必要である。プライベート型やコンソーシアム型は、公的機関や金融機関等のプラットフォーム（基盤となる環境）の利用に適していると言われるが、誠実で信用できる参加者によって、適切に運用されるべきである。

もうひとつの軸は、ウォレットの仕様を公開するか、非公開とするかという点である。ビットコインに代表されるようなブロックチェーンのほとんどは、ウォレットのみならずすべてのソースコードが公開されているため、さまざまなアプリケーションが開発されて利便性が飛躍的に高まるのと同時に、世界中の人々が安心して自由に取引ができる。

なお、アップデート前のＮＥＭのように、ソースコードは公開せずにウォレットの仕様だけを公開することも可能である。このパターンは、管理者がシステムを管理しながら、コインの普及を進めることができるため、中央集権的な組織が発行する場合は親和性が高い。しかし、このような非公開のブロックチェーンは、外部から中身を判断できないというデメリットがあるため、「何かが仕込まれている可能性」を否定できず、一部の利用者は慎重にならざるを得ない。ウォレットだけであっても、自分の手元の端末に入れて動作させることは敬遠されやすい。

さまざまな国で、中央銀行が発行するデジタル法定通貨について議論されているが、システムの柔軟性を保持するために、あるいはセキュリティ上の問題からも、ソースコードは公開されないであろう。また、多くの国は、課税や資金洗浄の防止として、デジタル法定通貨に国民IDに紐づいたウォレットを使うはずであり、すべての行政機能がデジタル化した近未来においては、すべての個人資産や経済活動は捕捉が可能となる（IDと紐づいていなくても、符合させることで目的達成が可能だろう）。

実際に、マネーロンダリング対策における政府間機関のFATF（マネーロンダリングに関する金融作業部会）は2019年10月に、マネーロンダリング防止のための国際基準の策定を2020年までに完成させるとし、参加者それぞれのデジタルIDと送金履歴を統合して管理することを提唱している。

中国企業と中国政府との協業関係が指摘されることが多いが、2013年のスノーデン事件で明らかになったように、国民の監視のために当時のアメリカ政府もアメリカ企業の情報を利用していた。現時点の状況は知る由もないが、さらに高度化されている可能性が高いだろう。

テック企業や金融企業が保有する位置情報や会話の内容、消費行動などの個人情報や金融商品の取引内容などと、公的機関のデジタルデータを重ね合わせれば、国民一人ひとりのすべての動きが即時かつ完全に補足できる。マネーロンダリングや犯罪行為を防ぐ目的は達成されるが、結果として、超監視社会を作ってしまう可能性もある。匿名性が高い現金は他者からの介入を防ぐことに有用であり、現金を保持することで自由が確保されるという側面があった。政府や権力者が強権を発動しても、現金を持つことで自分の財産を守ることができた。しかし、本格的なデジタル時代の到来によって、個人の財産の自由を持っていた国民から、管理や発行の権限を有する大手企業や政府へ、権力のパワーシフトが起こるだろう。

テック企業が無断で消費者データを利用し流通させている事例やハッキングによる個人情報の流失が後をたたないが、デジタル社会での犯罪は物理的な損害が認識しづらいこともあり、デジタル情報の保護には軽視されやすい。われわれは、デジタル化のメリットである利便性だけを見ているのだ。期せずして、新型コロナウイルスの大流行によって、複数の国で接触者追跡アプリの導入が十分な検証もないままに進められているが、これは、政府の情報収集に対して国民の「慣れ」が進み、接触者追跡という「メリット」のみを重視することの端的な例であろう。しかし、今後デジタル化が進めば、その隠れた深刻なリスクは急速に増していく。

アメリカは、基軸通貨ドルと軍事力を背景にした影響力や発言力により金融制裁を行ってきたが、今後デジタル法定通貨を発行する国は、反体制組織や敵対する国家の資産凍結をもっと容易に行うことができる。また、政権転覆や敵対勢力のハッキングなどにより、悪意を持った組織が特定の国のデジタル法定通貨をコントロールする事態になれば、対象となった国家、人や組織の財産や生活が破壊されることになるだろう。事実、第二次世界大戦でも敵国の貨幣制度を混乱させるためにさまざまな策がとられたが、そのデジタル版を想定しておかなければならない。

ユーザーの側から見た場合には、以下の2点、すなわちプログラムソースコードとブロックの合意形成が非公開であるブロックチェーンの管理者が信用できるかどうか、また、仮に信用できなくともそれを超える利便性があるかどうかによって、普及の加速度が決まっていくものと思われる。NEMのようにウォレットの仕様だけを公開したとしても、利用者が利便性を感じれば一気に普及する可能性があり、ネットワークの外部性によってその価値は一気に増加する。ウォレットの仕様を公開すれば、発行者の意思にかかわらず、自由に流通するし、自然発生的に他の暗号資産との交換所が作られるため、通貨の利用を促進したい発行者にとっては都合が良い。しかし、固定相場を採用し、それを維持したいと考えている国は、他の通貨との交換レートを維持するための介入をする必要があるため、流通そのものを制限する必要があるだろう。

【3】デジタル人民元とは、どのようなものか

1．デジタル人民元のブロックチェーン化の意味と戦略

第8章の孫教授の論考は、人民元の相対的な弱さと中国のデジタル技術の優位が絶対的なものではないことを認めつつ、基軸通貨覇権を奪取するためのデジタル人民元の戦略を冷静に分析している。欧米より素早くデジタル化を達成し、一帯一路国への浸透を図り、デジタル法定通貨のシェアを高めるという先行者利得の確立が目的だろうが、アメリカとの対峙は必至となることも覚悟しているように見える。「座して死を待つよりは、出でて活路を見出さん」ということだろうが、アメリカに対抗していく中国の立場になって考えれば、勝算はともかくとして、最善の戦略ではあろう。また、孫教授は同じ章の後半「特別寄稿に関する考察」で、最終的にはデジタル人民元にブロックチェーンが使われる可能性が高いと強調している。２０２０年4月のブロックチェーンサービスネットワーク（ＢＳＮ）の立ち上げも併せて考えると、中国の壮大で深淵な戦略が透けて見えてくる。デジタル人民元のブロックチェーン利用、ＢＳＮや一帯一路国の戦略的意義を考察してみたいと思う。

孫教授が指摘するように、デジタル人民元がブロックチェーン化すると、マネーストック（金融部門から経済全体に供給されている通貨の総量）の管理監視や、商業銀行の信用創造の管理が非常に容易になる。偽札や不正会計、賄賂などの犯罪行為の横行に頭を悩ませている中国政府にとっては非常に便利なツールといえるが、個人や企業の立場からすると、経済活動のすべてが監視されることになる。

孫教授は、中国のデジタル人民元は「オープンであること」と「制御可能であること」のジレンマであると指摘している。使用されるブロックチェーンは、パブリック型ではなくコンソーシアム型かプライベート型と予測しており、オープンソースにしない可能性も高いだろう。確実性や高いセキュリティを求める中央銀行の立場であれば当然だ。ただ、前述のように、ブロックの承認がパブリック型ではなく、しかもソースコードが開示されていないプログラムに自身の資産を預けるということは、その管理者を信用できていることが条件となる。すなわち、デジタル人民元の普及のポイントは、中国の政治体制を受け入れることができるか、できなくてもメリットがデメリットを大きく上回るのか、ということである。

デジタル人民元の経済圏が完成すれば、今までの金融システムとはまったくの別物になり、アメリカからの金融制裁は気にしなくて済む。ただし、その域内でデジタル人民元決済によって戦略物資を調達する必要があるため、資源国の参加の有無が鍵を握る。その場合はブロック経済に近いものとなるだろう。中国が引き続き西側諸国との取引を望み、西側諸国に対する依存度も高いままであれば、アメリカによる金融制裁のリスクから逃げることはできない。

さらに、孫教授は、資本の解放を進めないとデジタル人民元の国際化はできないため、送金権限と規範を徐々に解放するべきと論じている。送金権限とは、本書でいうところのウォレットの仕様の解放である。デジタル人民元が、現在の人民元にペッグすることを前提とするのであれば、中国の固定相場制（実際には、管理フロート・通貨バスケット制）を放棄することと同義である。これは、技術の話ではなく、中国の為替政策そのものである。変動相場制（価格決定を需給の関係に任せる制度）を選択した場合は、前段で説明した通り、ウォレットの仕様を公開することで普及への道が一気に広がるだろう。しかし、アリペイ等の中央集権型システムでも、ウォレット部分だけの仕様を公開することで、暗号資産的な利便性を得ることは技術的に可能である。ブロックチェーンを採用する決め手はウォレットのみではない。

では、ブロックチェーンのほうが望ましい他の理由を考えてみよう。一つはシステムの安定性であろう。中央集権のシステムは、セキュリティのため一定程度サーバーは分散しているが、サーバーの障害が致命傷になる可能性がある。ブロックチェーンの場合には、ノードが世界に分散しているため安定性は高い。もう一つの理由は、市場のイノベーションを容易に取り入れることができ、技術のアップデートを素早く取り入れられることだろう。ＢＳＮ（ブロックチェーンサービスネットワーク）と連動させれば、世界的な先端技術も手に入る。

中国のＢＳＮは、国内の商業利用向けのローンチが２０２０年4月15日、そして世界的なローンチが4月25日と報じられている。ＢＳＮは、中国の国家発展改革委員会傘下の国家情報センター、中国電信、中国聯合網絡通信をはじめとする国営情報通信企業、決済企業の中国銀聯などが主導する。３大電話会社（中国移動、中国電信、中国聯通）やＩＴ大手である百度クラウドのほか、グーグルやマイクロソフトのクラウドにもノードを構築しているようだ。すでに国内に１２８、海外に8のノードがあるが、ＢＳＮのホワイトペーパーによると２０２０年末には世界全体で２００ノードに増えることが見込まれている。運用コストは従来のブロックチェーンサービスの20％程度、チェーンを形成して運用を開始するには年間わずか１５０～２００ドルで済むと標榜されている。

企業やソフトウェア開発者は、用意された開発ツールを使い、非常に安価な利用料でブロックチェーンベースのアプリケーションを開発することができる。開発された無数のアプリケーション同士はあたかも一体のように作動し、これらを利用する企業の効率性を最大化させる。同時に業務のすべての取引が透明性をもって正確に記録されるため、デジタル法定通貨がスマートコントラクトで結びつくと、企業のエージェンシーコスト問題や信用リスクが極小化し、金融市場が最適化される。ノードは中国の管理下にあるものの世界に分散されており、利用者は中国国内のみならず世界中の人や企業が対象である。つまり、中国は、自らが管理できる世界的なブロックチェーンのインフラネットワークで、世の中の効率を最大化することにより、自らの支配力を高めることを志向している。唯一で最大の問題は、中国が管理者であることかもしれない。

ＰｏＷ（Proof of works）型は、初期段階ではマイナーがなかなか現れないことから、悪意をもった人がブロックの承認の過半数を抑え、自由にチェーンを変更することできるといった攻撃（51％攻撃）を受けるリスクを常に抱える。ブロックチェーンビジネスを開始しようとする人にとって、安定的なハッシュパワー（マイニングにおける計算速度）と安価な開発ツールの供給は非常にありがたい存在である。世界中の開発者がＢＳＮ上で開発し、ビジネスを始めることになれば、ネットワークの外部性から好循環がもたらされる。規模の経済性（事業規模が大きくなればなるほど、単位当たりのコストが小さくなり、競争上有利になる効果）とネットワークの外部性によりデジタルビジネスでは独占化が加速しやすいが、それを狙ったものだ。

また、海外向けには、イーサリアムやＥＯＳ（ＥＯＳプロジェクトで開発される分散型アプリケーションのプラットフォーム）等のパブリックブロックチェーンとの接続も視野に入れている。これは国内の安定を維持しつつ、海外ユーザーとそのノウハウの取り込みを志向したものだ。

開放された環境は閉じた環境よりイノベーションを刺激する。世界からの技術移転の入り口を作るために海外との接続が必要であるが、オープン化は独自の暗号資産を必要とする。中国国内での利用を促すと資本流失を伴うため、海外用に限定することでジレンマを克服したのだろう。これまで中国は、海外からの資本投資を推進する傍ら、自国からの資本流出に制限をかけつつ、国内市場を閉じて自国産業の発展を優先させ、世界のモノづくりの工場として巨大化することで国際競争力を高めてきた。BSNは、ブロックチェーンビジネスの「世界の工場戦略」と捉えることができる。

当然、国内においてもイノベーションは相当に刺激されるため、中国はそれをいち早く吸収しサービスに転換することができ、先行者利得を獲得することができる。デジタル時代では、限界費用が限りなく低いため、デファクトスタンダードになれば独占状態を作ることができる。これは、大量の資源を素早く市場に投入し、デファクトスタンダードを確立するという、「一帯一路戦略」や「中国製造2025」の考え方と似ている。グーグルのエリック・シュミットは、中国のAI分野の急拡大に対し、アメリカの安全保障と経済が危機的な状況であることを訴え、このままでは中国にアメリカは屈すると警告したが、同様のことがブロックチェーンの世界で再現間近となっている。

インターネットは分散化されているように見えるが、世界中のほとんどのアプリケーションは、AWS（アマゾン）、GCP（グーグル）、アジュール（マイクロソフト）のクラウドサービスを使っており、この3社が世界のほとんどのデータを管理しているといっても過言ではない。2020年2月、日本の総務省は10月に運用開始予定の「政府共通プラットフォーム」にAWSを採用することを決定したが、これはすべてのデータをアマゾンに握られるということだ。サーバー投資は極めて規模の経済性が働きやすい構造であるため、巨額の投資が可能なアメリカのテック大手企業に集中している。企業や国家が安全性を確保したいのであれば、この3社のサービスを選ぶしかなくなっている。BSNの目的は、ブロックチェーンにおけるクラウドサービスといってよい一面もあり、これでブロックチェーン時代の世界覇権を取ろうとしている。

BSNのユースケースとして、省エネなどのスマートシティや身分証明のデータ管理が挙がっている。第4次産業革命の世界では、IoTやスマートコントラクトで集められたデータがAIで解析され、現実社会にフィードバックする（サイバーフィジカルシステムと呼ばれている）ことで、実際に世の中を変えることになる。血液ともいえるデータは心臓部でもある。国家における全ての活動がBSN上のアプリを通ることになれば、すべての活動がデータ化し、制御可能になる。同時に、デジタル人民元も世界的に普及していけば、中国政府が世界をコントロールする未来が想像できよう。

2. 一帯一路関連国にデジタル人民元が及ぼす影響を考察する

しかし、中国がすぐに通貨覇権を握ることは難しそうだ。孫教授が指摘するとおり、国内でデジタル人民元を浸透させてから、一帯一路国に普及させ、長期的にドルに挑むというシナリオが最も可能性が高いだろう。

デジタル人民元の一帯一路関連国への浸透は、経済的依存関係の強化が入り口である。発展途上国が、より豊かな中国を貿易相手国とすることで、貿易黒字を稼ぎ、国民の所得は上昇し、一気に経済成長することができる。更なる産業の発展のために、中国からの投資を受け入れ、好循環が生み出される。中国が豊かで高成長を続けている限り、このモデルは永続する。これは、第二次世界大戦後に荒廃したヨーロッパ諸国にアメリカが行ったマーシャルプランに近いが、中国のケースでは、その投資のパフォーマンスが悪く、発展途上国が中国への借入を返済できなくなるケースが後を絶たない（コロナショックが拍車をかけている面もある）。また、多くのインフラ工事は中国企業が受注（紐付き援助と呼ばれるが、統計に現れないものもあるため詳細は不明）し、現地の労働者ではなく中国人が働いている（労働輸出）ため、投資先の経済に対する貢献は限られると言われている。投資プロジェクトの採算分析が甘い面もあろうが、キックバックなどの不正に回っているという噂もある。

しかし、これは中国にとって意図した結果なのかもしれない。工事を受注したりキックバックを受けたりすることで、投資資金の一部を中国に戻すことができるため、実質的には資金回収を進めながら、債務残高は額面のまま請求することができる。山東如意科技集団から69億円の投資を受けたレナウンは、山東如意科技集団のグループ企業向けに売掛金として53億円が吸い上げられ、それを回収できずに破綻した。レナウンの実質な現金調達は16億円だったということだ。山東如意科技集団は「中国のＬＶＭＨ」と称されていたが、現在では積極的な買収による膨大な債務の返済に窮している。このような中国企業が散見されるようになってきたが、国家としての中国の縮図にも見える。孫教授が第8章でベネズエラやアフリカ諸国による中国からの債務とデジタル人民元普及や準備通貨への採用について言及しているが、返済が難しくなった融資を背景とした支配関係の構築は「債務の罠」(Debt Trap) と呼ばれ、すでに国際問題化している。本来、採算性の高い投資を積み上げて全体の経済効率を高めることが経済的には正しい姿であるが、支配を目的とした投資であって経済効率は二の次にしてよいのであれば、プロジェクトのみならずそれを包含する経済全体の持続可能性は低くなる。

では、一帯一路関連国に対して中国がどの程度影響力を及ぼしうるかを検証し、その上で「債務の罠」の影響を考察してみよう。

まず、一帯一路関連国への中国の影響を検証するにあたり、一帯一路関連国の個別国の経済規模を図表として前掲した。ここでは第1章にあわせて、138カ国を対象としている(以下では一帯一路関連138カ国とする)。データが取得できなかった箇所などは非表示とした。

一帯一路関連138カ国の総人口は33億人、名目GDPは18・6兆ドル、貿易総額は11・3兆ドルという経済規模である。中国との関係という観点では、中国による直接投資残高は2195億ドル、中国との貿易総額は1・8兆ドル(中国への輸出が9156億ドル、中国からの輸入が9296億ドル)であった。

一帯一路関連国とのクロスボーダー人民元決済は1・36兆元(0・2兆ドル)であった。仮に一帯一路関連138カ国の貿易総額の半分を人民元で決済することができればクロスボーダー人民元決済総額に1兆ドルを積み増すことができる。また、一帯一路関連138カ国の10％相当額の経済活動を人民元で決済することができれば2兆ドルを積み増すことができる。もっとも、そこまで事態が一足飛びで進むというのは楽観的過ぎよう。むしろ中国との経済関係が深い国で先行し、それを足掛かりに先に進んでいくとの見方が現実的と思われる。

次ページ以降の図表6－2では、中国からの直接投資、中国との貿易も掲載している。中国への経済的な依存度を見る上では、①中国からの直接投資が直接投資総額あるいは名目GDPに占める比率、②中国との貿易総額が貿易総額全体あるいは名目GDPに占める比率、などが参考となろう。

一帯一路関連138カ国について、中国からの直接投資残高が直接投資全体に占める比率は3.3％、中国との貿易が貿易総額に占める比率は14・5％であった（ともに中央値）。たとえば、中国からの直接投資残高が直接投資全体に占める比率が20％を上回る国は10カ国、中国との貿易が貿易総額に占める比率が30％を上回る国は20カ国ある。両方の基準を満たすラオス、キルギス、タジキスタン、キリバスの中国依存度は非常に高いと考えられよう。

キルギス、タジキスタンは中央アジアに属する。一帯一路構想の中に、中国と中東地域を結ぶ貨物列車を用いて、浙江省義烏市から新疆ウイグル族自治区・ウルムチ市を通り、同自治区・コルガス市の国境を越えて南下し、イラン・テヘランまで貨物を輸送する計画がある。また、東南

米国直接投資残高 百万ドル 2017	米国からの輸出 百万ドル 2018	米国からの輸入 百万ドル 2018	中国からの直接投資残高／直接投資残高 %	中国からの直接投資残高／名目GDP %	中国との貿易／貿易全体 %	中国との貿易／名目GDP %	米国からの直接投資残高／直接投資残高 %	米国からの直接投資残高／名目GDP %	米国との貿易／貿易全体 %	米国との貿易／名目GDP %
	95	17	4.3	2.9	24.2	6.3			1.1	0.3
7,334	5,517	8,650	5.8	2.0	23.4	11.8	5.7	2.0	7.6	3.8
25	289	132	4.0	0.9	20.4	9.4	0.5	0.1	3.8	1.7
13	71	57	9.2	4.5	23.3	10.5	0.6	0.3	7.0	3.1
	309	1,292	3.0	0.7	10.0	5.0			7.5	3.7
	49	1				13.8				1.1
9	193	229	5.9	1.1	25.7	7.2	0.1	0.0	3.9	1.1
	23				33.3				0.9	
	14	8	7.6	14.5	6.8	7.7			1.3	1.4
	127	7	1.6	0.7	48.9	33.0			1.8	1.2
1,698	769	613	4.4	2.4	25.8	11.1	4.7	2.6	4.9	2.1
58	195	191	14.5	11.1	29.1	19.1	0.3	0.2	2.2	1.4
398	184	115	2.1	5.9	22.2	17.1	1.0	2.7	2.6	2.0
	113	299	3.7	2.3		19.9				2.4
	210	120	7.1	3.3	8.3	5.7			3.3	2.3
92	88	14	3.2	4.5	42.2	36.3	1.2	1.8	2.3	2.0
780	525	2,769	9.5	2.1	49.3	26.4	3.3	0.7	5.8	3.1
	113	48	10.5	7.9	52.5	126.6			2.3	5.4
	1,308	458	8.9	2.3	17.5	3.4			10.8	2.1
405	366	660	10.7	1.8		6.1	2.8	0.5		1.2
5,774	2,686	5,767	2.9	0.7	14.8	3.9	5.8	1.5	8.1	2.1
	53	495	6.8	3.7		2.5				4.9
230	100	445	4.4	10.0		63.5	0.9	2.0		4.8
37	34	79	32.2	5.6		4.3	0.7	0.1		0.4
3,030	1,261	4,782	6.0	1.1		5.2	9.9	1.7		3.5
1,383	332	99	6.2	2.2	32.8	6.9	6.7	2.4	3.6	0.7
1	15	14	4.2	0.3	5.7	1.6	0.4	0.0	3.4	0.9
	9	4	0.7	0.7	12.7	7.9			1.0	0.6

【図表6-2】一帯一路関係国の経済指標（その1）

地域	国名	名目GDP 百万ドル 2018	対内直接投資 百万ドル 2017	輸出 百万ドル 2018	輸入 百万ドル 2018	中国直接投資残高 百万ドル 2017	中国からの輸出 百万ドル 2018	中国からの輸入 百万ドル 2018
アフリカ	スーダン	40,852	27,669	3,485	7,065	1,202	1,885	670
	南アフリカ	368,289	128,809	94,099	92,407	7,473	16,337	27,240
	セネガル	24,130	5,304	3,866	7,262	214	2,145	129
	シエラレオネ	4,085	2,002	639	1,210	184	253	177
	コートジボワール	43,007	10,234	11,918	9,463	304	1,890	254
	ソマリア	4,721	2,725				637	17
	カメルーン	38,675	7,224	5,184	5,717	424	1,707	1,096
	南スーダン			2,946	2,053	48	77	1,588
	セイシェル	1,590	3,023	562	1,234	231	61	
	ギニア	10,907	4,797	3,978	3,386	76	1,353	2,246
	ガーナ	65,556	36,126	14,943	13,134	1,575	4,822	2,426
	ザンビア	26,720	20,435	9,029	8,515	2,963	969	4,132
	モザンビーク	14,717	40,664	5,196	6,169	873	1,869	651
	ガボン	16,854	10,335			385	386	2,964
	ナミビア	14,522	6,727	4,190	5,745	480	319	503
	モーリタニア	5,235	7,408	1,895	2,601	236	1,040	858
	アンゴラ	105,751	23,704	40,758	15,798	2,260	2,235	25,652
	ジブチ	2,956	2,219	3,521	3,603	233	1,872	
	エチオピア	84,356	22,253	2,705	13,726	1,976	2,538	345
	ケニア	87,908	14,421			1,543	5,205	174
	ナイジェリア	397,270	99,685	63,090	40,754	2,862	13,500	1,859
	チャド	11,273	6,101			412	186	94
	コンゴ共和国	11,264	25,566			1,126	445	6,703
	ジンバブエ	31,001	5,433			1,748	446	890
	アルジェリア	173,758	30,602			1,834	7,923	1,179
	タンザニア	58,001	20,712	4,380	7,752	1,280	3,591	394
	ブルンジ	3,037	243	180	676	10	37	12
	カーボベルデ	1,977	1,989	274	960	15	78	

出所：世界銀行、中国国家統計局など

米国直接投資残高 百万ドル 2017	米国からの輸出 百万ドル 2018	米国からの輸入 百万ドル 2018	中国からの直接投資残高／直接投資残高 %	中国からの直接投資残高／名目GDP %	中国との貿易／貿易全体 %	中国との貿易／名目GDP %	米国からの直接投資残高／直接投資残高 %	米国からの直接投資残高／名目GDP %	米国との貿易／貿易全体 %	米国との貿易／名目GDP %
42	87	72	4.3	2.1	7.7	2.7	0.3	0.2	1.6	0.6
	41	1	1.3	0.3	66.5	27.4			6.2	2.6
	642	14	6.3	2.1	72.6	39.9			22.3	12.2
11	25	68	4.4	1.0	6.5	2.2	0.5	0.1	3.0	1.0
412	3,011	1,616	0.5	0.3	6.3	3.7	0.6	0.3	6.7	3.9
	114	907	12.0	5.5	18.8	8.9			15.6	7.4
279	598	669	0.1	0.0	4.4	4.0	1.0	0.7	3.4	3.2
1,058	244	1,448	2.0	0.8	14.2	12.8	5.7	2.2	3.9	3.5
9,352	5,051	2,582	0.7	0.3	16.2	5.5	8.0	3.7	8.9	3.0
654	139	606	2.8	3.0		17.1	4.6	4.9		5.6
874	197	65	3.7	9.8		62.2	10.0	26.8	16.8	8.0
3	2	430	1.1	0.2	3.0	3.4	0.5	0.1	13.7	15.8
	3	3	3.7	0.4	54.9	13.4			2.0	0.5
2	254	19	4.6	0.7	30.4	15.4	0.1	0.0	3.8	1.9
	79	5	8.8	2.3	5.8	2.5			1.1	0.5
	62	30	10.2	7.2	8.2	3.1			2.6	1.0
41,602	56,505	76,201	2.6	0.4	27.4	19.4	18.0	2.6	11.6	8.2
147	121	11	17.9	27.7	64.3	61.1	0.7	1.1	1.1	1.0
274,260	32,730	26,879	3.0	12.2	10.2	22.9	18.5	75.3	7.3	16.4
	2	8	47.7	11.1	21.3	8.7			1.4	0.6
15,080	13,012	40,131	3.2	1.4	28.5	30.4	9.9	4.2	13.9	14.8
	261	511	17.6	7.8	57.7	21.5			2.9	1.1
151	446	3,965	23.0	22.2	23.3	30.2	0.6	0.6	13.9	18.0
2,010	9,675	51,277	3.4	2.0	31.5	60.4	1.4	0.8	12.9	24.9
	16	146	76.8	37.1	30.4	19.4			1.4	0.9
19	266	102	3.3	1.6	17.4	13.6	0.3	0.1	3.5	2.7
518	2,849	3,896	13.7	1.8	23.2	6.1	1.2	0.2	8.2	2.1
168	372	2,800	5.7	0.8	13.5	5.2	1.3	0.2	9.3	3.6

【図表6-2】一帯一路関係国の経済指標（その2）

地域	国名	名目GDP 百万ドル 2018	対内直接投資 百万ドル 2017	輸出 百万ドル 2018	輸入 百万ドル 2018	中国直接投資残高 百万ドル 2017	中国からの輸出 百万ドル 2018	中国からの輸入 百万ドル 2018
アフリカ	ウガンダ	27,461	13,333	3,642	6,100	576	706	47
	ガンビア	1,633	407	151	520	5	427	20
	トーゴ	5,356	1,790	1,081	1,863	113	1,991	146
	ルワンダ	9,509	2,265	1,126	2,041	99	165	40
	モロッコ	117,921	64,227	24,588	44,803	318	3,690	711
	マダガスカル	13,853	6,360	3,036	3,493	766	1,016	215
	チュニジア	39,871	26,792	15,563	21,434	15	1,416	195
	リビア	48,364	18,462	29,830	13,786	367	1,433	4,742
	エジプト	250,895	116,385	28,046	57,635	835	12,021	1,835
	赤道ギニア	13,278	14,111			396	145	2,132
	リベリア	3,264	8,703	517	1,041	320	1,942	89
	レソト	2,739	614	1,221	1,932	7	64	30
	コモロ	1,178	122	44	245	5	79	
	ベナン	14,251	2,257	3,344	3,900	104	2,151	48
	マリ	17,163	4,464	3,584	3,966	395	346	89
	ニジェール	9,291	6,534	1,203	2,282	666	115	171
アジア	韓国	1,619,424	231,409	626,267	516,180	5,983	109,029	204,566
	モンゴル	13,067	20,223	6,557	5,871	3,623	1,647	6,342
	シンガポール	364,157	1,481,033	460,501	356,500	44,568	49,818	33,638
	東ティモール	1,569	365	25	613	174	133	3
	マレーシア	358,582	152,510	206,315	176,762	4,915	45,848	63,322
	ミャンマー	71,215	31,360	11,076	15,410	5,525	10,568	4,719
	カンボジア	24,542	23,741	12,963	18,806	5,449	6,023	1,377
	ベトナム	245,214	144,991	243,697	227,157	4,965	84,016	64,087
	ラオス	17,954	8,665	5,295	6,164	6,655	1,456	2,030
	ブルネイ	13,567	6,702	6,471	4,106	221	1,598	248
	パキスタン	314,588	41,865	24,839	57,655	5,716	16,967	2,180
	スリランカ	88,901	12,757	11,890	22,233	728	4,267	341

出所：世界銀行、中国国家統計局など

米国直接投資残高 百万ドル 2017	米国からの輸出 百万ドル 2018	米国からの輸入 百万ドル 2018	中国からの直接投資残高／直接投資残高 %	中国からの直接投資残高／名目GDP %	中国との貿易／貿易全体 %	中国との貿易／名目GDP %	米国からの直接投資残高／直接投資残高 %	米国からの直接投資残高／名目GDP %	米国との貿易／貿易全体 %	米国との貿易／名目GDP %
460	2,081	6,329	1.9	0.1	19.9	6.8	2.7	0.2	8.9	3.1
	55	105	11.7	0.8	8.0	3.8			1.2	0.6
	38	36	1.6	1.3	13.0	7.6			2.4	1.4
16,785	19,510	5,227	3.8	1.3		11.2	12.0	4.1		6.0
296	2,983	2,126	6.4	0.7	17.2	13.3	2.0	0.2	4.7	3.6
4,266	10,261	10,898	1.0	0.2	5.4	2.8	3.2	0.6	5.3	2.7
8,183	4,428	1,619	3.4	0.6	9.8	6.1	25.0	4.3	5.1	3.2
1,840	2,415	1,343	0.4	0.1	33.2	27.4	6.5	2.3	5.7	4.7
448	1,328	112	0.0	0.0	9.2	3.6	0.7	0.8	6.5	2.5
11,085	13,601	24,616	0.9	0.3	15.1	8.1	4.8	1.4	9.1	4.9
423	2,042	1,025	0.3	0.2	3.5	3.4	1.5	1.1	8.3	8.1
2	426	73	6.4				0.0			
2,527	1,312	12,126		0.2	24.3	13.6		1.1	10.7	6.0
19	1,227	30	25.7	2.1	9.3	3.6	1.2	0.1	16.8	6.5
	314	516	0.1	0.1	2.8	1.9			2.6	1.8
22	478	199	3.2	3.2	8.9	6.6	0.1	0.1	5.2	3.8
7	47	56	0.5	0.2	7.5	4.2	0.1	0.1	1.4	0.8
	729	1,434	5.1	4.2	21.1	11.1			2.3	1.2
25	17	8	33.2	16.1	82.3	69.2	0.6	0.3	0.4	0.3
41	14	1	58.6	21.5	41.3	20.0	1.5	0.5	0.4	0.2
69	297	19	9.8	1.9	21.1	12.4	0.7	0.1	1.1	0.6
15,006	12,447	33,027	2.4	1.1	18.3	17.4	6.7	3.0	9.5	9.0
15,171	8,172	21,832	4.7	1.0	21.4	7.4	6.7	1.5	8.3	2.9
7,116	8,720	12,939	1.0	0.2	36.0	16.8	8.6	2.2	14.0	6.5
	191	2	26.5	2.3		9.6				0.7
1,650	131	70	0.3	2.9	5.6	3.2	0.7	6.6	1.4	0.8
13,881	6,659	21,596	3.4	0.8	15.5	6.4	3.4	0.8	4.1	1.7
7,819	3,540	13,712	0.4	0.2	2.8	2.1	3.7	1.7	4.9	3.8

【図表6-2】一帯一路関係国の経済指標(その3)

地域	国名	名目GDP 百万ドル 2018	対内直接投資 百万ドル 2017	輸出 百万ドル 2018	輸入 百万ドル 2018	中国直接投資残高 百万ドル 2017	中国からの輸出 百万ドル 2018	中国からの輸入 百万ドル 2018
アジア	バングラデシュ	274,025	17,062	38,687	55,600	329	17,760	985
	ネパール	29,040	1,938	929	12,844	228	1,078	22
	モルディブ	5,327	4,259	339	2,764	67	397	7
	アラブ首長国連邦	414,179	140,319			5,373	29,903	16,281
	クウェート	140,645	14,742	77,080	31,370	936	3,321	15,359
	トルコ	771,350	134,524	178,909	219,676	1,301	17,864	3,763
	カタール	191,362	32,743	84,288	33,307	1,105	2,489	9,091
	オマーン	79,277	28,207	41,730	23,645	99	2,876	18,821
	レバノン	56,639	66,187	3,542	18,540	2	1,983	49
	サウジアラビア	786,522	230,786	294,387	125,638	2,038	17,561	45,899
	バーレーン	37,746	28,997	18,044	19,110	74	1,139	150
	イラン		56,968			3,624	14,009	21,099
	イラク	224,228		86,360	38,876	414	7,918	22,466
	アフガニスタン	19,363	1,569	875	6,596	404	668	24
	アゼルバイジャン	46,940	31,060	20,794	10,952	28	516	382
	ジョージア	17,600	17,626	4,407	8,522	568	1,103	54
	アルメニア	12,433	5,511	2,630	4,420	30	213	314
	カザフスタン	179,340	149,254	59,779	34,247	7,561	11,327	8,530
	キルギス	8,093	3,917	1,905	4,898	1,299	5,547	54
	タジキスタン	7,523	2,760	874	2,762	1,616	1,426	77
	ウズベキスタン	50,500	9,667	11,386	18,252	946	3,942	2,324
	タイ	504,993	222,733	251,108	228,720	5,358	42,974	44,919
	インドネシア	1,042,173	226,335	180,725	180,953	10,539	43,246	34,155
	フィリピン	330,910	82,997	51,985	102,958	820	35,111	20,596
	イエメン	26,914	2,313			613	1,877	718
欧州	キプロス	24,962	224,284	4,292	9,757	719	737	54
	ロシア	1,657,555	407,362	443,130	248,701	13,872	48,005	58,887
	オーストリア	455,286	209,098	179,054	174,704	851	2,842	6,923

出所：世界銀行、中国国家統計局など

米国直接投資残高 百万ドル 2017	米国からの輸出 百万ドル 2018	米国からの輸入 百万ドル 2018	中国からの直接投資残高／直接投資残高 %	中国からの直接投資残高／名目GDP %	中国との貿易／貿易全体 %	中国との貿易／名目GDP %	米国からの直接投資残高／直接投資残高 %	米国からの直接投資残高／名目GDP %	米国との貿易／貿易全体 %	米国との貿易／名目GDP %
1,224	1,084	1,723	0.5	0.1	6.9	3.3	3.6	0.6	2.7	1.3
12,604	5,334	8,288	0.2	0.1	4.8	4.2	5.4	2.2	2.6	2.3
164	185	341	0.4	0.3	2.3	1.9	0.4	0.3	1.3	1.0
5,406	3,003	5,165	0.1	0.1	5.2	6.7	3.5	2.2	2.6	3.3
848	370	1,018	0.5	0.4	3.8	4.0	1.7	1.3	2.1	2.1
867	289	4,209	0.1	0.1	4.4	7.4	1.5	0.8	2.5	4.2
56	59	70	0.1	0.0	11.4	4.3	0.7	0.4	2.3	0.9
199	615	481	0.1	0.1	3.8	2.5	0.6	0.3	2.7	1.8
9	46	107	0.1	0.0	1.1	0.9	0.1	0.0	0.9	0.8
5	64	5	0.7	0.7	6.4	4.0	0.1	0.1	2.0	1.2
72	310	981	0.0	0.0	4.1	4.2	0.3	0.2	4.1	4.2
154	706	1,318	0.1	0.0	3.1	3.9	0.9	0.3	3.0	3.8
369	322	877	0.2	0.1	7.0	9.3	2.2	0.7	1.7	2.2
7,131	1,752	5,181	0.4	0.2	5.1	6.9	8.0	4.5	3.3	4.4
43	41	361	0.0	0.0	1.2	1.2	0.7	0.3	3.0	3.2
3,620	1,114	2,699	0.3	0.1	4.1	2.8	3.9	1.5	2.3	1.6
71	510	745	0.0	0.0	4.3	4.0	0.4	0.2	3.9	3.6
398	2,486	1,426	0.1	0.0	9.7	7.4	0.9	0.3	3.9	3.0
	132	418	2.6	0.9	2.5	2.9			0.8	0.9
24	13	59	0.1	0.0	2.0	1.3	0.6	0.2	1.0	0.6
601	201	201	0.1	1.1	19.2	12.3	0.3	4.1	4.3	2.8
2,060	1,573	4,030	0.1	0.0	4.0	2.5	1.5	0.9	3.7	2.3
30,708	22,795	56,256	0.4	0.1	5.4	2.6	7.1	1.5	7.8	3.8
676,418	1,084	574	8.5	19.7	2.4	1.6		954.2	3.4	2.3
11,938	4,051	4,364	3.3	1.2	20.3	8.2	16.0	5.8	10.1	4.1
	87	93	46.1	8.9	26.9	15.3			1.3	0.8
20	39	7		76.5	18.9	8.6	22.2	2.4	12.4	5.7
	1									

【図表6-2】一帯一路関係国の経済指標（その4）

地域	国名	名目GDP 百万ドル 2018	対内直接投資 百万ドル 2017	輸出 百万ドル 2018	輸入 百万ドル 2018	中国直接投資残高 百万ドル 2017	中国からの輸出 百万ドル 2018	中国からの輸入 百万ドル 2018
欧州	ギリシャ	218,032	33,637	38,208	64,741	182	6,542	565
	ポーランド	585,664	231,848	256,010	261,649	406	20,944	3,646
	セルビア	50,597	44,109	17,830	23,813	170	729	225
	チェコ共和国	245,226	155,024	161,085	151,697	165	11,913	4,406
	ブルガリア	65,133	49,276	32,725	34,924	250	1,442	1,149
	スロバキア	105,905	57,109	89,357	89,587	83	2,559	5,244
	アルバニア	15,103	7,902	1,164	4,545	5	542	108
	クロアチア	60,972	32,884	14,449	25,855	39	1,330	212
	ボスニア・ヘルツェゴビナ	20,162	8,330	6,286	10,805	4	110	77
	モンテネグロ	5,504	5,559	514	2,928	39	178	42
	エストニア	30,732	24,342	15,016	16,191	4	1,032	245
	リトアニア	53,429	17,748	32,372	35,497	17	1,764	332
	スロベニア	54,008	16,809	36,759	35,412	27	4,435	591
	ハンガリー	157,883	88,736	104,740	106,670	328	6,540	4,339
	北マケドニア	12,672	5,961	5,751	7,804	2	108	48
	ルーマニア	239,553	94,021	73,050	90,436	310	4,512	2,170
	ラトビア	34,409	17,310	14,870	17,635	1	1,170	213
	ウクライナ	130,832	43,757	43,341	56,055	63	7,026	2,636
	ベラルーシ	60,031	20,761	33,430	35,933	548	1,145	571
	モルドバ	11,444	4,047	1,975	5,269	4	109	38
	マルタ	14,553	206,685	3,781	5,486	165	1,434	349
	ポルトガル	240,675	135,777	66,447	85,107	110	3,769	2,250
	イタリア	2,083,864	431,020	533,051	479,472	1,904	33,263	21,154
	ルクセンブルク	70,885	164,806	23,472	25,555	13,936	855	312
オセアニア	ニュージーランド	204,924	74,764	39,818	43,331	2,492	5,799	11,080
	パプアニューギニア	23,498	4,563	10,209	3,214	2,101	787	2,819
	サモア	820	90	42	333	628	70	1
	ニウエ							

出所：世界銀行、中国国家統計局など

米国直接投資残高 百万ドル 2017	米国からの輸出 百万ドル 2018	米国からの輸入 百万ドル 2018	中国からの直接投資残高／直接投資残高 %	中国からの直接投資残高／名目GDP %	中国との貿易／貿易全体 %	中国との貿易／名目GDP %	米国からの直接投資残高／直接投資残高 %	米国からの直接投資残高／名目GDP %	米国との貿易／貿易全体 %	米国との貿易／名目GDP %
148	105	276	3.3	2.8	14.3	8.7	3.1	2.7	11.3	6.9
	47	1	8.3	4.9		10.0				11.9
	7	1								
	24	4	2.1	2.1	21.5	11.1			12.1	6.2
	10	7	17.4	11.6	21.6	8.7			4.9	1.9
	12	4			70.5	53.8			1.5	1.2
	4	3	21.0	1.6	32.9	19.0			7.2	4.2
25,884	15,377	12,200	0.2	0.2	29.3	14.4	9.6	8.7	18.9	9.2
	541	261	3.0	2.9	7.8	6.9			23.5	20.7
598	562	494	3.5	1.0	6.4	2.9	5.0	1.5	5.8	2.6
1,556	1,386	532	0.7	0.3	22.4	7.8	5.4	2.6	9.3	3.2
6,632	6,120	13,515	13.9				28.7			
	388	92	7.5	4.6	7.4	7.5			13.3	13.4
779	5,897	7,082	5.5	1.0	12.8	5.3	4.2	0.7	29.2	12.0
6,370	9,724	8,272	0.8	0.4	25.7	10.5	6.1	2.9	19.9	8.1
1,567	6,497	5,148	0.1	0.0	8.9	4.1	4.0	2.6	42.6	19.4
4,706	6,837	438	0.7	0.6	18.2	10.8	8.6	7.2	18.8	11.2
3,037	3,390	2,582			7.1	4.2	31.3	11.7	38.8	22.9
	176	1	1.1	0.6	24.1	12.5			62.1	32.3
6,372	2,116	3,874	7.2	2.6	4.3	3.1	73.7	26.8	34.9	25.2
7	513	5	0.7	0.4	17.1	6.8	0.7	0.4	80.7	32.2
2,140	176	1			24.1	12.5		388.5	62.1	32.3
41	119	17	2.2	2.1	5.9	2.2	3.6	3.5	30.6	11.5
20,368	597	57	1.6	2.3		3.1		395.9		12.7
	276	1		0.1		1.6				0.3
167	2,611	393	6.7	7.1	8.9	4.2	1.0	1.1	40.5	19.1

【図表6-2】一帯一路関係国の経済指標（その5）

地域	国名	名目GDP 百万ドル 2018	対内直接投資 百万ドル 2017	輸出 百万ドル 2018	輸入 百万ドル 2018	中国直接投資残高 百万ドル 2017	中国からの輸出 百万ドル 2018	中国からの輸入 百万ドル 2018
オセアニア	フィジー	5,537	4,781	1,012	2,362	157	456	25
	ミクロネシア連邦	402	235			20	19	22
	クック諸島		79				5	3
	トンガ	450	446	14	218	10	25	
	バヌアツ	914	607	63	303	106	63	16
	ソロモン諸島	1,396	557	534	530		118	632
	キリバス	188	14	8	101	3	18	
南米	チリ	298,231	269,298	75,452	70,783	528	15,916	27,000
	ガイアナ	3,879	3,680	1,400	2,018	111	223	43
	ボリビア	40,288	11,851	8,895	9,354	413	836	332
	ウルグアイ	59,597	29,036	11,535	9,107	199	2,071	2,559
	ベネズエラ		23,131			3,207	1,147	7,334
	スリナム	3,591	2,185	2,124	1,499	164	216	53
	エクアドル	108,398	18,678	22,111	22,374	1,032	3,720	1,990
	ペルー	222,045	104,411	49,066	41,553	839	8,102	15,213
北中米	コスタリカ	60,130	39,290	11,474	15,863	26	1,664	776
	パナマ	65,055	54,675	14,757	23,963	359	6,948	82
	サルバドール	26,057	9,705	4,735	10,671		929	165
	ドミニカ	551	288	21	266	3	35	
	トリニダード・トバゴ	23,808	8,647	10,520	6,668	622	347	385
	アンティグアバーブーダ	1,611	969	38	604	7	55	
	ドミニカ	551	288	21	266		35	
	グレナダ	1,186	1,125	43	401	25	13	
	バルバドス	5,145	7,273			117	137	21
	キューバ	100,023				115	1,076	480
	ジャマイカ	15,714	16,589	1,978	5,437	1,114	584	76

出所：世界銀行、中国国家統計局など

アジアに属するラオスでは、中国南部雲南省の昆明からラオスなどを経由してシンガポールまでを鉄道で結ぶ大規模事業が存在する。一帯一路に基づく東南アジアでの鉄道事業第1弾として、2015年5月、ラオス国内を通過する総事業費約60億ドルの長距離鉄道の建設起工式が開かれた。完成すれば、ラオス初の鉄道となる。

これらの国々は、たしかに足掛かりとしての意味合いは大きいに違いない。ラオスでは2010年以前の段階ですでに人民元が流通していたようだ。ラオスの東北地域では人民元でラオス通貨を代替可能であり、首都地域でも人民元が流通している。もっとも上記4カ国の名目GDPは338億ドルと一帯一路関連138カ国の0・2%に過ぎない。規模の面からはどうしても影響が限られてしまう。

3. 中国による「債務の罠」と一帯一路関連国

次に「債務の罠」を考慮する上で、一つの基準として「スリランカ」に注目したい。2019年11月17日付で時事通信は「債務の罠に警戒感　中国の浸透加速も――スリランカ大統領選」と報じた。スリランカでは、2009年の内戦終結頃に中国の影響力が増した。一帯一路の名の下で、中国政府は周辺国のインフラ整備に資金を貸し付けてきたが、スリランカ政府はハンバントタ港の建設で中国から借りた13億ドルを返済できず、99年にわたる同港の運営権を中国国有企業に譲渡することになった。

インフラ整備の支援を受けた国が借りた資金を返済できない場合、その国を政治的影響下に置くのではないかという「債務の罠」に対する批判が欧米諸国から発せられている。２０１８年初頭、世界開発センターは、中国が一帯一路関連事業で投資する68カ国のうち23カ国は債務超過に陥るリスクを抱えると指摘した。

具体的には、ジブチ、キルギス、ラオス、モルディブ、モンゴル、モンテネグロ、タジキスタン、パキスタンの８カ国が「深刻な債務リスク」に面していると指摘し、スリランカ、カンボジアを含む15カ国を「高い債務リスク」に面していると特定した。スリランカにおける中国からの直接投資残高は５・７％、中国との貿易総額に占める比率は13・５％であった。

直接投資の面では42カ国が、貿易の面では63カ国がこの「スリランカ基準」を上回る（スリランカを含む）。

両者に含まれるのは南アフリカ、シエラレオネ、カメルーン、ザンビア、アンゴラ、ジブチ、エチオピア、タンザニア、トーゴ、マダガスカル、モンゴル、東ティモール、ミャンマー、カンボジア、ラオス、パキスタン、スリランカ、クウェート、キルギス、タジキスタン、ウズベキスタン、パプアニューギニア、バヌアツ、キリバスの24カ国である。

この24カ国の名目ＧＤＰは１・５兆ドル、貿易総額は０・７兆ドル、中国との貿易総額は１８５８億ドルである。また、両方の基準のいずれかを満たす国（81カ国）の名目ＧＤＰは11・

1兆ドル、貿易総額は6・0兆ドル、中国との貿易総額は1・5兆ドルである。

ラオス、キルギス、タジキスタン、キリバスを足掛かりに、スリランカ基準を満たす国々にまで人民元決済を浸透させていけば、2017年時点で1・36兆元（0・2兆ドル）の一帯一路関連国とのクロスボーダー人民元決済総額、また2018年時点で15・9兆元（2・3兆ドル）のクロスボーダー人民元決済総額に対して、相応の影響を残すことができるだろう。

それでも彼我の差は大きいと言わざるを得ない。SWIFTのデータを参考にすれば、人民元の決済総額を米ドル並みに引き上げるには、現状の人民元の決済総額を20倍にする必要があるからだ。

なお、一帯一路関連国において中国が影響を強めていく上では、第3国からの反発も重要な変数となりうる。前述の「債務の罠」もその一環との見方もあろう。ただ、アメリカからの直接投資残高が直接投資全体に占める比率は1・7%、アメリカとの貿易が貿易総額に占める比率は4・1%にとどまっており（ともに中央値）、中国に比べると一帯一路関連国はアメリカ依存度が高いわけではない。また、（特に直接投資で）中国依存度とアメリカ依存度が比較的明確に分かれており、棲み分けができているような印象も受ける。中国にとっては、強化した経済関係を人民元決済という果実に変換する余地が大きいということだろう。

ところで、中国とは14カ国が国境を接している。具体的には中国の東から、北朝鮮、ロシア、モンゴル、カザフスタン、キルギス、タジキスタン、アフガニスタン、パキスタン、インド、ネ

【図表6-3】中国と国境を接する14カ国

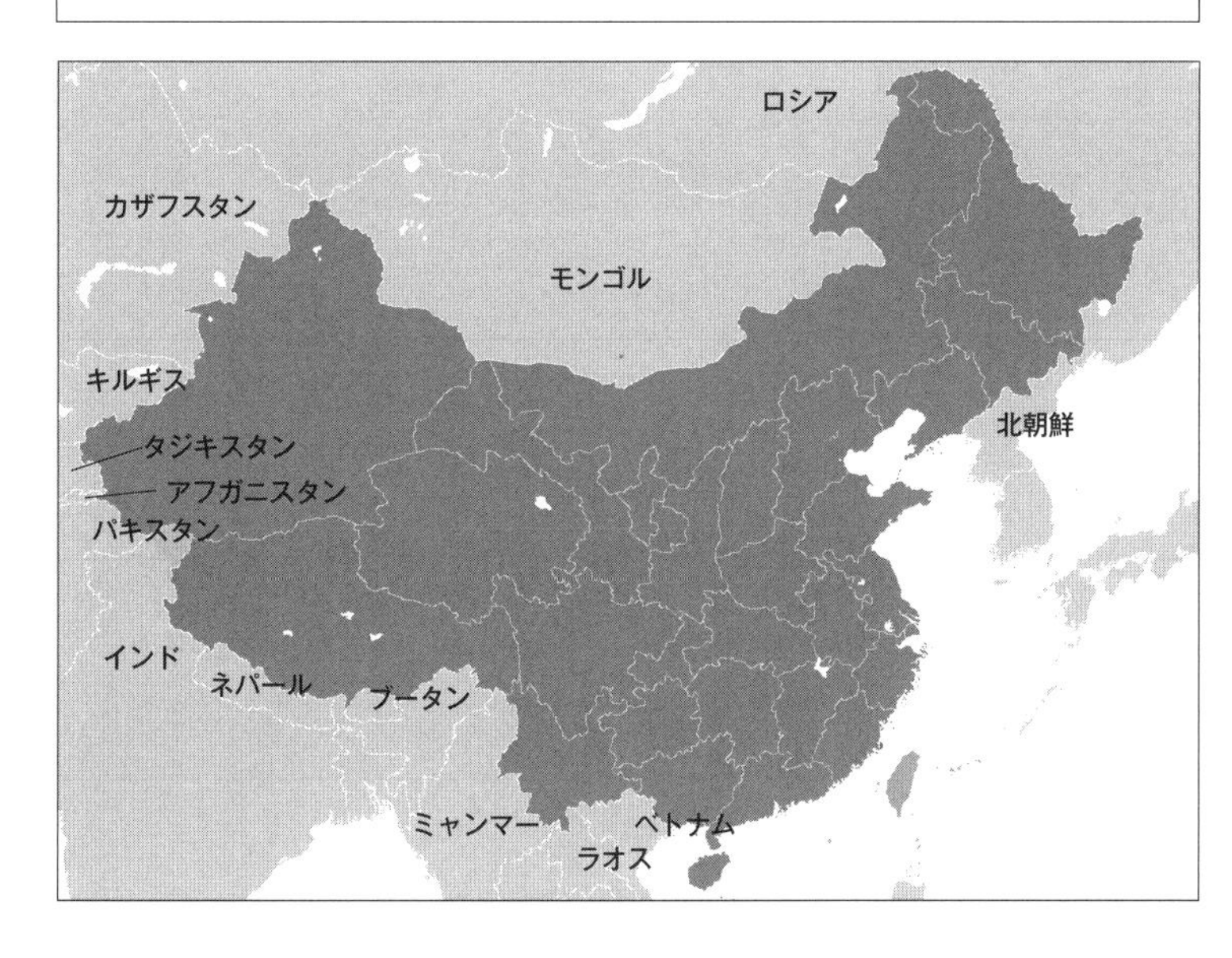

パール、ブータン、ミャンマー、ラオス、ベトナムである。そのうち北朝鮮とブータンを除く12カ国が一帯一路関連138カ国に含まれる。前述の中国依存度が非常に高い国々の中でも、キルギス、タジキスタン、ラオスの3カ国は中国に隣接している。このような「中国との物理的な距離」も、経済的な結びつきを超えた重要性を持つだろう。

国境を越えた債務契約を履行させるための超国家的な法的枠組みは必ずしも整っていない。これまでも強国は債務契約を履行させる目的で他国に干渉してきた。

イギリスは、1882年には対外債務の返済を怠ったエジプトに侵攻、

1876年にはデフォルトを起こしたトルコに対してイスタンブールを占領した。債務問題を抱えたニューファンドランドに対してはカナダに吸収を働きかけ、1933年に自治権の返上が決まった。

アメリカも1890年代半ばごろから債務返済への懸念からベネズエラで砲艦外交を展開、1915年からハイチを占領したときも債務回収のためと正当化した。このように地理的な距離が遠い場合でも、公的対外債務と軍事力は結びつきやすい面がある。ましてや地理的な距離が近ければ、軍事力を背景に、より強い形で債務返済を求めることも可能となるだろうし、さまざまな強制力の行使がありえよう。

なお、第3章で共通通貨であるユーロが、①域内システムとして経済的地域間格差が是正されにくい、②各国の経済サイクルが異なる、③規律重視度が異なる、という矛盾や欠陥を抱えている点を指摘したが、一帯一路関連国においてデジタル人民元を流通させた場合にも類似の構造に陥りかねない点は付言しておきたい。中国の経済力や影響力が圧倒的に大きい状況であれば問題とはなるまいが、そうでなければ参加国の通貨主権をどのくらい許容するかというサジ加減が必要となろう。

ここまで見てきた中国のデジタル人民元戦略は、次の通り総括できよう。

一帯一路で版図を広げつつ、「債務の罠」で他国に影響力を行使する。同時にBSNによってイノベーションを加速させ、域内の経済発展を促進させる代わりに、中国がデータを握る。また、拡げた版図でデジタル人民元を流通させることで、金融を通じて中国が支配的地位を確立する。超監視社会の実現であり、中国を中心としたデジタルの冊封（さくほう）体制が完成する。デジタル法定通貨での戦いは、アメリカと中国の基軸通貨をめぐる熾烈な覇権争いの幕開けを告げることになり、今世紀における地経学最大の問題の一つとなろう。

２０１９年10月、リブラの発行に対して開かれた公聴会で、マーク・ザッカーバーグは、「アメリカはイノベーションを取り入れないと通貨のリーダーの座は守れない。リブラのライバルはデジタル人民元であり、アメリカの優位な立場を保つ」と論じた。つまり、デジタル法定通貨やステーブルコインの議論は、中央銀行の通貨主権をテック企業から守るか守らないかという問題ではなく、国家の安全保障上の問題なのである。

だが、中国に弱点がないわけではない。少し前までのアメリカは、中国が資本主義化すれば政治体制が民主主義に転換するだろうと信じ、中国が国を閉ざすことによるメリットとグローバル化のメリットを享受するという二律背反を甘受してきた。中国は、世界の工場として膨大な貿易黒字とその事業体への資本投入により巨額の外貨準備を積み上げたが、資本移動は規制したままである。また、これらが生み出す内需にも厳しい外資規制を敷き、内国産業の育成に務めてきた。

しかし、外界と遮断した中で育った企業が、海外の激しい競争で生き抜く競争力を獲得しているかどうかは不明である。今回のデジタル人民元戦略でも、基本的には外界と遮断した中で進めようとしているが、基本的には、中国の戦略物資調達問題に帰結するだろう。過去と違い、今はアメリカを始め多くの国が中国の行動に対して疑念を持っており、今までのような二律背反を受け入れる余地は少ないだろう。前述のように、アメリカが仕掛けた貿易戦争は基軸通貨ドルを締め上げることであり、この文脈に沿ったものである。中国側から見れば、デジタル人民元戦略は、生存をかけた自国の防衛戦争ということになるだろう。

そこで次項では、アメリカと中国のデジタル通貨戦争の行方をシミュレーションしてみたい。

【4】シナリオプランニングで米中の未来の可能性を可視化する

1．未来に備えるための「シナリオプランニング」とは

アメリカと中国の戦略がどのように影響し合い、それが未来をどのように形づくるか、その中で日本はどうすべきかを経営学のシナリオプランニングという手法を用いて考察してみる。

シナリオプランニングとは、「必ず起こること」を予測するものではなく、むしろ「起こるか起こらないかわからない」極端な未来を複数描き、それに備えようとする方法論である。不確実性が増す現代を生き抜くためには、考えうるすべてのシナリオ下において何が起こり、どんな世の中になるのか、自分自身にはどのような影響があるか、これらを今から仮想的に経験しておくという手法だ。仮想的な経験は「未来の記憶」と呼ばれ、実際に事が起こったときへの危機対応能力を高め、今からそれらのシナリオ下において何を準備しなければいけないかが明確化していくことになる。

具体的には、世の中に大きな変化をもたらす複数トリガーを抽出し、その掛け算から想定される複数の未来（シナリオ）を描き出す。それらのすべてのシナリオ下において、今の自分たちの

能力で対応可能かどうかを検証する。対応が不可能な場合は、現時点において何の能力を獲得すべきかを決めないといけない。すべてのシナリオに賭けるか、確率的に高そうな特定のシナリオに賭けるかは、保有資源などの制約も踏まえ、戦略的な選択が求められる。すなわち、シナリオ策定は予想ではなく、戦略的意思決定支援ツールである。

現在から未来までの時間軸や予測の正確性よりも、現時点から見て、未来の世の中の変化の可能性の幅を重視する。日々起こる変化をモニタリングすることで、どのシナリオに世の中が向かおうとしているのか、その行き着く先はどのような状態なのかを適時議論しながらシナリオに修正を加えていく動的な枠組みである。なお、このプロセスを繰り返すことにより、これに関わるチームのダブルループ学習（経営学用語。極端な未来を想像することで、危機感が醸成されるため、思考の柔軟性が高まり、既成概念を超えたアクションで問題解決ができるようになること）が促進され、イノベーションが引き起こされることを期待しているが、これらはシナリオプランニングのもう一つの目的である。

本書にシナリオプランニングを入れたのは、読者の皆様が日本の未来や世界の通貨覇権について考える際に、議論の叩き台のひとつにしてほしいという思いである。本書は国家間の通貨覇権に限定したシナリオ策定になるので、国家の意思が未来の決定に対して極めて大きい要素となるため、他の要素を排除して米中二国の行動のみをトリガーとして単純化した。しかし実際には、他の多くの要素も未来に影響を及ぼし、他国も含め日本の行動も未来に影響を与えるトリガーに十分になり得る。しかも、日本は、日本自身が評価しているよりもはるかに高い競争力を持っている。不動産バブルの崩壊以降、日本は必要以上の自信喪失に囚われ、戦略的優位をすり減らしてきたが、米中対立という危機が高まる今こそ、目を覚まし、能動的で戦略的な行動に出るべきであろう。通貨覇権という範囲に限定して、日本の生き抜く術を考えてみたい。

2. デジタル通貨の競争環境

まず、世界的な大きな潮流を認識しよう。

過去20年間のインターネット革命は、限界費用がゼロに近づくという情報交換のコストの劇的な低下が、情報の伝播する範囲を極限まで広げたため、ごく少数の人にしか必要としていない情報までもが流通するようになった。

今後起こることは、インターネットに分散・分権された台帳とスマートコントラクトにより、エージェンシーコストとカウンターパーティリスクが消滅し、金融における価値交換のコストの劇的な低下が、価値交換が可能な範囲を極限まで広げることだろう。

たとえば、アフリカのマイクロファイナンスの純粋な事業リスクに100円を投資し、リスクリターンを共有することも可能となるのだ。第4次産業革命では、IoTによって無数に設置されるセンサーを通じて、生体情報を含むあらゆる実物社会の情報が蓄積され、その解析結果に基づいて実物社会を制御し、実物社会をより良い世界へ導くことが期待されている（サイバーフィジカルシステム）。ブロックチェーンはそのデータの格納や、さまざまな取引での決済などで大きな役割を担うだろう。インターネット革命で情報産業は大きく生まれ変わったが、今般の革命では経済の血液である金融が大きく生まれ変わり、経済のあり方そのものを変えるに違いない。当然、5G、AI、ブロックチェーン、量子コンピューティング、バイオテクノロジーなどの技術も相まってデジタル化を加速させる点に異論はないだろう。第4次産業革命ではこれらの先端技術同士が融合したイノベーションも観測されており、誰もその進展スピードと影響を正確に予測することはできない。

一方で、グローバル化、貧富の差の拡大が続いている。金融緩和状態も長期化している。物価面はさほどでもないが、金価格や不動産価格の上昇に見られるように法定通貨の価値下落はすでに進行中であった。このような状況下で新型コロナウイルスのパンデミックが襲い、この傾向に強烈な拍車をかけている。こういった不可逆的な潮流のもとで、金融の世界に限定して、「デジタル覇権の行方」を議論してみたい。

より大きな経済がデジタルマーケットに立脚することになれば、法定通貨の比重が低下する一方、デジタル通貨の比重が拡大していくという結論が得られるだろう。

2015年9月に世界経済フォーラムが公表した「Deep Shift: Technology Tipping Points and Societal Impact」というレポートでは、経営者や業界専門家が「技術に関する21の転換点」

がいつ訪れると見ているかをまとめている（調査時点は２０１５年3月、回答数は８１６件）。そこでは、57・９％の回答者が「２０２５年までに世界ＧＤＰの10％がブロックチェーン上に保管される」と見ていることが明らかとなった（なお、その時点ではブロックチェーン上のビットコイン価値は世界ＧＤＰの０・０２５％であった）。当報告書の影響力は強く、それ以降、ブロックチェーンの規模は「世界ＧＤＰの10％程度」というのがひとつの定見となっている。

ちなみに、米調査会社ガートナーは、ブロックチェーンが２０２５年までに１７６０億ドル、２０３０年までに年間３・１兆ドルの事業価値を生み出すと予測し、２０３０年までに世界経済のインフラの10～20％がブロックチェーンを基盤とするシステム上で稼働すると見込んでいる。また、米ネットワーク機器大手シスコ・システムズは、２０２１年にブロックチェーン市場が97億ドルに到達し、２０２７年には10兆ドルに達すると予想している。

予測とはやや趣旨が異なるが、世界経済フォーラムは「Blockchain is not a magic bullet for security. Can it be trusted?」の中で、２０５０年に世界ＧＤＰの50％がブロックチェーン上に保管される世界を描いている。

中央銀行の法定通貨であるナローマネーと、非中央集権的で通貨に近い性質を有する金（ゴールド）などを合算すると44兆ドル規模となる。こういった非デジタル通貨で80兆ドルの世界ＧＤＰを支えているのだとすると、ブロックチェーン上に保管されていく8兆ドルの世界ＧＤＰを支えるためには４・４兆ドルのデジタル通貨が必要と試算される。今のビットコインの20倍超という規模感のデジタ

【図表6-4】非デジタル資産とデジタル資産の市場規模

	実体経済	金融市場	法定通貨	非中央集権
非デジタル	世界名目GDP：79.9兆ドル	合計：867.1億ドル（内訳 株式時価総額：74.7兆ドル 債券時価総額：102.8兆ドル デリバティブ：689.6兆ドル）	ナローマネー：34.4兆ドル（ブロードマネー：86.47兆ドル）	合計：9.85兆ドル（内訳 金：8.94兆ドル 銀：0.91兆ドル等）
デジタル	**2025年にGDPの10%：7.9兆ドル**	暗号資産建て金融商品時価総額：85.71兆ドル	デジタル法定通貨：3.40兆ドル	現状 暗号資産：0.27兆ドル ビットコイン：0.17兆ドル 将来 暗号資産：0.95兆ドル

1:10.85　1:0.43　1:0.12

出所：フィスコ

ル通貨である暗号資産が生み出されていくことになる。現状のナローマネーと金（ゴールドなど）の構成比を踏まえると、そのうち3／4がデジタル法定通貨、1／4が非中央集権デジタル通貨で分け合うというのが基本感となろう。

そして、実体経済を従来の金融市場が支えているのと同様に、デジタル経済を支えるための暗号資産金融市場も本格的に立ち上がる。

デジタルシフトの度合いや、競合状態によっても各象限の市場サイズは異なってくるだろうが、方向自体は既定路線であろう。後述するシナリオごとに、それぞれの市場規模をシミュレーションしてみたいと思う。

3．米中のデジタル通貨の関与の行方を考える

まずは、大国のデジタル通貨への関与（積極的、

消極的、傍観）によって、どのように未来が変わるのかを見ていきたい。

「デジタル覇権」は非常に壮大なストーリーであり、大きいインパクトは強大な力がなければ発生させられないだろう。そのため、アメリカや中国という戦略的なプレイヤーの行動が未来のシナリオを左右するトリガーとなる（通常の企業戦略シナリオの場合は環境変化をトリガーとする）。

アメリカ、中国のデジタル通貨に対する関与戦略の度合いによって、複数のシナリオが考えられるだろう。なお、今回は金融面にのみ焦点を当て、その他の要素は含まないことにする。また、ヨーロッパや日本の関与は影響が小さいと考え、今回はトリガーとして採用しない。

最初にトリガーになる米中の関与姿勢（積極的、消極的、傍観）を列挙し、その可能性を整理してみよう。すでに中国は動き出しているため、「中国の傍観」を除いた5通りが検討材料となる。カッコ内の数値は主観的確率を表す。各トリガーおよびその後のシナリオをイメージしやすくするためのものであるという点にご留意いただきたい。

・中国の積極的関与（30％）

中国が積極策をとるということは、政治体制の大転換によって、資本移動の自由化を行うことを前提としている。これには、ふたつの可能性があり、ひとつは社会主義市場経済が新たな体制のもとでも継続されるケース、もうひとつは政治体制が民主主義へ転換するケースが考えられる。

前者は現在の延長線上ではあるものの、経済活性化のための市場原理導入による混乱を、政治体制維持よりも優先する政府が出現すること、あるいは現状の政治体制のままで十分に経済が強くなり、自由な資本移動が可能となった場合を念頭に置いたものである。「共産党維持のため」という中国の法治の考えがやや緩められ、社会主義よりももう一段市場経済に軸足が置かれるようなケースであろう。

一方、後者は「新たな中国の誕生」とも言うべき劇的な変化である。このケースでは中国はアメリカと手を結べる可能性すら秘めることになる。必然的に、前者と後者とでは日本への示唆はまったく異なりうるが、いずれにせよ、大きな体制変更である。

当ケースでは、ウォレットを解放して、積極的にデジタル法定通貨の基軸通貨の立場をとりにいくというケースをイメージしていただきたい。そのためには、資本移動を自由化し、変動相場制に移行している必要がある。現状のままでウォレットが解放されれば、攻撃点が無数にあるため、中国当局にとって為替投機を防ぐことが難しいからだ。現在の法定通貨である人民元を廃止することも考えられるだろう。

また、この段階では（前段階で発行されている可能性が高い一帯一路地域デジタル人民元が着実に普及しているなどの理由から）ネットワーク性が価値を担保していることが必要である。裏を返せば、裏付け資産の必要性は乏しくなる。ヨーロッパなど経済規模が大きい国を組み込むことにより一帯一路経済圏を拡大すれば、さらにデジタル人民元の価値を高めることもできるだろう。

しかし現実問題として、覇権に辿り着くのは容易ではない。「中所得国の罠（発展途上国が一定規模にまで経済発展した後、成長が鈍化し、高所得国と呼ばれる水準には届かなくなるという傾向）」、「コロナウイルスの大流行による大幅景気後退と経常収支悪化」、「人民元の先安感」が指摘される中、資本移動を自由化すると、資金を中国に止めておくことは難しいだろう。

２０１２年に世界銀行と中国国務院研究センターは「中国の開発・成長モデルの転換―中国２０３０」で「２０３０年までの高所得国入り」を念頭に置き、「企業、土地、労働、金融セクターの改革を通じて市場経済への移行を完了する必要があり、そのため民間セクターの強化、市場開放によるさらなる競争とイノベーション、機会の平等による経済成長のための新たな構造改革の実現が求められている」と言及した。もちろん国際金融のトリレンマ（自由な資本移動、為替相場の安定性、金融政策の独立性という３つの目標を同時に達成することができないということ）を抱える現在の中国が、資金流出や経済低迷などをきっかけに透明性を高め、市場開放を進めるケースも考えられなくはない。そのためには、資本移動を自由化し、変動相場制に移行しても過度な資本流出を生まないための備えとして、まず足下では、市場経済化を進めることで成長力を引き上げ、資金が中国に集まる状況を備えておくことが重要であろう。

ただ、繰り返しになるが、中国、そして習近平は「共産党政権維持」を優先している。真の「市場経済化」は今の政権だと難しいと言わざるを得ないだろう。

「中所得国の罠」から離脱するために「中国製造２０２５」などで生産性向上を目指しても、前述の２０１８年のペンス演説のようにアメリカの強烈な抵抗にあってしまう。裏を返せば、政権交代のような大きい政治的動きがあれば、実現の可能性も高くなると言える。

・中国の消極的関与（70％）

このケースでは、たとえば中国が一帯一路向けにデジタル通貨を発行するケースをイメージしていただきたい。政権交代がない、あるいは政権の政策が変わらない場合には、この可能性が高いだろう。

共産党の体制維持を最優先する中国が積極策をとるということは、政治体制の大転換によって、資本移動の自由化を行うことを前提としている。政治体制に変化がなければ、国内の大胆な規制緩和による企業の競争力向上、不透明な法律の改正、不良債権の大幅な処理を進めることが困難で、中国の外から稼ぐ力は早晩失われる。盤石なドル保有が為替の安定を保証しているとすれば、その基盤が失われた際の資本移動の自由化は、中国からの資本流出を招くだろう。

したがって、共産党の体制維持を最優先する中国には、消極的関与の可能性が高いと考えざるを得ない。ただし、条件が整った段階で積極策に転じる可能性があるため、積極的関与の準備段階と位置付けることはできる。

このケースでは、デジタル人民元自体の信用力が重要であるため、経常黒字、豊富な外貨準備高などが必要となろう。裏付け資産の情報開示も重要となる。人民元相場やインフレが安定、大幅な資金流出がないなど、安定した金融・経済環境にあることが望ましい。一帯一路圏への浸透も重要であるため、一帯一路圏経済が順調に成長していることも必要となる。利用促進には、債務の罠を活用するなど、一定の圧力が必要かもしれない。

コロナウイルスの世界的流行によって、景気の大幅減速が観測され、資金流出の有無などが警戒されるところであるが、外貨準備などのストック面を中心として、今であれば概ね条件は満たされていると判断できよう。

・アメリカの積極的関与（30％）

アメリカはドル覇権を満喫していることもあり、デジタル覇権を目指すことに今のところ積極的ではないように見える。ただ、同盟国がデジタル法定通貨のコンソーシアムをアメリカが主導することを希望し、その線からアメリカに本気で働きかけることも考えられるだろう。リブラのようなアメリカ企業によるデジタル通貨が実質的に代替する可能性もある。

また、コロナウイルスに端を発する経済危機に対応すべく、世界の中央銀行が大胆な金融緩和を行なった結果、将来的にドルに変わるものを導入せざるを得ない可能性もある。中国を「戦略的競争相手」としているアメリカが、中国の積極的姿勢に応戦する、あるいは、今までの姿勢を変え、覇権維持・拡大のための積極関与に転換するというイメージである。今のドルをデジタル化して一気に普及させるパターンと、まったく新しいデジタルドルを作るパターンという、２つの選択肢が考えられる。

前者は、比較的穏当な選択肢と言えるが、現状のドルインフラを捨てる覚悟で、積極的なデジタル化を推進し、覇権強化を図るものだ。（影響力が強い国に対して米国債の購入を迫ることで覇権通貨を維持するという）米国債モデルの対象を世界中の個人にまで広げ、デジタルドルをさまざまな決済通貨として利用させ、デジタル化が遅れた通貨から資本シフトを促すイメージである。FRBはデジタルドルとドルとの1対1での交換を約束しても、利便性等の問題で、デジタル化されたドルと、紙幣や銀行残高に価格差が生じて、現在のドルが減価する可能性も排除できない。今でも電子マネーで払えば割引が受けられるサービスがあるが、これはまさに紙幣の減価であるし、デジタル化すれば世界中に無数の交換所ができるため、需給によって価格差が生じるはずである。また、この選択肢は、後者の選択肢に移行することも可能である。

後者は非常に急進的な選択肢である。「ドルの賞味期限」を嗅ぎ取ったアメリカが、ドルを段階的に捨て、新たな通貨としてのデジタルドルを浸透させて覇権維持を強化する。現在のドルの価値はゆっくりと下がり、新たなデジタルドルが価値を持っていくため、米国債の返済は容易になる。行き詰まった国家が採用する通貨の切り下げを、ゆっくりと行うイメージである。アメリカには、ニクソン・ショックによって、金との兌換を取りやめてドルを不換紙幣にしたという、ドルをまったく別物にした歴史が存在するため、このような荒技も十分に考えておかなければならないだろう。

いずれの場合も、この実現のためにはアメリカでもドルのインフレの安定が必要となろうが、中国が積極的に関与するよりは必要条件が少ないため、生起確率は高めであろう。だが、デジタルドルで世界を圧倒すると決めた段階で、世界的な需要はかなり取り込むことができるだろう。

考えてみれば、我々はすでにアメリカ製のIT産業に囲まれた生活をしている。アマゾンで買い物をし、マイクロソフトかアップルかグーグルのOS（オペレーティング・システム）が入ったパソコンやスマホを使い、グーグルで検索し、フェイスブックやツイッターやインスタグラムで交流し、VISAやマスターカードやペイパルで支払い、ウーバーイーツで食事を頼み、ネットフリックスやアマゾンプライムを見て一日を過ごす。

アメリカの主要テック企業がデジタルドルの使用を推奨し、ウォレットが共通になり、利用料の支払いやポイントの交換、友人への送金や、出店企業やオークションで出品した売上の入金も、すべて共通デジタル通貨になるイメージをしてみよう。

海外に行っても、すべてデジタルドルで消費できれば、わざわざ高い両替手数料を払って紙幣を持つ必要もなければ、カード払いの為替手数料もいらない。また、アプリ内の余剰資金で、優れた運用商品が買えるようになるかもしれない。

アメリカの資産のほとんどがブロックチェーン上でトークン化され、世界中からマイクロインベストメント（少額での投資）が可能になれば、かなりの人気を博すだろう。こうなれば、企業でも、売掛金や買掛金、運用や借入もデジタルドルでという動きになってくるだろう。

そもそもドルと円は、それほどボラティリティ（資産価値の変動の激しさ）があるわけではないので、日本人はドルで資産を保有してもさほど困らないだろうし、日本国内でのデジタルドルの使用比率が増えてくれれば、為替変動リスクも減るはずだ。原則として労働基準法第24条で賃金は通貨（すなわち日本円）で支払うことが義務付けられており、また納税においても国税通則法第34条第1項で金銭の納付が義務付けられているので（日本銀行法第46条第2項で日本銀行券を法定通貨と定め無制限の通用力を認めているため、日本銀行券による支払いないし納付が原則）、「日本円は給与受取と納税のための銀行預金に記録するための数字であり、入金があれば、消費者は納税分以外をすぐにアメリカIT企業のアプリ内のデジタルドルに交換する」ことになるかもしれない。

一方で、デジタルドルが普及する過程で、既存の資産が負債化してしまうリスクを孕んでおり、ドルをベースにこれまで築き上げあげてきた金融インフラ、資産などが痛手を被る可能性もある。また法定通貨からデジタル通貨に変わることで、金融機能の多くが代替されてしまうため、アメリカ金融機関の収益性への悪影響も懸念される。金融機関の収益性に余裕があるうちに、積極的なシフトを行うことが望ましい。

しかし、一方で、アメリカの銀行業界を代表するJPモルガンの時価総額が2965億ドル、シティグループが997億ドルであるのに対して、アマゾンが1兆2180億ドル、アルファベット（グーグル）が9759億と、IT企業の時価総額は銀行のそれを大きく上回っている（2020年5月末現在）。今後数年でIT業界の影響力がさらに大きくなり、低金利の長期化から銀行業の役割や影響力がさらに減退していけば、近い将来には、買収や業務の代替などで実質的なシフトが起こり、デジタル通貨化による悪影響がなくなるかもしれない。アマゾンがホールフーズを買収したが、このような新旧企業の新陳代謝はアメリカ経済が得意とするところだ。

またデジタルドルを流通させた場合にも、共通通貨ユーロが抱える矛盾や欠陥がデジタルドルの流通域内で再現されてしまう可能性は指摘しておきたい。

・アメリカの消極的関与（60％）

デジタルドルの研究を着実に進め、積極的関与に移るための準備をしつつ、デジタル化の中国に対して、消極的に対応した状態である。前述のように、自国金融機関への悪影響を甚大と判断した場合や、ドルの既存インフラの毀損を懸念して、大胆に踏み込めなかった場合である。自らはデジタル通貨に対して積極的な行動をとらずに、中国の行動を何らかの方法で抑止するといったケースもあろう。「アメリカによる中国への金融・経済制裁」も可能性のひとつかもしれない。

・アメリカの傍観（10％）

アメリカがドル覇権を失うリスクを目の当たりにしながらも、傍観せざるを得ないというケースである。「中国の傍観」がないという条件下では、可能性は低そうだが、中国が発行する一帯一路向け地域デジタル通貨の普及浸透に非常に時間がかかりそうなケースでは、アメリカには傍観姿勢をとる余裕が与えられたと見ることもできるだろう。行き過ぎた金融緩和などから法定通貨の価値が崩落し、アメリカですらデジタル通貨を発行できる経済環境にないケースも考えられる。

下図では、中国の姿勢として「積極的関与」と「消極的関与」の2通りを、アメリカの姿勢として「積極的関与」、「消極的関与」と「傍観」の3通りを示している。中国が積極的に関与する主観的確率は（政治体制の大転換や資本移動の自由化などを伴うため、やや低めの）30％、消極的に関与する確率を70％とする一方、アメリカが積極的に関与する確率は（現段階でドル覇権に満足していることもあって、やや低めの）30％、消極的に関与する確率を60％、傍観する確率は（中国の傍観がないという条件下では可能性が低いことから）10％と想定した。中国、アメリカの姿勢によって6（2×3）通りのシナリオが考えられるが、中国が積極的に関与する場合、アメリカが消極的に関与するケースと傍観するケースとでは、シナリオに実質的な差が生じないため、ここでは5通りのシナリオに分

【図表6-5】5つのシナリオの確率

		中国	
		積極的関与（30%）	消極的関与（70%）
アメリカ	積極的関与（30%）	シナリオ1 9%	シナリオ3 21%
	消極的関与（60%）	シナリオ2 21%	シナリオ4 42%
	傍観（10%）		シナリオ5 7%

けている。

現状は「今にもデジタル人民元を始めようとする中国に対して、アメリカは様子見状態」という状況である。デジタル人民元発行間近の中国は最初に行動をとる可能性がある。ドル覇権に不満を抱えているのは中国なので、行動をとる動機もある。先行者利得を得たいという思惑もあるだろう。中国が先行すれば、それだけアメリカの覇権崩しに寄与するだろう。

【5】米中デジタル覇権の「5つのシナリオ」

1．5つのシナリオから経済・金融・通貨の未来をイメージする

それでは、米中それぞれの姿勢（積極的、消極的、傍観）に対応した5通りのシナリオにおける世界を描いてみよう。シナリオに付した数値は、初期のイメージに対して、各プレイヤーの行動が、実体経済とデジタル経済、金融市場とデジタル金融市場、法定通貨とデジタル通貨にどのような影響を与えるかを示したものである。

こちらも、あくまでも相対感を表現するために仮置きしたイメージであるという点にご留意いただきたい。

2．シナリオ1：米中デジタル激突（中国積極、アメリカ積極）　主観的確率：9％

米中デジタル通貨の覇権争いの大バトルが生じる。経済規模が肉薄してきたことを受けて、2016年以降、アメリカと中国はさまざまな経済分野で衝突を起こしてきた。中国がアメリカ

を正面から批判するケースは関税要求などのケースに限られるが、アメリカは中国を真っ向から批判することが少なくない。２０１８年のペンス演説はその好例であろう。その衝突がいよいよデジタルの世界でも生じるということである。

中国が資本移動を自由化するためには、政治体制の変更を伴う可能性が高い。平時における体制変更は容易でない。また体制変更が資本解放に直結するわけでもない。資本解放のためには、前述のとおり、世界銀行が求めたような市場経済化を達成し、中国が潜在成長率（資本、労働力、生産性という3つの生産要素を最大限に活用できた場合のＧＤＰ成長率）を高めることが必要となろうが、米中冷戦を継続しながらそれを実現することはなかなか困難な道であろう。一時期にせよ、大規模な資本逃避は避けられなさそうだ。

どちらの大国もデジタル覇権を目指して本気で争うわけであるから、その帰結は読みづらい。ただ、副次的効果として、デジタル化が加速の一途を辿る可能性は高そうだ。競争激化により、デジタル経済は大きく成長しよう。中国もアメリカも自らが発行するデジタル法定通貨の普及を進めるべく、関係の強い国に対し、硬軟さまざまな圧力を通じて働きかけを強め、陣取り合戦が行われる。その結果、中央集権資産が一番成長すると見込まれる。ただ、そういった圧力を好まない層も一定程度存在すると見られることから、非中央集権資産も一定程度恩恵を受けるだろう。

3. シナリオ2：中国デジタル覇権確立（中国積極、アメリカ消極・傍観）主観的確率：21%

シナリオ1と同様、中国が資本解放を行なったということであり、金融での競争上において弱点が克服されたというシナリオである。この場合でも、政治体制の転換が生じていると見られるため、シナリオ1と同様、大規模な資本逃避が生じていよう。中国の金融改革が成功し、アメリカの反撃も少ないので、中国がデジタル基軸通貨を握る可能性が高いシナリオである。

一時的な資本逃避を乗り越えることができれば、これまでアメリカに集中していた資本が、中国に向かうことになる。デジタル覇権を確立した中国はますます自信を強めていく。成長分野で覇権を確立したことの影響は大きく、他の分野でもアメリカを凌ぐケースが増えていく。

16世紀の大航海時代はポルトガルが、17世紀はオランダが、18世紀の産業革命でイギリスが、それぞれの時代の覇権を握ることになった。第二次世界大戦でイギリスからアメリカに覇権が移ってから、すでに1世紀を経た。22世紀に向けては中国が覇権を握る。築き上げた「米国債本位制」も崩壊する。この過程でアメリカは、既存の戦略資産の負債化を警戒するあまり、姿勢を積極化させなかったことを深く後悔することになるだろう。

裏付け資産なしのオープン型デジタル人民元が発行され、世界中で広範に使用される。「中国のウォレット全面解放」という西側諸国にとっての脅威シナリオが実現することになる。デジタル資産の規模が「ウォレット（人口）×取引数」に連動すると見ると、巨大な人口を抱える中国の潜在力は大きいと考えるのが自然であろう。体制変更により、その大きい潜在力をフルに発揮することになる。中国に富が集中し、エネルギー調達も可能になる中で、中国による監視社会化が実現しよう。一帯一路への風当たりも強かったが、一帯一路経済圏も完成し、「中国の夢」も成就する。

裏を返せばアメリカは影響力も監視力も失ってしまうことになる。中国の膨張を止めるものはいなくなる。凋落からの立て直しは困難を極めそうであるが、それでも第二次世界大戦後のイギリスのように、世界に対して隠然とした影響力を残す道を選ぼうとするのかもしれない。

ただ、この場合においても、中国による覇権を嫌気する向きは一定程度存在しよう。現状からの変化が大きいという意味では、変化を嫌う向きはシナリオ1よりも多いと考えるのが妥当であろう。そういった層に対して魅力的な受け皿になるのが、非中央集権資産であろう。

以下のシナリオ3、4、5はある程度まで消極的な姿勢を維持する中国が、どこかで積極的になるオプションがあると想定しておく必要がある。

4．シナリオ3：米覇権維持（中国消極、アメリカ積極）　主観的確率：21%

デジタル覇権をアメリカが総取りするシナリオではあるが、冷静に見ると「ドル覇権」の現状とほぼ変わらない。中国がデジタル人民元普及の状況を整えられない間にデジタルドルを発行することで、デジタル人民元を凌駕することを狙う。中国を嫌う国、あるいは同盟国に対して、これまでのドルと同様に、デジタルドルの使用を押し付けることもできるだろう。現状からの変化幅が小さいという観点では、同盟国にとっては受け入れやすい選択肢であろう。中国が強い姿勢で対抗策を打ち出さないのであれば、現状からの移行はそれほど難しくなさそうだ。

中国にとっては、せっかくアメリカの背中が見え、もう少しで覇権取りが見えたところだったかもしれないが、これで決定的にアメリカに突き放されてしまうことになる。消極的であったデジタル覇権にすらアメリカが積極的であるのであれば、他の分野でもアメリカの攻勢は当然強いものであるだろう。

中国の劣勢は鮮明になっていき、「中国の夢」は潰えてしまうことになる。ロシア、日本に続く形で、中国もアメリカの前に屈してしまうことになる。覇権取りという野心を捨てざるを得なくなった中国は、これまでの無理もたたってしまい、さまざまな問題点が噴出するだろう。「中所得国の罠」を体現することになってしまう。

アメリカにとっては既存のドルを失う可能性はあるが、デジタルドルの発行自体はそれほど障害がないはずである。「アメリカ総取り」であれば、戦略資産の不採算化も抑制できるだろう。

5. シナリオ4：米中デジタル冷戦（中国消極、アメリカ消極）　主観的確率：42％

米中がともにデジタル覇権取りに対して消極的な姿勢を維持するというケースである。各プレイヤーが戦略的行動をとらないことから、現状のイメージから大きく変わるものではない。アメリカが通貨覇権を握っているという状況は現状と大きく変わらず、つまり大きな変化の必要がない一方、中国が通貨覇権を握るためには政治体制の大幅な変更、資本の自由化が必要で積極策を採り難いため、当シナリオにおけてアメリカが覇権を握っている度合いは90％、同様に中国は8％程度とイメージしている。今でも経済面や貿易面で中国とアメリカのにらみ合いや罵り合いが続いているが、それがデジタルの世界でも続くというイメージである。

ただ、現状を反映して、デジタル空間でもアメリカの相対的な強さは維持される公算が大きい。これは中国にとっては極めて不愉快な展開とも言えるだろう。中国は、第二位の大国という地位を受け入れるか、それとも第一位を目指すかという選択を迫られる。

もっとも現状の中国の体制を変更することが不可能なのであれば、これ以上、中国が進むことは難しい。そしてデジタルの世界で覇権取りを諦める中国が、真にアメリカを上回ろうとしているとも考えづらいだろう。現状の体制を前提とするのであれば、第二次世界大戦後の覇権の構図では、中国は第二位の大国というポジションが精一杯ということなのかもしれない。

一帯一路経済圏の盟主という、今のユーロ圏におけるドイツのようなポジションを目指すのも一案だろう。結果的に中国が抑え込まれることになり、アメリカの覇権は今しばらく持続することになる。

デジタル化が自然体で進む中で国家の力は失われようが、第三極の明確な台頭に至らなければ、その低下度合いも限られることになろう。

6．シナリオ5：第三極覇権（中国消極、アメリカ傍観）　主観的確率：7％

何らかの理由で米中によるデジタル法定通貨の発行が進まない中、新型コロナウイルス対策の全世界的なヘリコプターマネーにより法定通貨の凋落が運命づけられ、非中央集権的なデジタル資産が主軸になるというシナリオである。法定通貨が完全になくなるわけではない。米中はその維持に注力しようが、価値が下落していく中では、それも限りがあろう。初期のビットコイン信奉者は、法定通貨の膨張に危機感を募らせ、ビットコインをデジタルゴールドと位置づけることで、インフレのない貨幣世界の建設を夢見てきた。まさに彼らが想定した未来の到来である。しかし、その想定された世界よりも、実際には、さらにデジタル化が加速し、非中央集権のサービスや資産も拡大しよう。インフレが進行し、ビットコインや美術品などの希少な資産の価格も上昇するだろう。デジタル化と法定通貨の相対的な地位低下によって、国家の衰退も顕著となろう。

特定の国が覇権を担うというこれまでの枠組みが大きく変わり、どの国も覇権を担えない状況

【図表6-6】5つのシナリオで未来はどうなるのか？

	シナリオ 1 米中デジタル激突 9%	2 中国デジタル覇権確立 21%	3 米覇権維持 21%	4 米中デジタル冷戦 42%	5 第三局覇権 7%	起点
中国覇権（%）	45	60	8	8	5	8
米国覇権（%）	45	25	90	90	45	90
第三極覇権（%）	10	15	2	2	50	2
実体経済	70	90	90	100	90	100
デジタル経済	40	20	20	10	20	10
金融市場	500	850	850	1,000	900	1,000
デジタル金融市場	600	250	250	100	200	100
法定通貨	5	25	25	50	25	50
デジタル通貨	50	30	30	5	30	5
うち中央集権	48	24	29	4	0	4
うち非中央集権	2	6	1	1	30	1

※各シナリオ直下の数値：「（例）米中デジタル冷戦42%」は米中の選択肢マトリクスから導き出された発生確率。
※中国覇権、アメリカ覇権、第三極覇権：各シナリオで覇権を握っている主体の想定確率。
※実体経済、デジタル経済：「米中デジタル冷戦」における実体経済100、デジタル経済10を起点として相対的に比較した各シナリオにおける規模感を表示。
※法定通貨：「米中デジタル冷戦」における法定通貨50、デジタル通貨5（うち中央集権4、同非中央集権1）を起点として相対的に比較した各シナリオにおける規模感を表示。

となる。プレイヤーである二大大国の行動が変わるわけではないが、第三極が覇権を握ることになるのであれば、二大大国ともに現状比では後退を余儀なくされる。そして、現状で覇権を握っている分だけ、アメリカの方が失うものは大きいだろう。

ここでは非中央集権資産が第三極として覇権を握る形を想定したが、第三国が資本を取り込みやすい体制を整備することによって、覇権取りの一角に躍り出るという可能性も、このシナリオのサブシナリオとして考えられるだろう。

もっとも、国家の力が急激に減衰していく状況に我慢できず、どこかで米中が関与を変えることによってシナリオが変化する可能性があるという点は、常に考慮しておく必要があろう。それは非中央集権資産にとっては大きなリスク要因となり得る。

第7章

デジタル通貨時代の「日本再興戦略」

（白井一成）

【1】〝デジタル通貨〟時代の日本の戦略を考える

1．ドルストックとキャッシュフロー

日本の戦略を考えるために、まずはキャッシュフロー分析から日本の生存可能年数を算出してみよう。現在の日本は世界2位の1・4兆ドルの外貨準備と世界1位の3・4兆ドルの対外純資産を抱え、２００９年から18年の年平均のドルキャッシュフローは７４０億ドルである。食糧とエネルギーの調達には年平均２０００億ドル必要であり、キャッシュインフローがなくなったと仮定しても、20年生存できるという計算だ。

現在は、ドルストックを豊富に抱え、ドルを毎年稼いでいるからドル円の為替相場は安定し、いつでもドルを調達できるわけであるが、第3章でも述べたとおり、外貨準備の中のドルの構成比は95％と高いと推定される一方で、金(ゴールド)の構成比は3％とかなり低い。仮に金(ゴールド)が高騰した場合、ヨーロッパ諸国（ドルの構成比は27％程度と推定されるのに対して、金(ゴールド)の構成比は52％と推定される）に逆転される可能性がある。これは一例であるが、資産価値は相対的であるため、常にポートフォリオ的な発想が必要である。

また、対内投資は他国に比べ圧倒的に低い。過去の巨額の貿易黒字にあぐらをかき、日本の中に魅力的な投資先を作ってこなかったということであるが、今後は貿易が縮小する中で、投資受入れは死活問題である。しかし、見方によっては投資受入れ余地があると前向きに考えることもできる。投資環境を整備し、海外からの投資を喚起すれば、膨大な外貨を獲得できる可能性がある。

戦略物資である食糧とエネルギーの調達状況は悲惨である。食糧自給率は生産額ベースで66％、カロリーベースで37％（２０１８年度）であり、エネルギー自給率は９・６％（２０１７年）であるが、東日本大震災における原発問題がエネルギー自給率向上の大きな足かせとなっている。これらはともに海外調達とドル頼りであるが、アメリカによるシーレーンの安全によって成立している。日本にとってのアメリカとの経済的、軍事的同盟の必要性は自明の理である。

一方、アジアでの権益確保や軍事的な存在感という議論を横に置けば、アメリカは今や世界最大の産油国であり食物輸出国であるため、自国に閉じこもろうという性格が頭をもたげてきても不思議でない。実際に、オバマ政権時代にはこのような議論が多く散見されたし、アメリカの政策や行動にも現れていた。結果的には、それを好機と捉えた中国の拡大を許してしまうことになり、その反省としてトランプ政権では中国の封じ込めに舵を切っている。人権と法の支配の浸透のために世界に積極介入するアメリカが戻ってきたと手放しで喜び、日本の安全が守られると安心するのは早計だ。アメリカは、ヨーロッパや中東への関与を引き下げており、基本的にはオバマ政権の「アメリカは世界の警察ではない」発言の延長線上にある。歴史的にアメリカには、「世

【図表7-1】日本の資金フロー概念図（2009年~2018年）

ドルの貯まる構造が継続、必要なドルのストックも十分であり、
日本の資金循環は正常に稼働。経常黒字がいつまで続くかが焦点。

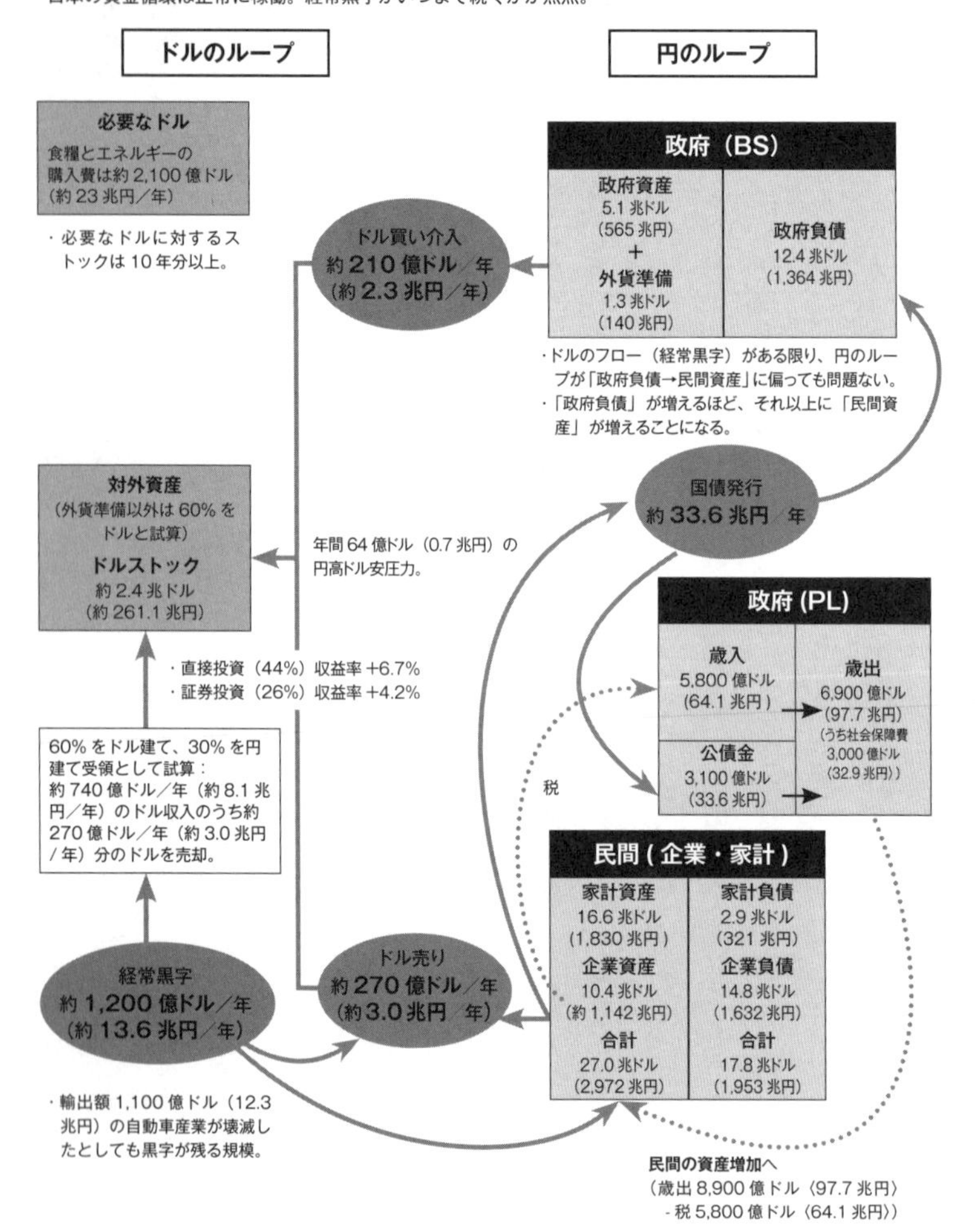

界への積極介入」と「孤立主義」とを揺れ動く振り子のような循環が存在するが、今後においてアメリカは孤立主義へ傾斜を強めていると認識しておくべきだ。アメリカの中国との対峙は、米国の利益の追求という文脈であり、たまたま中国と向き合う日本の安全も維持されているが、いつどうなるかわからないと理解しておく必要がある。

日本の稼ぎ頭は、年間輸出額12・3兆円の自動車産業である。自動車には高い安全性も求められるため、PCや半導体のように日本企業が築いてきた競争力が一夜で失われる可能性は低い。この日本にとって競争力の象徴である自動車産業が、折しも歴史的な転換点を迎えている。車は所有からモビリティサービス利用に移り始めた。ITの進展、スマートフォンの普及により、資産の貸し手と借り手のマッチングが容易になったが、シェアエコノミー化は自動車の販売台数を減少させよう。また、車はガソリンの内燃機関が競争優位の源泉で、新興国メーカーの技術力は日本を始め先進国メーカーには遠く及ばなかった。しかし、環境問題からEVがエンジンにとって変わろうとしている。日本メーカーは、当面はハイブリッド技術で凌いだとしても、世界のメーカーと同じ土俵で勝負することとなるわけだ。

しかし実はこのEV化は、自動運転技術と組み合わさり、車業界のアンバンドリング（分解）を引き起こす大きな津波となる。またシェアエコノミーで販売数が減少する世の中では、多くの生産設備とそれに対応する負債を抱えた既存自動車会社にダメージを与え、新規投資の足かせとなるだろう。エンジンを必要としなくなった車は、パーツをかき集めれば組み立て可能とな

【図表7-2】経常収支（2005年〜2020年第1四半期）

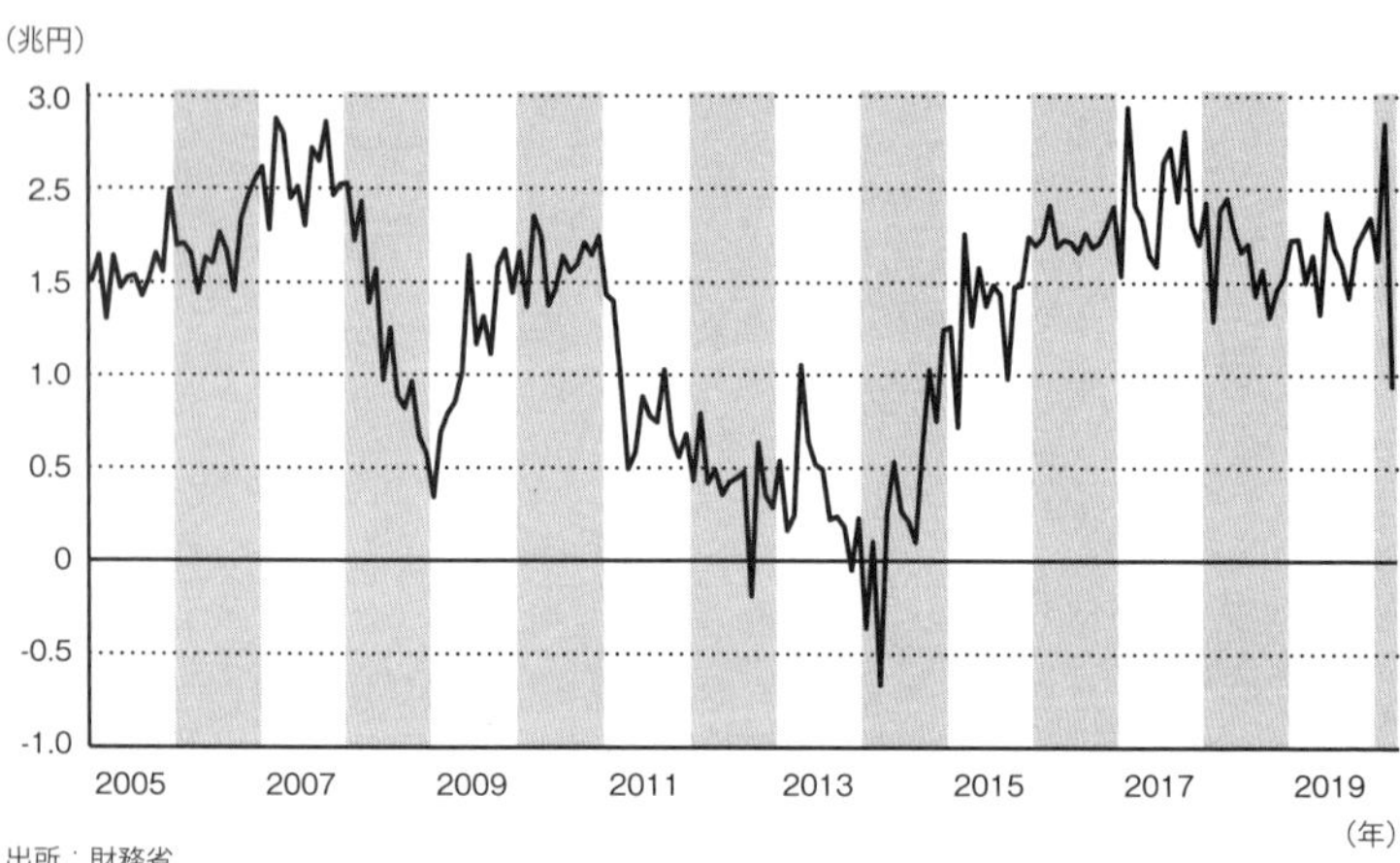

出所：財務省

り、長期的にはパーツ制作と組み立て作業という形の業界バリューチェーン再編が起こるが、これらはすべて低付加価値産業となるはずだ。iPhoneのバリューチェーンもアップルに利益が集中しており、筐体の組み立ては利益率が低い。高付加価値分野である自動運転技術は、財務内容な健全な会社が多く、新たな分野への投資余力が高いデジタル企業が提供することとなるだろう。しかし、それは残念ながらアメリカ企業である公算が大きい。グーグルを例に取り上げてみても、時価総額で見た企業規模でもバランスシートでも、トヨタに勝ち目はない。ましてや、日本のデジタル企業でアメリカに対抗できる会社は一つもない。また、2020年6月10日、イーロン・マスクが一代で創業したテスラの時価総額がトヨタを抜き去った。車メーカーとしてのテスラは

4モデルしか展開していない。生産台数は前年比50％増と大きく成長しているが、2019年の生産台数は36・7万台と、トヨタの1000万台に比べて大きく劣後している。これが意味していることは自明だろう。電気自動車メーカーのテスラは、自動運転技術でのトップランナーである。将来のMaaS（モビリティ・アズ・ア・サービス）による大きなキャッシュフローが期待されているのだろう。世の中は、日本の常識や食い扶持を置き去りにして、すでに遥か彼方にいるのだ。自動車産業、ひいては日本モデルのコペルニクス的転回が必要である。

また、世界的なコロナウイルスの大流行により、日本の自動車産業は、一時的にせよ、世界に点在する工場の操業停止を余儀なくされた。また世界的な需要が大幅減退したことにより、業績の大幅な悪化が見込まれ、業界再編も必至であろう。日本のキャッシュフローモデルにも影響が及ぶ。将来の日本のドルキャッシュフローにどのくらい影響が生じるかを注視する必要がある。新型コロナウイルスが自動車業界のみならず日本全体の死期を早めた可能性がある。

コロナショックでヘリコプターマネーの是非が再度議論されている。現状では国債発行の大部分を国内で引き受けるという状況が続いている。政府債務の増加と、（間接的とは言え）中央銀行の国債保有が増加している点からは、日本もすでにヘリコプターマネーの渦中にあると言えなくもない。ただ、国債は国内を中心に円で消化されているから、日本全体で見れば必ずしも借金というわけではない。景気を刺激するには、マネーストックを増やす必要があるが、マネーストックはさほど増えていない。そのためヘリコプターマネーへの抵抗感は強くないだろうし、そも

【図表7-3】ドルストック（2005年～2019年、四半期）

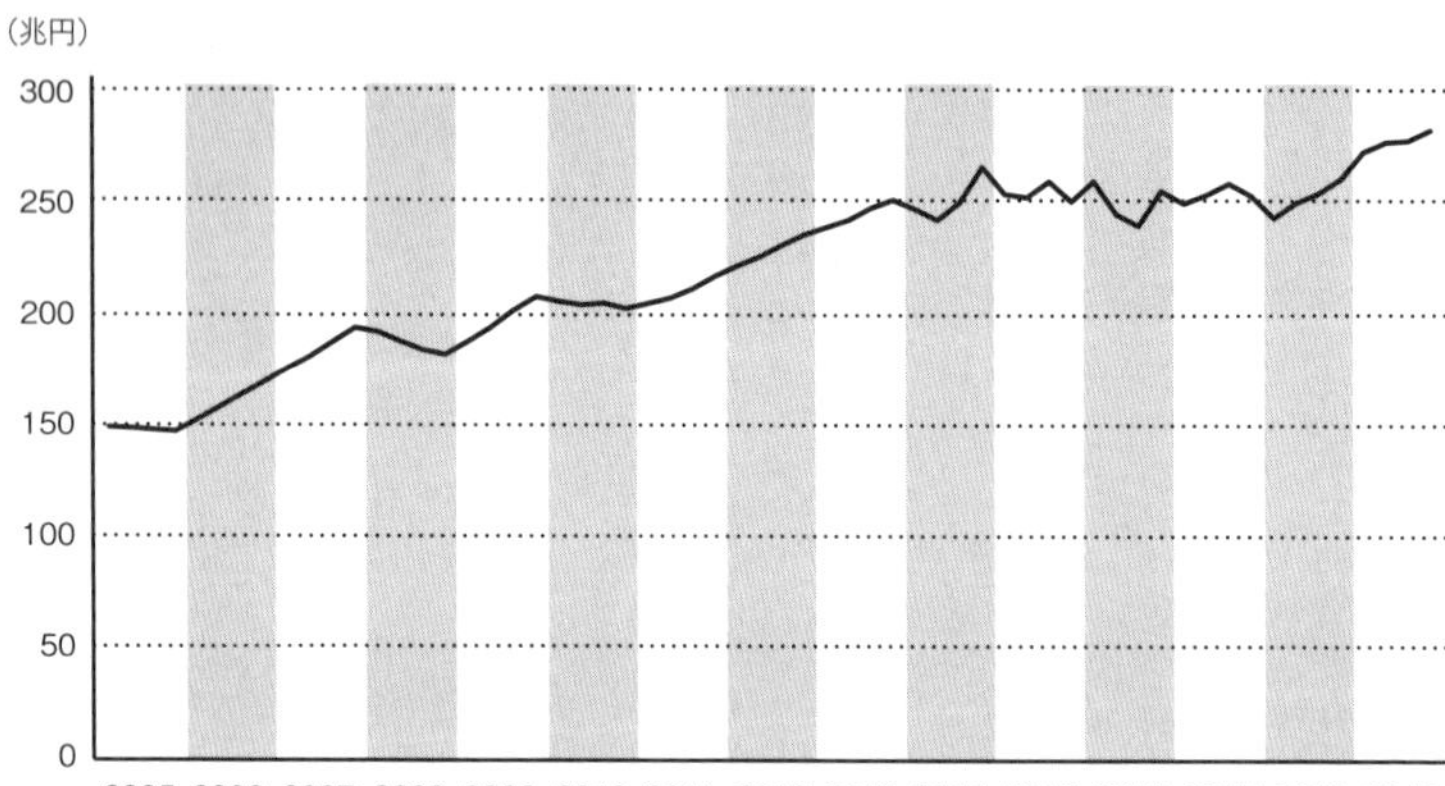

出所：日本銀行公表データより試算

そも世界の先進国がヘリコプターマネーを実施する状況下であればやらざるを得ないという側面もあるだろう。

中国は、交通インフラ投資と同時に、デジタルインフラにも大規模な政府支出を行っている。２０２０年３月４日の中国共産党中央政治局常務委員会でも、５Ｇネットワーク普及、データセンターなど新型インフラ建設を加速することが強調された。今後においても、デジタル投資を積極化させ、新型コロナウイルスで落ち込んだ景気を下支えしていくだろう。将来を展望したときに、デジタルインフラのほうが明らかに戦略的で、投資効果も高い。公共工事であれば鉄鉱石など外貨の支払いを伴う調達が必要となるが、デジタルは外貨支払いをあまり必要としない（５Ｇ基地局などの実物投資は外貨を使用するが、ＡＩやブロックチェーンなどのソフトウェア投資は人への投資が中心である）ので、この点でも理にかなっている。日本も余裕がある間に大胆なデジタルインフラ投資を検討すべきである。

日本は、外貨で借入をし始めると危ないだろう。

将来は、ドルの稼ぎが先細り、外貨準備も減少していくだろうから、円がドルに対して安くなり、ドルの調達も厳しくなる。戦略物資を調達するためドルの支払いは必要であり、ドル建て借入が拡大し、対外債権国から対外債務国に転じていく。外貨返済を対外資産の売却を通じて行わなければならなくなる。ここまで来ると、アジア通貨危機当時の関連国とほぼ変わらない。今までの新興国の金融危機を例に持ち出すまでもなく、日本も債権取崩国になれば同じ運命を辿るかもしれない。

対外資産の蓄積による経常収支構造の変化は、「国際収支構造の発展段階説」として知られている。すべての国がこの発展段階どおりに推移するとは限らないが、一国の国際収支は、国の経済発展段階に応じて、未成熟の債務国、成熟した債務国、債務返済国、未成熟の債権国、成熟した債権国、債券取崩国のように変化するとした考え方である。

このところ海外投資家による日本国債の保有比率が漸増傾向にあるのは、一つの兆候のようにも感じられる。日本の大きな問題点は、ドルでの、すなわち基軸通貨での稼ぎが先細っていると いう点であることは再度強調しておきたい。

【図表7-4】中央銀行のドル流動性スワップ（2020年3月19日～4月30日）

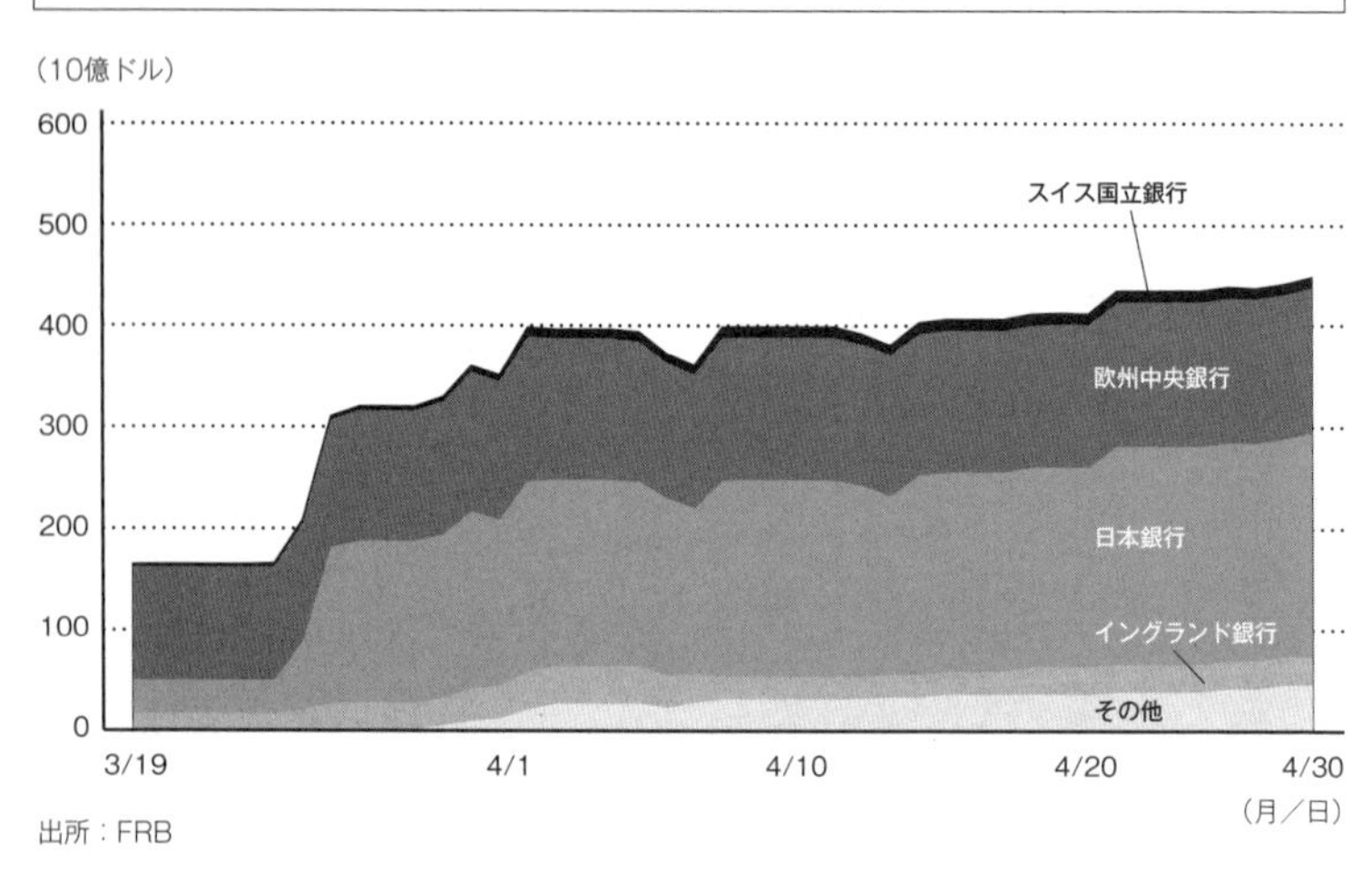

2．先進国クラブにしがみつけ

しかし、日本が中期的に崩壊する可能性は高くないだろう。繰り返しになるが、日本は圧倒的な外貨準備を持っており、２０１９年末の日本の対外純資産は３６５兆円と世界1位である（中国は香港を合算すると1位となる）。

また、ドル、ポンド、ユーロのスワップが無制限という点も大きな強みである。ＦＲＢを中心とした通貨スワップ協定により、日本は「先進国クラブ」に属しているのである。これは一部先進国に限られたものであり、その他の国とは圧倒的に格が違う。

２０２０年３月の新型コロナウイルスによる金融市場の動揺に対し、ＦＲＢは巨額のドル供給で沈静化させたが、ドルは世界の基軸通貨であり、揺るぎない覇権を握っていることを再認識させた。日本は国内のドル需要を満たすため、日銀は総額2233億ドル（2020年3月18日から5月末）をFRBから調達した。これはECBの1446億ドルを大きく上回る。日本のドルの需要が多いということは注意が必要ではあるが、この巨額の調達力は日本の大きな強みである。通貨スワップ締結国にとって、無制限のドル供給を受けられるという安心感は非常に大きい。

この無制限ドル・スワップ協定は、リーマン・ショック時に創設された。2007年12月12日、欧州のドル流動性不足に対応するため、FRBはECB、スイス中央銀行との通貨スワップ協定締結を発表した。リーマン・ブラザーズ破綻から3日後の2008年9月18日には、日銀、イングランド銀行、カナダ中央銀行も加わり、FRBと5中銀とのスワップラインに再編成された。FRBと5中銀との間のスワップラインは2010年5月に再締結された。欧州債務危機を経て、ドル以外の通貨も相互に融通しあう多角的なスワップラインへ強化され、2013年10月31日に恒久化された。引出可能期限、引出限度額はともに設定されていない。FRBと9中銀（オーストラリア、デンマーク、ノルウェー、スウェーデン、ニュージーランド、ブラジル、韓国、メキシコ、シンガポール）が新たに締結した取り決めでは、「少なくとも6カ月間」という期間および貸出上限が設定されている（デンマーク、ノルウェー、ニュージーランドが300億ドルまで、それ以外の6中銀は600億ドルまで）。

FRBは、日銀、ECB、イングランド銀行、スイス中央銀行、カナダ中央銀行の5中銀と「無制限」で「無期限」の通貨スワップ協定を締結している。また、オーストラリア、デンマーク、

（単位：10億ドル）

2012	2013	2014	2015	2016	2017	2018	2019
8,136	8,821	9,376	9,915	10,460	11,160	11,467	12,075
2,492	2,804	2,970	3,223	3,319	3,560	3,633	3,790
393	404	441	538	644	750	844	952
28	32	38	41	84	109	134	156
21	24	23	27	31	37	43	48
1,079	1,241	1,331	1,304	1,271	1,375	1,381	1,404
496	603	651	546	500	528	493	499
54	54	51	45	51	61	59	56
81	82	80	106	102	103	103	118
93	109	124	146	145	162	176	177
108	117	126	117	115	116	124	127
29	33	31	35	38	39	41	38
338	424	411	525	500	475	415	410
103	137	108	245	226	200	149	148
115	144	182	185	180	194	180	181
683	735	787	855	904	960	993	1,024
43	40	40	43	78	114	124	118
196	202	209	204	190	182	177	179
76	71	80	87	87	96	103	112
160	186	211	229	245	255	272	296

ノルウェー、スウェーデン、ニュージーランド、ブラジル、韓国、メキシコ、シンガポールの9中銀とは「一定金額以内」で「6カ月以上」のスワップラインを取り決めている。日本を含めた主要先進国間の取り決めは、他と格が大きく異なることが理解できよう。

他方、通貨スワップの枠組みに入っていない国は、ドルの流動性が枯渇する局面では厳しい状況に置かれることが必至である。アメリカもすべての国を救うことはできず、一種の「トリアージ」と見ることもできるだろう。上記の残高も、アメリカの同盟国向けが大半を占める。

ＢＩＳによると、アメリカ外にお

【図表7-5】アメリカ外のドル債務残高

	2008	2009	2010	2011
アメリカ外	5,784	6,111	6,983	7,593
うちエマージング	1,548	1,588	2,019	2,271
アフリカ、中東	325	355	382	396
サウジアラビア	26	27	28	29
南アフリカ	8	10	13	18
エマージングアジア・太平洋	438	476	797	921
中国	28	30	316	386
台湾	33	29	42	49
インド	47	51	62	68
インドネシア	21	30	52	70
韓国	100	105	110	120
マレーシア	25	27	29	30
エマージングヨーロッパ	318	280	291	315
ロシア	109	94	90	98
トルコ	95	94	100	105
ラテンアメリカ	468	477	549	640
アルゼンチン	45	39	45	49
ブラジル	122	125	151	188
チリ	45	48	56	67
メキシコ	121	122	133	148

出所：国際決済銀行

けるドル債務は2019年末時点で12・1兆ドルであり、2009年の6・1兆ドルからはほぼ倍増となった。そのうち3・9兆ドルが新興国のドル債務である。1000億ドルを上回るドル債務を抱える国は、中国（億ドル）、メキシコ（2960億ドル）、インドネシア（1790億ドル）、トルコ（1780億ドル）、ブラジル（1750億ドル）、サウジアラビア（1650億ドル）、ロシア（1450億ドル）、韓国（1290億ドル）、インド（1270億ドル）、アルゼンチン（1140億ドル）、チリ（1130億ドル）であるが、このうち韓国、ブラジル、メキシコはアメリカのスワップラインを受けており、当面の安心感は強いだろう。ちなみに、2020年は5月末までに3件の国債のデフォルトが発生した。5月22日、アルゼンチンは約5億ドルの国債利払いに応じず、2014年以来9度目となるデフォルトが確定した。

なお、FRBには、海外中銀によるスワップラインの引出要請に対して承認あるいは拒否の権限がある。金融面における生殺与奪の権利は、相当部分がアメリカに委ねられていると言えそうだ。

フィナンシャルタイムズのジリアン・テッドによると、経済学者のシュテッフェン・ムーラウ、ジョー・リニ、アーミン・ハイネスは、2008年のリーマン・ショック時のドル・スワップ協定に対して「FRBは、他国の中央銀行を実質的に支店と化し、国外までドルの供給網を拡大したのだ」と述べたという。確かに、債権国である日本が、債務国であるアメリカに対して債務国通貨のドルで貸し付けをする一方（本来は債権国通貨であるべきだ）、日本がドル不足の時には、債務国のアメリカに頭を下げてドルの借入をせざる得ない状況である。しかも日銀がFRBの支店呼ばわりされたというのは日本人として複雑な心境である。しかし、冷静に何が経済を安定させるかを考えてみれば、無制限スワップ協定ほど強力なものはないはずだ。だからこそ、日本は何としてもこの「先進国クラブ」にできる限りしがみつくべきであり、それによって延命された時間のなかで新たな稼ぎや生き残りのモデルを確立する必要がある。

企業が、従業員の生活を守るために倒産などの債務問題を防ごうと思えば、当然ながらキャッシュフローは可能な限り高めないといけないが、それと同時にバランスシートの健全化も重要である。短期借入よりも長期借入を優先しつつも負債比率を低く抑え、できるだけ自己資本を厚くする。他方、まさかの時の借入返済のために、流動資産を多めに持つ。このような考え方は国家においても当てはまる。日本は世界に比べると対内投資が異常に少なく、また将来的に債権取崩国になることを見据えて、対内投資で資本を集める必要があるが、企業の資本や長期負債に相当する対内直接投資をできる限り高めるべきである。当然、キャッシュフローの創造も怠ってはいけない。入ってきた資本を効率的に運用し、効率の良い投資や貿易黒字を積み上げる必要がある。それを怠ってドルを無駄使いしてしまえば、通貨危機時の新興国と同じに運命になってしまう。何らかのきっかけで急速に資本が抜けてしまい、自国通貨が暴落して最貧国に転落する。

アフターコロナは、どのような世界になるのだろうか。新興国のダメージは相当なものになるだろうし、経済の復興には相当な時間がかかるだろう。しかも、今後は、第4次産業革命的技術により、先進国中心の経済発展になるかもしれない。マーシャルプランから始まった発展途上国に莫大な資金を投資して、先進国が消費することによって、発展途上国が豊かになるという「グローバリゼーション型経済」モデルからの脱却である。先進国優位が続くという可能性は、日本の寿命を相対的に伸ばす方向に影響するであろう。

しかし、日本がその波に乗れず、急速に衰退すれば、先進国クラブから追い出されるかもしれない。そのためには、やはり必死になってしがみつく（ドルを稼ぐ、調達する）必要がある。コロナ前と後では日本の経済モデルが大きく変わり、ドルが急速に減る可能性を秘めている。時間

（単位：100万ドル）

負債				対外純資産	ポートフォリオ投資＋その他投資＋外貨準備
直接投資	ポートフォリオ投資	金融デリバティブ	その他投資		
2,827,064	1,096,371	5,958	1,329,398	2,146,096	2,990,634
277,101	3,169,443	277,211	2,380,090	3,081,336	1,705,940
1,795,293	1,063,079	101,727	1,232,865	889,448	747,285
231,603	94,674		89,631	631,786	758,326
497,366	206,909	4,933	259,913	374,010	434,040
8,483,342	18,715,836	1,454,597	6,142,435	▲9,554,711	▲8,612,983
2,185,433	538,501	73,439	1,351,256	1,282,531	1,409,345
237,238	666,590	27,818	178,522	436,043	275,588
386,172	245,894		407,685	▲433,740	▲214,162
737,894	494,809	250	236,863	▲594,293	▲236,128
1,536,089	232,538	96,107	1,233,046	769,852	1,283,527
238,620	153,126	2,808	99,488	▲11,326	91,547
1,806,004	2,631,366	509,143	2,578,012	2,394,606	1,784,031
573,458	483,567	0	109,200	▲591,344	▲238,023
2,433,479	4,203,149	2,565,383	5,202,406	▲349,193	▲270,871
1,235,078	3,544,321	784,751	2,740,014	▲440,800	▲1,040,637
554,015	1,312,630	122,042	1,207,857	▲100,444	▲189,686
190,002	64,955	6,492	97,433	-58,679	64,713
234,147	266,987	122	162,696	▲317,256	▲164,481
268,768	167,123	3,371	145,598	▲313,670	▲111,706

【図表7-6】主要国の外貨準備高と対外純資産(2018年)

	資産				
	直接投資	ポートフォリオ投資	金融デリバティブ	その他投資	外貨準備
中国	1,982,292	497,957	6,191	1,750,453	3,167,992
日本	1,639,482	4,067,890	290,226	1,922,293	1,265,290
スイス	1,935,478	1,312,129	103,704	942,518	788,582
サウジアラビア	105,063	219,554		226,488	496,589
ロシア	435,862	68,551	6,407	363,833	468,478
アメリカ	7,503,926	11,491,444	1,492,285	4,304,774	449,070
香港	2,051,477	1,592,825	80,581	1,281,859	424,418
韓国	405,219	464,979	20,292	252,146	403,575
インド	166,594	2,666		40,635	396,116
ブラジル	377,584	40,889	2,395	79,941	374,715
シンガポール	1,025,765	1,251,217	92,757	1,210,602	287,292
タイ	135,920	51,569	2,634	86,951	205,641
ドイツ	2,438,074	3,340,145	487,647	3,455,034	198,230
メキシコ	215,759	53,715	4,378	124,656	176,373
イギリス	2,291,219	3,093,944	2,629,321	5,868,918	171,823
フランス	1,917,982	2,723,051	701,684	2,354,019	166,628
イタリア	678,395	1,547,800	86,904	630,492	152,510
チェコ	66,780	31,969	6,321	52,619	142,512
インドネシア	81,192	22,094	302	122,454	120,654
ポーランド	65,855	35,049	4,320	49,000	116,966

出所：IMF

はあまり残されていない。

3. 日本再興戦略

それでは、日本に必要な「日本再興戦略」はどのようなものであるべきだろうか？

デジタル化進行にともなうデジタル通貨覇権の行方に関するシナリオは前掲のとおりである。各シナリオの状況をみながら、すべてのシナリオに対応するための安定的な戦略を選択するか、特定のシナリオの実現を想定し、その対応を重点的に行う尖った戦略を選択すべきか、という結論を出すのがシナリオプランニングだ。本書では大まかな戦略の方向性を検討してみたい。デジタル化が進んでも外貨を獲得できる体制を構築するということが最大の目的には変わりないが、対外投資は家計や企業を含めての数字であるため、我々国民の一人ひとりの行動や努力の集積が功を奏するのである。読者の皆様におかれても、本書を叩き台の一つとして、議論を深めていただけばと思う。

「中国積極化」という場合には、政治体制が変わっているか、規制が解放されているか、そのどちらか実現している可能性が高い。そうなると中国市場への浸透がチャンスにもなるが、政治体制が変わった場合、巨大な市場を持つ比較的民主主義的な国が出現するという可能性もあるため、この動向には注意が必要だ。日本の東アジアの民主主義国という地位が相対的に低下し、日本が埋没してしまう可能性がある。しかし、今まで見てきたように、中国がすぐに「積極化」することは考えにくく、その他のシナリオを経てから積極化するはずなので、アメリカや日本にとっては、多少の時間的余裕があると考えてよいだろう。

シナリオ1では、競争激化によって、デジタル経済もデジタル法定通貨も大きく成長する。それに連れてデジタル非中央集権資産も伸長しよう。デジタル覇権を目指す米中が本気で対立するわけであり、どのデジタル通貨が覇権を握るかを見極めることは難しく、分散が必要となる。新たなデジタルドルが作られれば、外貨準備の現在のドル偏重は危険と言わざるを得ない。大国のデジタル化が一気に加速するわけであるから、日本がデジタル化で他の国から劣後している場合には、日本からの資本逃避が加速しよう。

シナリオ2では、アメリカの影響力が明確に減退している可能性が高い。シナリオ1よりも現在のドル価値の低下が大きくなってしまい、ドル資産を多く抱える日本にとっては厳しいものとなる。シナリオ1の状況に加え、さらには日本のシーレーン防御に問題が生じることから、国家存亡の危機と言える状況に直面する。こうならないためにも、アメリカのデジタル化の後押しが必要である。不幸にもこのシナリオに向かっていく状況になれば、凋落するドルに代わるデジタル通貨へのシフトや、アメリカとの同盟再考などの検討が必要となろう。しかしそのタイミングの見極めは非常に難しく、かじ取り次第では国家破綻のリスクも孕むであろう。

一方、シナリオ3では、デジタル金融の元でもアメリカが覇権を握る世界となる。今の日本にとっては、やや安心感のある状況であろう。シーレーンは引き続き日本の生命線であるが、同盟国であるアメリカの存在から安全保障面の問題を気に掛ける必要性は低い。またドル価値の低下も大きなものとはならないだろう。新たなデジタルドルが作られれば、デジタルドルと現在のドルとの相場を注視しながら、外貨準備でもドルとデジタルドルの分散を進めていけばよいだろう。ただ稼ぎが先細る状況には変わりはなく、新たな稼ぎ先を見出す必要がある。

なお、シナリオ4、5については、他のシナリオへの移行前のものと考えるのが妥当であろう。そのため、他のシナリオへの移行トリガーの因子となるものを注視すべきである。たとえば「中国の国力回復」という観点では中国GDPなどといった中国経済そのものの動向が、「国家の力減退」を表すものとしては税収などに注目していくことが有効だろう。

日本は何かを捨てて、何かを選ぶという選択を行わなければならない。何もしないというのも選択である。選択することは、戦略そのものなのである。

今までの分析を通じて、2つの戦略オプションを想定してみた。

戦略オプション1は、引き続きアメリカが覇権を維持することに賭けるということである。戦略オプション2は、アメリカの状況を見つつ、中国覇権の世界を念頭に置くという、所謂コウモリ外交である。なお、すぐさま中国がアメリカを凌駕することは考えにくく、日本のアメリカ依存度の高さを考えると、アメリカを捨てて中国のみに賭けるという選択肢はないだろう。

戦略オプション1

シナリオ1、シナリオ3〜5の場合に日本がとりうる選択肢として考えた。

日本にとっての最適戦略は、中国が積極的になる前に、日本がアメリカの積極策を引き出し、ドルのデジタル化と普及に最大限貢献することだ。しかし、アメリカは現在のドルによる利益を享受しているので、アメリカにデジタル化のインセンティブがあるかどうか不明である。日本がアメリカの同意を得ず、デジタル化を進めれば有らぬ誤解を生むかもしれない。これは、シナリオ2の実現を減じる効果があるが、現状においては、中国が先行している事実を認識しないといけない。

戦略オプション2

米中の経済貿易戦争の動向や中国の成長次第では、シナリオ2の実現確率がさらに高くなる可能性がある。シナリオ2の実現を想定した行動は、現状で優位にあるアメリカの怒りを買い、今の日本の安定を捨てることと同義になる。中国は積極策に移るまでに時間の猶予が必要であるため、日本はアメリカのデジタル化を制止しつつ、中国のデジタル化を支援する行動を、アメリカに察知されない範囲で行わないといけない。中国によるシーレーン安定を支援し、戦略物資の調達を中国やロシアルートから秘密裏に整えておく必要がある。ただこれは、日本にとってリスクがかなり高い戦略オプションである。

どちらの戦略オプションを選ぶかにかかわらず、日本が衰退していると、日本の利用価値低下から米中の双方に軽んじられるはずである。その点からも、日本は、デジタル化を牽引し、可能な限り世界で主導権を取り、来るべきデジタル貨幣時代でも先進国の地位を確保しつつ、同時並行で新たな外貨の獲得方法を早急に見つける必要がある。それは「デジタル資本吸収戦略」を構築することである程度解決されるはずだ。このことを戦略のベースになる基本的な方向性として認識しておくべきであるというのが本章の結論である。

4．日本はグローバル金融センターとしての香港の機能を代替できるか？

これまでも何度か言及しているが、日本は、極端に対内投資が少ない。この理由は複合的であるが、日本の投資環境の特殊性や閉鎖性からくる部分が大きい。香港が「国家安全法」制定に揺れている現状もあり、日本では「グローバル金融センターとしての従来の香港の機能を日本が代替したい」という議論が浮上しているが、それが可能かどうか検証してみたい。金融センターは、一般的に「国内金融センター」と「クロスボーダー取引のハブ」の2つに大別される。「国内金融センター」は、自国産業の金融機能の集積地であり、「クロスボーダー取引のハブ」は、国際的な金融や物流の中心地ということだ。この戦略が目指すものは、日本経済の「国内金融センター」であった東京が、香港の「クロスボーダー取引のハブ」機能の獲得を目指すということだろう。香港は、中国という後背地における「国内金融センター」という大きな役割もあるが、これは日本が代替する対象にはならないだろう。一方、「クロスボーダー取引のハブ」には「導管性」と「透明な法体系」が求められるはずだ。

香港は「導管性」を備えた地域である。金融の世界に詳しい方々にとっては「パススルー（導管体）の国（及び地域）版」と言うほうが、理解しやすいかもしれない。金融技術としての「導管性」を論じるのは一般的であるが、国や地域の「導管性」を評するのは、筆者の知る限り本書が初めてであろう。

「導管性」とは、金融商品を保有する最終投資家が納税を行い、金融商品を組成するために存在する中間ビークル（特定目的会社等）には一切課税をしないということを指す（二重課税の回避）。導管性を備えた代表的な例としてＲＥＩＴ（不動産投資信託）が挙げられる。ＲＥＩＴは、原資産となる不動産が生み出すキャッシュフローを切り分けて金融商品を組成する仕組みである。その目的のために作られたビークルが原資産を取得して、そのビークルの負債と資本を分割したうえで、資本部分を細かく分割した金融商品にすることで、不動産投資を小口で投資したい投資家のニーズに応えるというものである。このビーグルに法人税が課せられると、組成された金融商品の利回りが低下してしまうため、金融商品としての魅力を失い、機能しなくなる。そのため、「導管」では一切の課税を行わない。

このように対象資産を再構成して、売り手と買い手のニーズをマッチさせる（原資産のリスクリターンを自由に切り分ける、小口化する、ポートフォリオによるリスク低減などの技術が介在する）という仕組みは、ここ数十年のグローバル金融の飛躍的発達を促し、現在の金融業界では広く一般的に使われている（5章で登場したCLOも、原資産のリターンが複数のトランシェに再構成されたものである）。道管に使われるビークルの多くは、その目的からタックスヘイブン（租税回避地）に設立されるが、資産や資金を安心して経由させることが重要なため、透明性があり、法の安定が約束されている国や地域のタックスヘイブンに、資産が集中する結果となっている。導管として機能するという実績が、さらに資金を呼び込むという面もあるのだろう。

タックスヘイブンは、一般には、①非居住者に対する無課税、または無に近い課税、②厳しい秘密保持条項と匿名性、③簡単・迅速・柔軟な法人設立規則、を満たす国とされる。課税の面からは、無税国、低税率国、国外源泉所得非課税国、租税特典国（持株会社などに対する）の4つに分けられる。グローバル金融市場にとって、健全なタックスヘイブンの存在は欠かせない。一方、タックスヘイブンにとって、莫大なグローバル資金の流入は地元経済を潤す存在である。タックスヘイブンについて明確な統計は存在しないが、1994年にIMFは国際的な金融の流れの約半分がタックスヘイブンを通過しているという調査報告を公表しており、ロナン・パランらによる「タックスヘイブン」は多国籍企業の海外投資の流れの約30％から3分の1ぐらいが一貫してタックスヘイブンに向かっていることを指摘している。オフショア資産については、ジェームズ・ヘンリーは21～32兆ドル（２０１０年）、ガブリエル・ズックマンは7・5兆ドル（２０１２年、２０１６年には推計値を8・7兆ドルに改訂された）、オックスファムは18・5兆ドル（２０１３年）と推計している。日本国内においての「導管」は、信託をはじめ、ＴＭＫ（特定目的会社）や投資事業協同組合などがあり、ここ数十年で法整備が進められ、日本の金融市場の発展に寄与してきた。ただし、国内の法人課税との緊張関係から、海外との資本取引には制約があり、日本における「導管」は国内向けという感が否めない。

タックスヘイブンという言葉には怪しいイメージが付きまといがちである。２０１６年のパナマ文書事件によって「タックスヘイブンは脱税の温床」というイメージが強化された。事実、過去にはあらゆる不正資金が入り込んできており、悪の巣窟という一面を持っていた。しかし、最近はマネーロンダリング防止や犯罪資金の排除が厳格になってきており（6章で登場したＦＡＴＦもその一つである）、ほとんどのタックスヘイブンが健全化されていると考えられる。

金融センターである香港もタックスヘイブンと見做されている。前述のタックスヘイブンの課税の面では、香港は「低税率国」と「国外源泉所得非課税国」に当てはまる。法人税が16・5％（英領ヴァージン諸島やケイマン諸島はゼロ％）と低い点も重要であるが、資本の流出入や海外収益に課税されないという点は「金融センター」にとって最も大事であろう。香港を経由した他国から投資を回収したり利益を戻しても、それらの取引には一切課税されない。香港自体が「導管性」を備えていると言え、「アジアのクロスボーダー取引のハブ」として使い勝手が良いということだ。

このため、多くのアジアの富裕層やグローバルカンパニーが資産管理会社や持株会社を香港に設置している。香港は、香港域外の利益には関心がなく（あるいはその部分を捨てることによって）、資金プラットフォームに集まる大量の資金が域内経済を刺激することを目指している。

香港の金融・保険業のGDP構成比は19・6%と高水準である（2019年、ちなみに日本は2018年で5・1%にとどまる）。香港からの資本流出入の総額（直接投資と証券投資の合算値、フロー）は2874億ドル（2018年）であり、世界で第6位という規模感である（日本は第4位）。そのうち中国との資本流出入が全体の3分の1程度を占めると見られることから、中国以外の国との資本流出入は2000億ドルほどに上ると考えられる。2000億ドルというのは世界8位ぐらいの規模感であり、導管として大いに機能していることが見てとれよう。

では、日本はどうだろうか。日本には「東京オフショア市場」が存在する。これは1986年12月に円の国際化を目指して開設された市場であり、2020年4月時点でのオフショア市場資産残高は91兆円（0・8兆ドル）に上る。東京オフショア市場は、特別国際金融取引勘定（オフショア勘定）を保有する国内金融機関が、非居住者を取引の相手方として国外から調達した資金を国外で運用する「外ー外取引」を原則とした市場であり、通常の国内資金取引とは会計が分けられており、税制、金融面で一定の優遇措置が取られている。ただ、あくまでも「外ー外取引」を原則とした市場である。若干の経済貢献はあるだろうが、前述の「資本を日本に吸収する」という目的では、日本のオフショア市場はまったく機能していない。

日本は輸出産業が大きく、「クロスボーダー取引のハブ」のために全体の制度を変える事は容易ではない。例としては、タックスヘイブン対策税制が挙げられる。これは、タックスヘイブンに設立された子会社の所得を親会社の所得として合算して課税する制度であり、タックスヘイブンを利用した課税逃れを防ぐという意味においては非常に機能している。しかし、当然ながら海外の富裕層や企業の資本を集積させるということは考えられていない。また、歴史的にも文化的にも、これらの「金持ち優遇」と言われる税制を導入することには世論の抵抗感が強いため、現状では「クロスボーダー取引のハブ」という金融立国への道は遠いと言わざるを得ない。本当に「クロスボーダー取引のハブ」を目指すのであれば、税率の問題も避けて通れないだろう。日本経済新聞によると、日本のヘッジファンドの運用残高と社数は、香港、シンガポール、オーストラリアに次いでアジア太平洋で4番目とされる。彼らが所在地を選定する理由として、法人税、所得税などの税制面が指摘されることが多い点を念頭に置くと、導管性に加えて、法人税率や所得税率の水準も金融センターの要件の一つであろう。

他方、「透明な法体系」の観点についてはどうだろうか。香港では厳格なルールに基づいて法の運用がなされており、その通りに行動すれば問題になることがない。税務の例では、ルールが非常に単純で明快である。もちろん意図的な脱税は重罪に処せられるが、税率が高くないため、脱税のインセンティブがそもそもあまりない。納税者の顧問会計士（すべての会社に監査が義務付けられている）が適切だと判断した申告を行えば、基本的には税務当局からの納税者への税務調査は行われない。そのため、納税者も税務当局も申告業務にかかる精神的、時間的な負担はほとんどない。

このような香港の状況に比べると、日本は相当劣後していると言わざるを得ない。例えば、税務申告では、納税者や税理士がルールに基づいて正しいと思った申告であっても、定期的なオンサイト税務調査を行ったうえで税務当局が判断する場合が少なくない。納税者と当局の見解の違いがあれば、税理士を介して議論を行うが、最終的には納税者が折れて修正申告せざるを得ないケースが散見される。納税者は、事前に当局の判断を十分に仰ぐことができず、税務調査毎に税務の判断が覆るかどうかに（悪意がなくとも）怯えることになる。また、納税者も税務署も税務調査対応に多大な時間を費やすことになることから、効率的でないという指摘がある。これらの曖昧さは極めて日本的である。西欧社会の常識からは理解ができず、恣意的な当局の介入とも映るだろう。

「透明性な法体系」でも香港は優れていた。２０２０年3月11日に公表されたアメリカ国務省の「２０１９年人権報告書」では、「恣意的逮捕または留置・拘留」に関する言及量は、香港の単語数は５３０であったのに対し、日本は９５９であった。前年に比べ、全般的に言及量が増えている。香港に関する記述は、前回までは非常に簡潔なのが特徴であった。しかし今回は、デモの影響もあり、説明がかなり増えたのが特徴的である。その点では不透明感の高まりを如実に表している。「恣意的逮捕または留置・拘留」に関する言及の冒頭は、「法律は、恣意的な逮捕および拘留を禁止し、法廷で逮捕または拘留の合法性に異議を申し立てる人の権利を規定しており、政府は一般にこれらの要件を遵守」とされた。それに続き、前年に「政府は一般にこれらの要件を遵守」と記述されていた部分が、今回は「抗議に関連して、恣意的な逮捕のいくつかの主張がなされた」という言及に変わった。

香港の透明性が失われるという懸念も存在するようだ。2020年6月に、米国商工会議所が在香港の米国企業180社を対象に行った調査でも、国家安全法の懸念点として、64%が「法の範囲と強制の曖昧さ」を挙げている。一方、日本については、冒頭の部分は「法律は恣意的な逮捕と拘留を禁止。市民社会組織は、民族のプロファイリングと外国のイスラム教徒の監視を終了するよう警察に促し続けた」と記載されている。定性的ではあるが「原則はあるけれど……」という書き方が多いというのが一つの特徴である。「カルロス・ゴーン事件」に関する記述も新たに加わった。

外国人は法の恣意的な運用を嫌うが、日本は文化的にもある程度の恣意性が働きやすい。日本での「法の運用の問題」は根が深く、「カルロス・ゴーン事件」もうやむやとなりつつある。2020年3月に公表されたZ/Yenによるグローバル金融センターランキングでは、東京が3位、香港が6位であった。前回（2019年9月）は東京が6位、香港が3位であり、今回の結果だけを見ると東京に可能性があると喜びたくなるところであるが、これまでの議論からは、香港の「クロスボーダー取引のハブ」機能を奪うことは相当難しく、表面的なランキング結果を鵜呑みにするのは難しいと言わざるを得ないだろう。金融センターの競合相手は香港だけでもない。また、日本経済が好調なときでも対内直接投資が少なかったが、日本の産業力が凋落している状態では、さらに魅力が薄れているだろう。

真正面から日本の弱みに立ち向かうのは、得策ではない。従来のシステム下での実現は困難を極めようが、デジタルであれば、新しい領域なので、既得権益への悪影響を限定的にしつつ、新たな税制などのルールを導入することは比較的容易であろう。

5. デジタル資本の吸収に目標を絞るべき

デジタル化という新たな波が訪れていることは、日本にとって絶好の機会と見ることができる。デジタル資本の吸収に目標を絞るべきであろう。ちょうど日本のドルが減っていくペースと逆相関するように、デジタル市場が拡大していくので、大きな混乱なく進めることができるはずだ。また、デジタルは新しい領域なので、既存の産業や税制に影響を与えず制度を作ることができるだろう。

この度、国家戦略特区としてＡＩとビッグデータを活用し、生活全般をスマート化した「丸ごと未来都市」を構築するスーパーシティ法案が成立した。遠隔教育、遠隔医療、電子通貨システムなど、ＡＩやビッグデータを効果的に活用した先進的サービスを実現しようとすると、各分野の規制改革を同時一体的に進める必要があるという問題意識に基づいている。同じ発想に基づけば、デジタル日本円化も、デジタル金融環境整備も不可能ではないはずだ。

まず、デジタル貨幣の覇権争いで生じた需要を満たすべきである。アメリカにある中国資本はアメリカの外に向かう。強まる米中対立を嫌う中国本土資本家や香港資本家の需要も湧き出てこよう。アメリカとの対立もあり、中国からは資金逃避の動きも出てくるだろうが、そういった資金は不安感の増す香港には移しづらいし、仮想敵国であるアメリカにも移すことはできない。資金の受け皿として求められるのは「安定性」である。これまでの香港は法の支配などでそれが担保されていたが、現状の香港の機能が低下していくのであれば、必ず従来の香港の機能を代替するものが必要となる。日本は国家の生き残りをかけた資本吸収が必要であるので、こういった環境は千載一遇の機会とも言える。また、東南アジア諸国もコロナショックによって不安定化するため、一定数の高度人材や資本逃避のニーズが出るだろう。こちらも日本にとっては狙うべき機会と言える。

日本が優位な点は、世界第3位の経済規模に加え、膨大な外貨準備と、先進国クラブから来る安定性にある。また東アジアで質の高い生活環境と、島国であり十分な防衛力を持つ点にも安心感がある。同じ時間帯を有する国・地域ではシンガポール、香港、オーストラリア、ニュージーランドなどと競合関係にあるが、米中対立の緊張を戦略的機会として活かすしたたかさが必要である。

シナリオ1、2で生じうる中国からの資本逃避は、日本にとっては好機にもなり得る。また、シナリオ1、3で達成される強いデジタルドルを日本経済に組み込み、成長を取り込む必要がある。そのためには、デジタル経常収支とデジタル外貨準備を意識し、世界の誰よりも早く伸ばすという意気込みが重要である。実体経済のデジタル化、デジタル金融に関する制度を整理し、中国からの資本逃避を受け入れる環境を整え、中国以外からもデジタル資産の対内投資受入れも増やす。そして、それにまつわる収入が日本に入るように、また日本の雇用や投資を促すように経済を再設計する必要がある。中国から逃避したデジタル資産を受け入れることができれば、日本は次のデジタル金融ハブになることができる。そういった資金の出入口になることで、日本に新たな活路が生まれよう。

デジタル資本吸収のために、具体的には、デジタル日本円化と、デジタル金融環境整備（経済活動をブロックチェーン化し、デジタル円と接続する）を進めるべきである。アメリカでは自国民向けの規制は厳しくても、外国人向けの規制は相当緩く、これを見習うべきであろう。前述のとおり、フェイスブックは、法定通貨担保型ステーブルコインのリブラを打ち出したが、各国の規制当局の懸念が殺到したため、世界的な理解を得るまでリブラの発行を後倒しせざるを得なくなった。

一方、アメリカは、ドルに連動した複数のステーブルコインを事実上認めている。信用の落ちたUSDT（テザー）の代替ということで、裏付けの準備金の監査レポートを開示しているGU

【図表7-7】ブロックチェーン技術活用のユースケース

ビットコイン発祥のブロックチェーン技術を改良しながら、金融以外の分野にも
ユースケースが広がっており、「ビットコイン2.0」と呼ばれている

金融系
- 決済（SETL、FactoryBanking）
- 為替・送金・貯蓄等（Ripple、Stellar）
- 証券取引（Overstock、Symbiont、BitShares、Mirror、Hedgy）
- bitcoin取引（itbit、Coinffeine）
- ソーシャルバンキング（ROSCA）
- 移民向け送金（Toast）
- 新興国向け送金（Bitpesa）
- イスラム向け送金／シャリア遵法（Abra、Blossoms）

ポイント／リワード
- ギフトカード交換（GyftBlock）
- アーティスト向けリワード（Pop Chest）
- プリペイドカード（BuyAnyCoin）
- リワードトークン（Ribbit Rewards）

資金調達
- アーティストエクイティ取引（PeerTracks）
- クラウドファンディング（Swarm）

コミュニケーション
- SNS（Synereo、Reveal）
- メッセンジャー、取引（Getgems、Sendchat）

資産管理
- bitcoinによる資産管理（Uphold(旧Bitreserve)
- 土地登記等の公証（Factom）

ストレージ
- データの保管（Stroj、BigchainDB）

認証
- デジタルID（ShoCard、OneName）
- アート作品所有権／真贋証明（Ascribe/VeriSart）
- 薬品の真贋証明（Block Verify）

シェアリング
- ライドシェアリング（La'ZooZ）

IoT
- IoT（Adept 、Filament）
- マイニング電球（BitFury）
- マイニングチップ（21 Inc.）

商流管理
- サプライチェーン（Skuchain）
- トラッキング管理（Provenance）
- マーケットプレイス（OpenBazaar）
- 金保管（Bitgold）
- ダイヤモンドの所有権（Everledger）
- デジタルアセット管理・移転（Colu）

コンテンツ
- ストリーミング（Streamium）
- ゲーム（Spells of Genesis、Voxelnauts）

将来予測
- 未来予測、市場予測（Augur）

公共
- 市政予算の可視化（Mayors Chain）
- 投票（Neutral Voting Bloc）
- バーチャル国家／宇宙開発（BitNation/Spacechain）
- ベーシックインカム（GroupCurrency）

医療
- 医療情報（BitHealth）

出所：経済産業省「平成27年度 我が国経済社会の情報化・サービス化に係る基盤整備
（ブロックチェーン技術を利用したサービスに関する国内外動向調査）

SD（ジェミニドル）やUSDC（USD Coin）などが勢力を拡大している。ジェミニが発行したGUSD、サークル社が発行したUSDCのいずれもニューヨーク州金融サービス局から認可を受けたものである。これらのコインは、リブラのような世界的な発表でなく、暗号資産業界での上市であったためか、違和感なく世の中に浸透し、世界中に拡散しており、2020年5月時点でのステーブルコイン全体の時価総額は100億ドルを超えている。

「平成27年度 我が国経済社会の情報化・サービス化に係る基盤整備（ブロックチェーン技術を利用したサービスに関する国内外動向調査）」では、金融系、ポイント／リワード、資金調達、コミュニケーション、資産管理、認証、シェアリング、商流管理、コンテンツ、将来予測、公共、医療、IoTにおける数多くのブロックチェーンのユースケースが列挙されている。こういった具体例を実装し、「海外×ブロックチェーン」をデジタル資本吸収に結びつける努力が必要だろう。国際収支のどの部分で稼ぐかを念頭に置き、デジタル経常収支の稼ぎ方、デジタル資本収支の稼ぎ方を考えてみた。

まず、デジタル経常収支にかかわる貿易面である。ブロックチェーンを活用すれば、貿易業務の効率化も可能となる。従来の貿易の書類業務は煩雑であり、買主、売主、保険会社、金融機関、運輸会社、通関会社という少なくとも6社の主体が、貿易を完了するための手続きを処理していく。具体的には、輸出入者間の売買契約、信用状のやり取り、運送保険契約、船積依頼、通関申告、船荷証券のやり取り、決済といった手順が必要であり、少なくとも70もの書類が、基本的に紙ベースで処理される。ブロックチェーンを導入することで、このプロセスに参加する各主体は、進行状況を常時モニタリングすることが可能となる。書類確認の事実も暗号的に証明され、検証可能となり、KYC（Know Your Customer）問題も解決する。

また、偽造問題への対応にも有効だろう。OECDとEU知的財産庁の報告書によると、世界の貿易の3・3％は偽造品と著作権侵害物であり、EU諸国は非EU諸国からの輸入の6・8％が偽造品取引である。ブロックチェーンによる来歴証明で、ブランド品に一意のコードを紐づけ、その製品の販売時期を明らかにすれば、この問題も解決する。従来の証明書とは異なり、ブランドメーカーが保有する秘密鍵によって署名された証明書であることが検証可能である一方、偽造業者は同様の署名を行うことができないため、この証明書に紐づくそのブランド品は、その後何年経っても、二次流通市場で本物と証明することが可能である。ブランドメーカーは偽物の流通を抑えることができる一方、消費者は安心して商品を購入できることから、中古流通市場が健全化することが本事例での付加価値である。LVMHは、Microsoft、ConsenSysと提携し、ブランド品のトレーサビリティのプラットフォームの構築を試みており、イーサリアムをベースとした企業向けスマートコントラクトプラットフォーム「Quorum」が採用されている。

ブロックチェーン技術の導入によって、効率的な貿易や偽造リスクの軽減を実現した企業に対して、ユーザーは安心して発注することができるというのがメリットとなる。早期に実装できれば、さらなる需要の獲得にもつながるだろう。

次に、デジタル資本収支にかかわる項目である。証券取引決済の約定照合業務も対象となろう。証券取引において約定から決済が完了するまでに2営業日が必要とされている。この2営業日のあいだは、運用会社、信託銀行、証券会社が間違いなく取引が実施されており、やり取りに不備がないかデータを突き合わせるために必要とされる時間である。ただ、運用会社、信託銀行、証券会社は共通化されたシステムを用いているわけではないため、煩雑な業務が発生している。ブロックチェーンを用いれば、データの共有、参照、更新を一元的なシステムで行うことができるだろう。

また、ブロックチェーンの特性から、すぐに実装でき、親和性が高く、管理コストを削減できるものの代表例として想起されるのは不動産登記であろう。デジタル上の資産でなくとも、価値を生み出す資産のうち登記制度に基づくものであれば、非中央集権的なデジタル資産に転換することが可能である。不動産は、未だ多くの国で、所有権が曖昧な場合があり、決済リスクが大きく、紙での管理がなされている。

日本においても他国よりは多少進んでいるとはいえ、ローテクであると言わざるを得ない。たとえば、不動産登記のブロックチェーンをデジタル貨幣と連動させれば、詐欺もなくなるし、購入時は所有権と対価がエスクロー（条件付きの決済）なしで交換されることになる（つまりカウンターパーティリスクが回避できる）。自動で不動産ローンを利用でき、売却時に売却益が課税される。こうなれば、不動産市場が非常に透明になるので、海外からの投資が活発になり、日本の外貨獲得にも寄与するだろう。日本国内の市場規模として、２０１９年６月時点での銀行の不動産業向け貸出残高が約80兆円、２０１７年度の不動産全体の時価総額は約２６０６兆円と市場規模も大きいことから、ブロックチェーンを活用することによって大きな改善が可能と言える。

ブロックチェーンによって、すべての資産がデジタルの世界で見出されるようになれば、特許権、コンテンツやアートなどにも可能性が見出されるかもしれない。過去数年の訪日観光客ブームで日本の魅力が海外から注目されるようになったが、ブロックチェーンが日本の眠った資産を顕在化させる可能性も考えられる。

企業の資金効率改善にも寄与するだろう。グローバル・キャッシュ・マネジメントとは、海外に展開する企業がグループ全体の資金を一元管理することで、世界的に資金を効率的に活用する手法である。ブロックチェーンを活用すれば、世界の各拠点の資金は即座に把握することができ、無駄な資金を遊ばせておく必要もなくなる。資金効率の改善は企業の経営効率改善にも結び付くことから、投資対象としての魅力度が高まり、海外からの資金を受け入れやすくなるだろう。

ＩＣＯ（イニシャル・コイン・オファリング）、ＩＥＯ（イニシャル・エクスチェンジ・オファリング）、ＳＴＯ（セキュリティ・トークン・オファリング）による対内投資の奨励と、その集めた資本を使い、世界から収益を稼ぐビジネスを創生し、また労働市場や国内消費に還元する仕組みとセットで構築することも必要であろう。ＩＣＯとは資金調達者が発行したトークンを広

【図表7-8】日本からの資金流出入

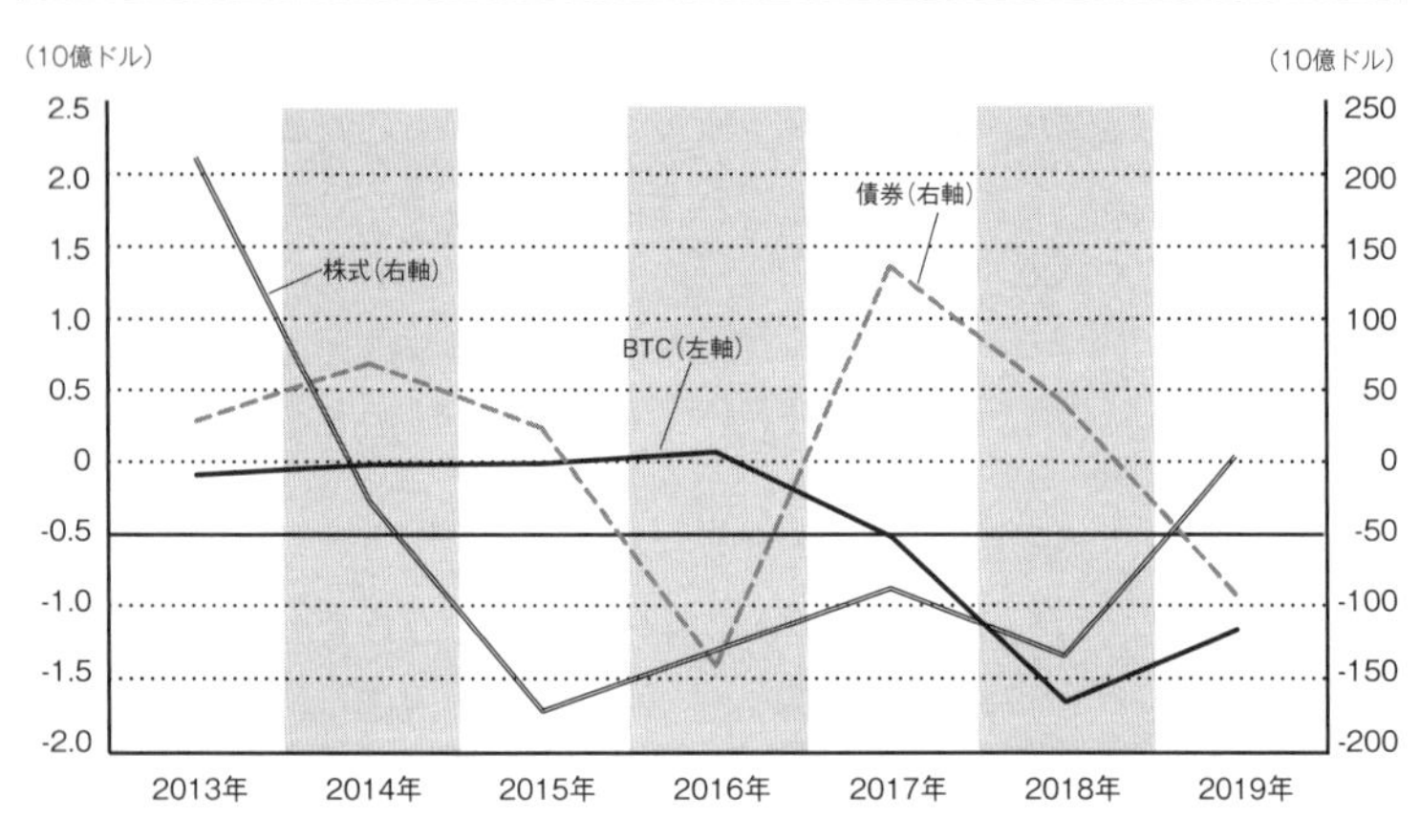

出所：Crystal Blockchain

く投資家に販売することで資金を調達すること、ＩＥＯとは暗号資産取引所がプロジェクトを代行して行うＩＣＯ、ＳＴＯとは各種証券をブロックチェーン上でトークンとして発行することである。投資家保護は大事だが、既存の金融制度に当てはめる事で高いコストを甘受することは、限界費用ゼロというブロックチェーンイノベーションを無駄にしてしまうことになる。

また、先に中国のＢＳＮに触れたが、より良い「日本版ＢＳＮ」があれば、世界中のエンジニアを集めることができ、そのプラットフォーム上でビジネスを作り出せる。「中国が管理する」という中国のＢＳＮの不透明感も「日本版ＢＳＮ」にとっては武器になるのかもしれない。本質的には人材が日本に来なくても機能するが、可能であれば、高度ＩＴ人材、富裕層を受け入れる制度設計ができればより効果的であろう。また、経済活動のブロックチェーン化とデジタル通貨をつなげることで、あらゆるものの資産価値を顕在化させることができ、世界中から日本へ投資させることができる。

2020年4月に公表されたCrystal Blockchainの「INTERNATIONAL BITCOIN FLOWS ANALYTICS」によると、2013～2019年にはビットコインを通じた流出入は、総額33・2億ドル、年平均4・7億ドル（500億円）の純流出であった。2017年が5・1億ドル、2018年が16・5億ドル、2019年が11・5億ドルの純流出と、特に2017年以降の純流出額の増加が顕著である。

年間500億円の純流出というのは、必ずしも大きいものではない。たとえば、2013～2019年の平均では、株式では5・2兆円の純流出、債券では1・2兆円の純流入であった。

もっとも現状のビットコインの流出が限られているのは、暗号資産の投資経験が限られているからかもしれない。マネックス証券は、2017年6月以降、日本の個人投資家の「仮想通貨投資の経験」を調査している。2019年12月時点では、仮想通貨への投資経験があると答えた割合が13・1%と、前回18年12月の11・5%から1・6ポイント上昇した。データ数が少ないため断言は難しいが、暗号資産の普及率が上昇すると、日本からのビットコインの純流出が拡大するようにも見受けられる。

日本でのインターネット普及率、スマートフォン普及率、携帯電話普及率などを参考にすると、現状13%強の暗号資産普及率は、2030年頃には80%程度まで上昇する可能性も考えられるだ

【図表7-9】暗号資産流出入（2013年~2030年）

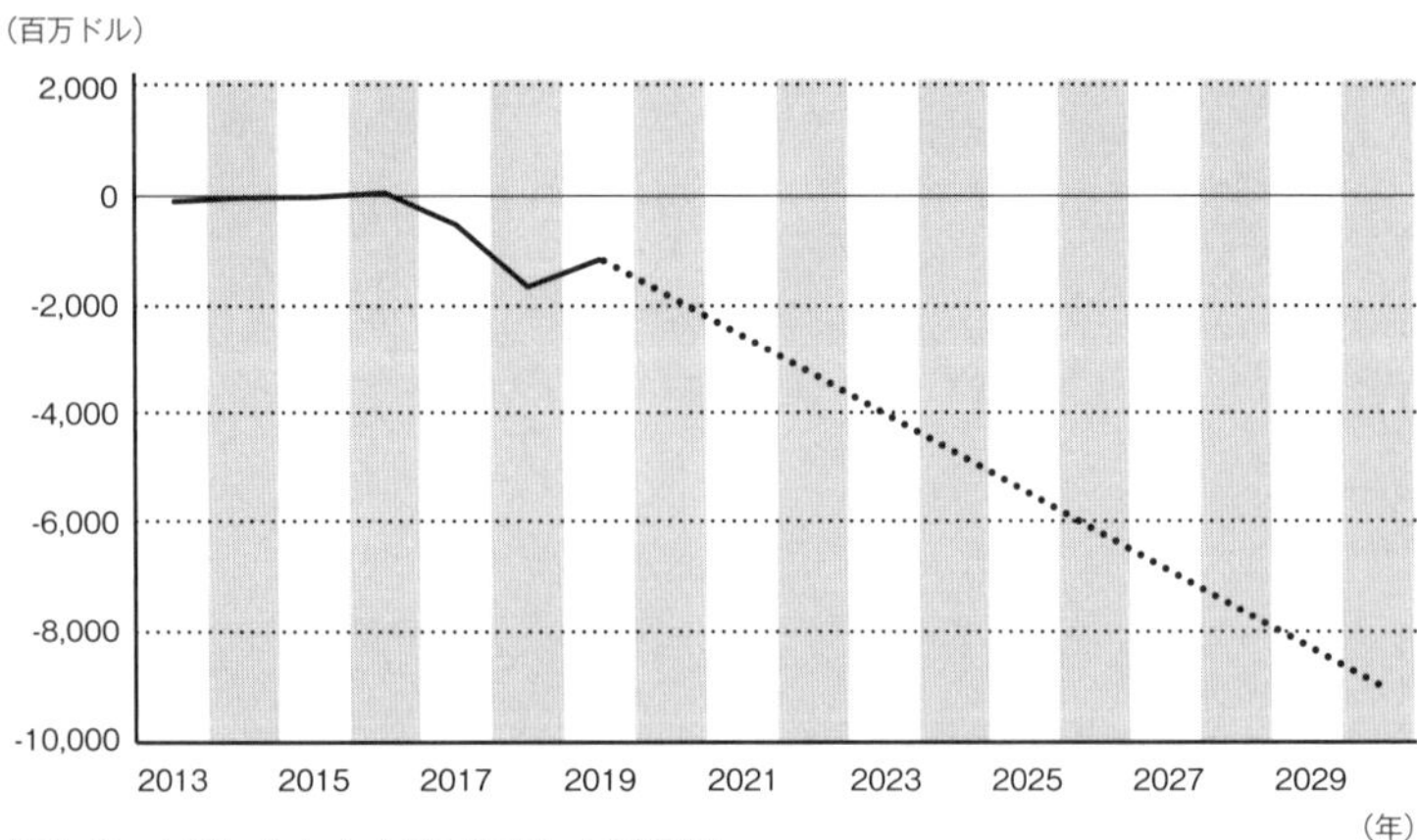

出所：Crystal Blockchainなどの公表データから試算

ろう。それに過去3年間の暗号資産普及率と日本からのビットコイン流出入の関係を当てはめると、２０３０年時点で暗号資産は84~86億ドル、年間９０００億円規模の純流出となっている可能性が考えられるだろう。２０１７~19年の平均は11億ドルなので、そこからは8倍という規模感である。また、２０２０~30年の累計では６９０~８５０億ドル、７・６~９・４兆円という規模感である。いずれにせよ、今の金融資産と肩を並べる規模感になっているかもしれない。

また、日本からの暗号資産の流出はそれを上回る可能性も考えられる。すでにデジタル経済規模のイメージのところでは、ＧＤＰの10%がブロックチェーンに保管されれば、今のビットコインの20倍超という規模感のデジタル通貨が生み出されていく可能性を指摘した。

現状で年平均11億ドルの純流出が、デジタル通貨の規模拡大にあわせて拡大するのであれば、流出の規模は220億ドルに拡大する可能性もあろう。

また、これらはあくまでも基本シナリオのもとでの話である。米中シナリオの項では、米中のシナリオ次第でその規模は1~10倍に変動する可能性があることを指摘している。中国、アメリカともに積極姿勢をとる「米中デジタル激突」というシナリオのもとでは、基本シナリオの10倍、流出の規模は2200億ドルに拡大する可能性も考えられる。ここまで来ると、現在の株式や債券を通じた資金流出入の規模を上回り、3・4兆ドルの対外純資産に対する影響すら無視し得ないものとなってくる。暗号資産でも今はビットコインが中心かもしれないが、その頃にはステーブルコインを含めた他の暗号資産の影響度が強まっているかもしれない。こういったデジタル資本の流出を止めるためには、規制強化ではなく、流入を促進することで一方的な流出に歯止めをかけることが不可欠であろう。

第8章

中国側の見解に対する考察と日本への警鐘

（遠藤誉）

本章では中国問題グローバル研究所の中国代表である北京郵電大学経済管理学院の孫啓明教授に中国の内側から見たデジタル人民元の実態と見解を述べていただいた。それに対して本書の共著者である白井一成氏と遠藤が抱く疑問をぶつけ、ご回答いただいた上で、中国の現状と日本のあるべき姿に関して考察する。

【1】孫啓明教授の見解

第4章でも触れたように、孫啓明教授はシンクタンク中国問題グローバル研究所（GRICI）の中国側代表だが、専門が経済の中でも人民元の問題に特化しているので、デジタル人民元に関して、遠藤は頻繁に孫教授に連絡を取って意見交換をしている。

以下にご紹介するのは、GRICIに投稿して下さった論考の中の抜粋や、本書に特別寄稿してくださった論考などである。

1．米ドル・ユーロ・アジア元の「三鼎体制」を確立

まず、コロナが始まる前の2019年7月18日にGRICIに投稿した「米中貿易戦争における人民元の台頭」というタイトルの論考の中から、一部抜粋する。

中国の経済は継続的かつ安定的に発展しており、また米国の経済・政治が混乱している情勢のもとで、人民元の国際的影響力は必ず拡大し続けるであろう。人民元の台頭を認識し、人民元の

国際地位の向上を促進することは、世界各国にとって利益をもたらす必然な選択である。以下にその理由は述べよう。

第一に、米ドル排除の流れ、ドル決済と米国債保有額の減少が人民元の台頭に寄与している。

長い間、米ドルによって支配された国際通貨体制が世界各国に、金融経済と実体経済の乖離、「ドルの罠」、世界的な過剰流動性及び米国による金融制裁など、様々な問題をもたらしたが、人民元の台頭と共に世界中にドル排除の流れが現れた。トランプの「アメリカ・ファースト」と貿易・投資における保護主義が、国際準備通貨としてのドルの安全性を損ない、ドルの国際的な信用を失墜させた。ドルが米国による金融制裁の武器となって以来、世界各国はドルに支配され続けてきた。その結果、ドル排除の流れが強まり、2018年10月にロシア中央銀行が外国の銀行からロシアの金融情報送信システム（SPFS）へのアクセスを近々許可することを発表した。

これはこれまでのSWIFTを代替するねらいがある。インドとイランは2018年10月に原油貿易の協定を結び、原油輸入貿易の決済にインドルピーを使用することを発表した。欧州委員会は2018年12月、「ユーロの国際的役割の強化法」を提案し、ユーロを清算通貨とする決済システムをSPVと名付け、まもなく運用開始することを公表した。さらに、ロシア、トルコ、イランなどの国は貿易決済におけるドルの使用を中止することを発表した。

近年、多くの国が準備資産を再編させ、主として金の準備高を増やし米国債保有を減らした。米財務省のデータによると、2018年3月から5月の間、ロシアは800億ドル以上の米国債を売却し、その保有額は84％減に達した。２０１５年以降、日本政府も米国債の保有量を減らし続け、２０１８年には10％以上の削減と大幅に加速している。実際、中国、インドなどの米国債の主要保有国も保有量を減らしており、しかもその傾向は加速している。米国債の保有量を減らす一方で、多くの国は準備資産のバランスをとるために金の保有量を増やしている。

ＩＭＦの集計によると、２０１８年10月世界の外貨準備におけるドルの割合は62・25％であり、２０１７年同期より０・47％減となっている。その中で、米国との関係が悪化しているイランとロシアの外貨準備におけるドルの割合はほぼゼロである。一方、金の国際調査機関ワールド・ゴールド・カウンシルのレポートによると、２０１８年世界各国の中央銀行の金準備が６５１・５トンも増加し、増加量が前年同期比74％増となっており、年間需要量が１９７１年以来の最高水準に達した。

第二に、人民元の台頭は、世界の外貨準備の安定と、世界各国の企業の流動性不足のリスクを防ぐことに役立つ。

世界経済の発展に伴い、各国の外貨準備高が急速に増加しており、そしてその外貨準備は主にドルによって構成されている。莫大なドル外貨準備の流動と投資の不確定性は、市場の混乱と経済の不均衡を引き起こす。外貨準備の通貨構成における人民元の導入は、ドルが高すぎる割合を占めることによってもたらすリスクを減らすことができる。特に米中貿易戦争の情勢のもとで、安定的かつ増勢を続けている人民元は、各国の中央銀行の投資及び資産価値維持のための優れた選択肢であり、資金の流動性を高めることができる。それによって、国際貿易金融の状況はより安定し、２００８年のリーマン・ショックのように流動性が枯渇する確率も大幅に低下させられるであろう。

第三に、中国の経済発展を利用し、自国の経済発展に原動力をもたらし、さらに世界各国の努力のもとで、理想的な「世界通貨」を作ることができる。

２００８年リーマン・ショック以降、欧米先進諸国の経済成長率が低迷し、世界経済の成長を促すことが難しくなった。それに対して、中国の年間経済成長率は常に６％を上回っており、さらにアジアインフラ投資銀行及び「一帯一路」の協力構想を提唱した。

中国は「一帯一路」諸国と共に発展することを約束する。人民元国際化の利用範囲から見ると、人民元の国際化を周辺化、地域化、グローバル化の三段階に分けることができる。すなわち中国周辺地域での利用から、アジア地域での利用に発展し、最終的にグローバル通貨まで発展を遂げることである。

人民元の通貨としての機能から見ると、人民元の国際化は貿易決済通貨、金融投資通貨、外貨準備通貨の三段階を経る必要がある。すなわち人民元国際化の「三段階」戦略は、決済通貨→投資通貨→準備通貨となるが、実際最も早いのは準備通貨であり、次に投資通貨となり、決済通貨になるのは最後である。したがって、長期的に見ると、人民元の国際化はすなわち、人民元を中核とする「次世代世界通貨体系」の構築である。

●短期目標：香港ドルとニュー台湾ドルを内部的に統合し、「中華圏人民元」を作り出す。
●中期目標：日本の円と大韓民国のウォンなどアジア国家と協力し、「アジア元」体系を作り上げ、世界通貨体系における米ドル・ユーロ・アジア元の「三鼎体制」を確立させる。
●最終目標：理想的な、各国の総合経済力及び貿易額に基づく、デジタルの、非中央集権的または非ソブリンな世界通貨を確立させる。

2．「一帯一路」デジタル中央銀行を設立

これはコロナ発生後の2020年5月8日にGRICIに投稿いただいた論考「人民元デジタル化の新たな進展と今後の展望」の概要である。この論考の中で最も注目されるのは「対外投資を担当する一帯一路デジタル中央銀行を設立する」という中国の戦略だ。同じデジタル人民元を語っているため、白井氏の分析と重複する部分が出て来るが、中国では同じ現象をどう見ているのかを知る上で有用だと思われるので、敢えて割愛していない。

(一)中国のデジタル人民元は、世界の通貨システムの革新をリードし、困難を打ち破りながら発展する

2020年4月16日、長らく計画されていた中国中央銀行のデジタル人民元は、ついに前例のない実現と進展を迎えた。これは、主権国家の通貨をベースとした世界初のデジタル通貨となる。最初の試験地域として蘇州が選ばれた。工商銀行、農業銀行、中国銀行、建設銀行の四大国有銀行は、デジタル通貨の方式で、政府職員の給与の一部を支払うことになる。すでに中央銀行デジタル通貨（DC／EP、Digital Currency / Electronic Payment）のデジタルウォレットをインストールし、テスト完了した。予定では、5月の給与の通勤手当の50％は、デジタル人民元という方式で、デジタルウォレットに支払うことになる。今後2～3年で、中国で流通しているM0（現金）の30％から50％は、中央銀行のデジタル通貨に置き替えられ全国での普及が期待されている。

2020年4月3日、全国通貨金銀及び安全保障業務テレビ会議において、トップダウンの設計を強化し、法定デジタル通貨の研究開発を着実に推進することが提案された。現時点で中国人民銀行は、すでに中央銀行が設計・保証・署名し、完全な暗号通貨を確立した。そして、デジタル通貨発行プールとデジタル通貨商業銀行プールという2つプールを設立し、通貨発行の認証、登録、そしてビッグデータ分析と3つのセンターを設立した。これらのプールとセンターが中央銀行暗号デジタル通貨の発行管理とサービスを担当している。中央銀行の長期的戦略目標として

の人民元のデジタル法定通貨の研究開発は、重大な意義がある。中国の学者の多くは、中国人民銀行が発行するデジタル法定通貨は、民間企業のデジタル通貨、例えばFacebook社のリブラより発展の余地があり、世界の通貨システムに広範囲かつ革命的な影響を与える、と考えている。

(二)人民元法定デジタル通貨の導入は、世界の通貨システムの変革に対して、画期的な意義と長期的な影響を与える

表面的に見ると、デジタル人民元の発行は、そこまで驚くべきものではなく、ただ紙幣の発行をデジタル通貨に置き替え、紙幣(M0)を発行、印刷、保管、流通するコストを節約することだけに過ぎない。しかし、人民元のデジタル法定通貨を発行する戦略的意義は、決してこれだけではないことは、明らかである。

バタフライ効果

周知のように、現在の世界通貨体系は、ドルが覇権を握っている。近年では、世界の中央銀行が保有する外貨準備におけるドルのシェアが減少し続けているが、依然として62%のシェアを占めており、独占している。歴史的に見ると、ドル覇権に挑んできた円とユーロは、ドルに完膚なきまでに叩きのめされた。旧ソ連は冷戦終結の後、民営化が始まり、ドル/ルーブルのレートは1991年の1ドル0・9ルーブルから、2000年の1ドル2万8000ルーブルに暴落し、そして1992年ロシアの年間インフレ率が2000%に達した。石油のためにアメリカと対立

したベネズエラは、2018年のインフレ率は8万%を超え、物価は1カ月ごとに倍増し、自国通貨ボリバル・ソベラノも96%値下げする羽目になった。世界は長い間ドル覇権に苦しめられている。

世界諸国における中央銀行が保有する外貨準備の人民元の割合は2%しかない。人民元という小さなさなぎは、デジタル化によって蝶となる。そして、もし世界諸国はこれを機に独自のデジタル通貨を導入し、そのか弱い翅を羽ばたかせれば、それがもたらす「バタフライ効果」は必ず世界の通貨システムにハリケーンのような衝撃的影響を与えることになるだろう。

来るべきデジタル通貨戦争に備えるために、世界中の国々がブロックチェーン技術を積極的に研究している。2017年9月、日本ソフトバンクグループとアメリカの通信業者が、キャリア・ブロックチェーン・スタディー・グループ（CBSG）を設立した。同じ2017年9月、スイスのスイスコム社もブロックチェーン技術サービスを主要業務とする子会社 Swisscom Blockchain AG を設立した。2019年5月、インドのバーティ・エアテル社はIBMと提携し、ブロックチェーンベースのインドネットワークを建設した。2019年9月、アメリカのベライゾン社がブロックチェーンの上で仮想 SIM カードを作成する特許を取得した。2019年10月、B2Bブロックチェーンプロバイダー Clear 社がドイツテレコム社、ボーダフォン社、テレフォニカ社と提携し、ブロックチェーンに基づくデータローミング実験を行った。2020年1月、スペインのテレフォニカ社が現地のハイテクパーク協会（APTE）と協力し、スペインの約

8000社に対してブロックチェーン接続サービスを提供し始めた。2020年2月、ドイツテレコムが米T-Mobile US社、テレフォニカ社、Orange S.A.社、GSMアソシエーションと協力し、ブロックチェーン技術を通信業者間の通信プロトコルに応用する試験を行った。韓国KT社はクラウドに基づくBAASプラットフォームを開発した。もっともデジタル人民元に迫っているのはFacebookで、2020年4月16日、中国がデジタル法定通貨を発行するとほぼ同時に、リブラがスイス金融市場監督局（FINMA）に決済システムのライセンスを申請した。実際、多くの国と企業が、ブロックチェーン技術のエコロジー発展を探求し、促進し、ブロックチェーンの基盤となるプラットフォームを構築しているのは、デジタル通貨戦争に参加するためだ。

SWIFT決済システムへの影響

国際銀行間通信協会（SWIFT）は、金融機関同士のセキュリティ通信サービスとプロトコルを提供する決済システムである。すでに世界206ヶ国と地域の8000以上の金融機関が加盟し、80以上の国と地域のリアルタイム決済システムをサポートし、あらゆる国際決済はSWIFTを通じて行われている。中国銀行は1983年にSWIFTに参加した。SWIFT決済システムはドル覇権を維持するための重要なツールであり、世界中の通貨流通と国際金融決済の中心である。しかしデジタル人民元の根底にあるブロックチェーン技術は、非中央集権型（分散型）を特徴とし、この決済システムをバイパスし、アメリカ主導の金融システムの束縛から脱却する可能性を秘めている。デジタル人民元に触発され、各国通貨のデジタル化は、次々と行われるであろう。

一方では、デジタル通貨の新しいルートを作り、人民元グローバル化の飛躍的な発展を実現できる。中国はその国際政治・経済影響力を利用し、国際組織と他の国の中央銀行と協力し、デジタル人民元と他の国のデジタル法定通貨をもとに、統一価格と取り引きを行うことができる。デジタル人民元の国内の3つのセンターの他に、もう一つ海外決済センターを設立し、オフショア人民元の清算とサービスを提供し、積極的に国際準備通貨と決済通貨の重要な役割を担い、国際経済の活性化に一役買うことができる。

もう一方では、デジタル人民元は、他の主権国家のデジタル通貨とともに、デジタル人民元を中心とし、「一帯一路」諸国のデジタル通貨を主体とする国際準備通貨と決済の周辺システムを構築することができる。さらにドル中心の伝統的なＳＷＩＦＴ決済システムと、人民元中心とし、「一帯一路」諸国を主体とする周辺決済システムが両立する国際通貨体制を確立するための条件を提供する。

もちろん現時点でドルは国際貨幣システムの主要な準備通貨であるが、金融危機の後、特に今回の新型コロナウイルス流行の後、ＦＲＢが導入した無制限量的緩和は、世界中の流動性過剰をもたらし、各国の利益を損なうのみならず、ドルの信用を著しく損なうことになった。これは、客観的に他の主権国家のデジタル通貨の発行を促進し、アメリカ以外の主権国家がドル覇権に対抗するために団結するのを助長している。千里の道も一歩からという言葉があるが、現在のデジタル人民元は、まだちっぽけな力でしかないが、もしたくさんの国の弱い法定通貨が団結し、脱ドル化の流行に順応すれば、まさに世界通貨に大きな変革をもたらすことすらできるであろう。

デジタル人民元の発行は、人民元グローバル化と世界通貨の大きな変革の始まりであり、長い道のりの始まりに過ぎない。「合抱之木、生於毫末、九層之臺、起於累土（大きな木も小さな若枝から成長する。九重の塔も一つの小さなかたまりからつくられ始める。）」（老子道徳経第64章より）。デジタル人民元はすでに船出をしているので、グローバル化の目標にたどり着くのも時間の問題であろう。21世紀のグローバル金融エコシステムは、従来の量的変化を質的変化へと切り替え、その勢いを止めることはできない。

㈢世界通貨の「三鼎体制」は不可能ではない

国際決済における主要通貨のシェアは、現時点ではドルが4割、ユーロが3割で、2つの通貨が7割を占めている。それに対して、人民元決済の割合は2％未満でしかない。これは確かにドルとユーロの強い地位を示しているが、一方では、人民元の地位は、世界第2位の経済大国に極めて不釣り合いであり、人民元のグローバル化はまだ長い道のりが残っていることを物語っている。

ということは、逆の見方をすれば、ドルとユーロ以外の、他の国際決済通貨が連携すれば、ちょうど「三つ鼎」の世界通貨体系を形成できる。

現時点、ドルとユーロは強大な実力と揺るぎない地位を持っている。中国がデジタル人民元グローバル化を推進する具体的な道筋は、ASEAN、アフリカをはじめ、「一帯一路」の全ての国に拡大し、最終的にユーロと連合して、ドルの覇権を徐々に揺るがすことになるのではないか。もちろん今はまだ様々な困難が立ちはだかっており、可能性は低いが、不可能なことではない。中国の努力の精神は、1％の可能性さえあれば、100％の努力をすることにある。それはまさに、

「路は漫々として其れ修遠なり　吾将に上下して求め索ねんとす（道は遠くてつらいものだが、できる限りの努力で道を模索していく）」（屈原『離騒』より）

の精神である。

㈣「新型コロナウイルス肺炎流行」による影響の分析

新型コロナウイルス肺炎の流行は、中国にデジタル通貨導入の必要性を強く自覚させ、一刻も早く実現させなければならないという思いを強化したが、しかしその実現のための実践に関しては、皮肉なことに誰もが仕事をすることができなかったため、逆に時間的にはやや遅くなるのを余儀なくされた。

中国人民銀行のデジタル通貨ウォレット試験は、バーコード決済、振り込み、決済、タッチ決済という4つの一般的な機能を搭載している。理論的に、デジタルウォレットはNFC（Near field communication)、すなわち近距離無線通信に基づいている。つまり2人の携帯電話にDC/EPのデジタルウォレットをインストールしていれば、ネットワークにつながる必要はなく、2つの携帯電話がタッチすれば、デジタル通貨を片方のデジタルウォレットからもう片方のデジタルウォレットに転送することができる。それに対して、Alipay と WeChat Pay はインターネットと銀行カードに基づいているので、ネットが繋がらない、もしくは銀行の許可がないと取り引きができなくなる。そういう意味では、第三者の介入が必要ないデジタル通貨のデジタルウォレットに軍配があがるであろう。しかしながら、すでに人々が慣れ親しんでいる Alipay と WeChat Pay と比べると、デジタルウォレットは新しいものであり、その普及には時間が必要だろう。さらに今回のコロナウイルスの流行により、都市を封鎖し、道路を遮断し、中小企業、特にサービス業が全て休業になり、試験期間の延期と試験範囲の縮小をせざるを得なかった。それに対して、デジタルウォレットと競争関係にある Alipay と WeChat Pay の利用率は、コロナウイルスの期間大幅に上昇し、デジタル通貨の実施を妨げていたといえる。

次に、今回中国が最初にコロナウイルスの流行に遭い、そして最初に流行を脱却したことは、利用できる物資、コロナウイルス対策のノウハウを「一帯一路」の他の国に提供することになり、デジタル人民元のグローバル化に有利な機会と条件を作りだしている。

今回のコロナウイルスの流行を、デジタル人民元のグローバル化への新しい道筋とチャンスに変えることができる。これまでの人民元グローバル化は、主に資本市場を発展させ、人民元資本プロジェクトを開放することによって、オフショア人民元市場を拡大し、シルクロード基金とAIIBの力を借りて、オフショア人民元の流通規模の拡大を後押しする方法を取っていた。中国銀行を例に挙げると、中国銀行はすでに海外57ヶ国・地域に支店を構え、人民元のクロスボーダー決済も、初期の細々とした国境貿易決済から今では全面的な展開へと大幅に発展している。経常収支から資本プロジェクトまで、貿易投資から金融取引まで、銀行の法人事業から個人事業まで、簡単な業務から複雑な業務まで発展し、人民元のグローバル化に大きく貢献してきた。

「一帯一路」諸国との緊密な協力関係を築くことを機にデジタル人民元を発行することは、「一帯一路」諸国の、平等で、相互協力であるウインウインな世界通貨清算システムを作ることを可能ならしめる。中国は、対外投資を担当する「一帯一路」デジタル中央銀行を設立することができるのだ。

そしてこのシステムの中核である中国は、国家信用に基づいたデジタル人民元の価値を安定させるとともに、デジタル通貨の資本供給と「一帯一路」諸国の経済発展を支援するという責任を負わなければならない。

将来的に、「一帯一路」沿線国は、「決済→投資→蓄蔵」というステップを踏んで発展することができる。まずはデジタル人民元を使って価格設定と決済を行い、次にデジタル人民元の資本供給と通貨スワップを増やし、最終的にデジタル人民元を資産・価値貯蔵の手段として利用する。「一帯一路」がカバーする範囲内で、デジタル人民元の通貨流通と慣習を形成し、「一帯一路」諸国の新しい国際通貨の需要を満たし、彼らの経済発展を促すことになると結論付けることができるのである。

3．〝デジタル法定通貨戦争〟に見るデジタル人民元とブロックチェーン接続のジレンマ

これは本書のために書いて下さった「特別寄稿」である。中国のデジタル法定通貨が抱えるジレンマを詳細に描いている。それは「ブロックチェーンが持っている非中央集権性」と「中国が目指す中央銀行による中央集権性」との間で、どのように折り合いをつけるのかという、言うならば「相反する」テーマの間のジレンマだ。そのギャップを埋めるための技術開発に中国は力を注いでいるようだが、次のセクションで白井氏を交えた議論を試みる。先ずは中国が抱えるジレンマをご覧いただきたい。

(一)「デジタル法定通貨戦争」の背景と中国への啓示

2019年8月23日、マーク・カーニー英中銀総裁が、「ドルが世界の基軸通貨としての地位を失い、その代わりにバスケットベースのデジタル法定通貨が使われることになる」と米国で演説したニュースは、米連邦準備制度理事会（FRB）や米メディア・金融界に衝撃を与えた。そ

の結果、どの通貨が世界の基軸通貨としてドルに取って代わることができるのか、再び活発な議論が交わされた。

実際、2016年にさかのぼれば、国際通貨基金（IMF）の元チーフエコノミストのケネス・ロゴフ氏は、著書『The Curse of Cash』の中で、「貨幣は標準通貨から暗号通貨、中央銀行のデジタル法定通貨へと発展する」という、貨幣の過去・現在・未来の視点を提示している。ロゴフ氏が「デジタル通貨の王様は誰になるのか？」というエッセイを発表したのち、アメリカでもシャープな視点の記事がいくつか発表されて、ここ最近アメリカではこの話題に関する議論も激しくなっており、これはすなわちデジタル法定通貨戦争の幕開けを意味している。

また、2019年11月にはハーバード大学が「デジタル通貨戦争：国家安全保障危機シミュレーション」という国際イベントで模擬実験を実施し、暗号化されたデジタル通貨の台頭が米ドルの支配を覆し、米国の経済制裁を事実上無効化するという劇的な結果を導き出した。この実験には、元米財務長官でハーバード大学前学長のローレンス・サマーズ氏も参加している。実験の結果を受けて、ハーバード大学のチームは、「SWIFTの一部の機能はすでに失われ、米国は他の方法で国の政策を追求する必要がある」と結論づけ、さらに「世界デジタル法定通貨の誕生と流通性の増大は、SWIFTを無効化できる」と言及した。実験の参加者の一員であるMITデジタル法定通貨プロジェクトのディレクターも、「ドルに挑戦する計画はいずれも国家の安全保障レベルの問題である」と指摘した。

他の米国の参加者も、この分野で米国が技術面で先進的でなければ、金融システムのインフラに大きな変化が生じ、米国の金融帝国に大きな影響を与えると考えている。また、実験にかかわった英国の学者は次のように主張した。

「英国は早くも2015年から積極的に布石を打ち、2016年に次世代のRTGS（即時グロス決済）の設計図を提案し、2017年に設計図を更新し、2018年にはさまざまな実験を行い、2018年後半にはカナダ銀行、シンガポール金融管理局と共に重要な報告書を発表した。従って、新しい金融インフラとテクノロジー分野では、英国はリードしている」

つまり、「デジタル法定通貨戦争」はすでに勃発しているのだ。

この「デジタル法定通貨戦争」は、中国にとって少なくとも三つの意味合いを持っている。

ひとつは、技術面において、もはや中国はすべてのブロックチェーン技術を持っているが、海外には新しいブロックチェーン技術がないと言うことはできなくなっている。

たとえば英国のエフナリティ社（Fnality）のデジタル法定通貨のアーキテクチャは、ビットコイン、イーサリアム、リブラのどれと比較しても、先進的である。英国は2016年から研究を開始し、世界初のブロックチェーンベースのCSD（Central Securities Depository、証券集中保管機関）を海外で完成させ、コンプライアンス・プロセスを進めている。いまのところ、中国のチームは、同じ領域のデザイン、開発、実験においては、海外に遅れをとっていることは間違いない。たとえば、中国のブロックチェーンベースのRTGSやCSDシステムはまだ開発中である。実際、これらの基礎的な研究こそ、中国の新しいデジタル・ファイナンスの成長の礎となるものであり、１００年に一度の金融革命をもたらすものでもある。

第二に、中国はデジタル法定通貨が必然的に新しい産業や関連知識をもたらすことを認識し、すでに起きている「デジタル通貨戦争」のような現象は、従来のマクロ経済学では説明できず、理論的なイノベーションが必要であることを認識しなければならない。

第三に、「デジタル法定通貨戦争」という現象は中国に警告している。つまり、米国政府は、米ドルのグローバル化を利用してその国際政策を達成しようという目的を変えるつもりはなく、その金融インフラと技術力は今後も強化されるため、中国は基礎となるブロックチェーン技術の研究と実装をいますぐ加速しなければならない。

㈡デジタル法定人民元のブロックチェーン接続へのジレンマ

デジタル法定人民元プロジェクトの立ち上げは、中国経済、さらには世界の通貨システムの変容にとって大きな政治的意義を持つ。広く成功すれば、中国の中央銀行が国内外の経済に及ぼす影響力を効果的に拡大し、通貨の地政学や非主権通貨の将来にも大きな意味を持つことになるだろう。

デジタル法定人民元の導入には、全体的な支援体制の構築が必要である。しかし、人民元の国際的な地位の弱さとデジタル人民元のか弱い現状のため、デジタル人民元がブロックチェーンに接続することに対して多くのジレンマがある。

ひとつは、既存のネットワークVPC（仮想プライベートクラウド）技術に基づくか、ブロックチェーン技術と接続するかというジレンマである。

たとえば、既存のネットワークVPC技術を利用した中国のセールイベント「ダブルイレブン」では、2018年のトランザクションのピークは毎秒9・2万件以上、2019年は毎秒7・15万件以上と網聯（支付宝＝アリババ、財付通＝テンセントといった銀行以外の金融プラットフォームのお金の流れを一元管理する政府系ネット決済管理機構）が公表した。ブロックチェーン技術に依存するリブラ（Libra）の白書で合意された1000トランザクション／秒と比較すると、既存のネットワークVPCに依存する中国の需要のピークのほうが明らかに高い。その結果、現在のところ純粋なブロックチェーンアーキテクチャでは、小売業に求められる高い同時実行性を実現することができず、これは中央銀行が必ずしも完全にブロックチェーンにバインドされるとは限らないと決定した重要な理由のひとつになっている。

中国人民銀行支払決済部の穆長春副部長はかつて、「中央銀行レベルは技術的に中立的な立場を維持すべきであり、技術的なルートを事前に決定しない、つまり、特定の技術的なルートに必ずしも依存しない」と述べていた。これは主に、ブロックチェーン技術のアーキテクチャが中国での膨大な需要にまだ対応できていないためである。

一方で、ブロックチェーン実行時における同時実行性の研究も本格化しており、昨年末から今年初めにかけて、アリババとその傘下のアリペイ社が「ブロックチェーンにおけるトランザクションの同時実行のための方法および装置」に関する特許を多数申請しており、ブロックチェーンの同時実行問題が技術レベルから解決できることも示されている。したがって、ブロックチェーンはまだデジタル人民元の基礎技術になる可能性を秘めていると推察するのが妥当である。

第二は、完全なる非中央集権、効率化、安全保障の「トリプルパラドックス」が生み出すジレンマである。

一部の学者は、デジタル通貨決済システムの「トリプルパラドックス」、つまり完全なる非中央集権、安全性、効率性の3つが同時に実現できないことを主唱している。ネットワークの中央集権の度合いに応じて、ブロックチェーンには、以下の三つの形態に分けることができる。

・パブリック型
・コンソーシアム型
・プライベート型

プライベートチェーン、たとえばリブラは、ネットワーク内のノードがひとつの機関に保持されているという点で従来の貨幣システムに似ている。パブリックチェーンはビットコインのような完全に公開した非中央集権的なシステムである。コンソーシアムチェーン、たとえばデジタル人民元や他の国のデジタル法定通貨は、「部分的に分散化された」もので、階層的な権限を持ち、あらかじめ設定されたノードのみを会計処理できるようになる。

中国がデジタル人民元を発行する主な目的は、法定通貨の主権を守り、その地位を高めることにある。この面においては、完全な非中央集権化は短期的には明らかに望ましくないため、一定レベルの効率性と安全性を備えたプライベートチェーンやコンソーシアムチェーンがデジタル人民元の選択肢となり得る。しかし、コンソーシアムチェーンを採用するかどうかにも明らかなジレンマを抱えている。コンソーシアムチェーンの仕組みは、コンソーシアムメンバーの利害の不一致を維持することで取引の客観性と透明性を確保するものであり、コンソーシアムチェーンへの接続はメンバーの政治姿勢や地政学的な傾向に大きく左右される。

中国が主導する「一帯一路」諸国のコンソーシアムチェーンに接続することは、人民元及びデジタル人民元の海外における影響力を強めることができるため、大きな意義をもっている。「一帯一路」がカバーする範囲が深くなると、コンソーシアムチェーンと接続した、ボーダーレスで安定したデジタル人民元は、沿線諸国の国際貿易を促進するだろう。中国はベネズエラの最大の債権者であり、アフリカ諸国のソブリン債の14％以上を保有しているため、人民元がこれらの新興国の準備通貨となれば、中国の世界政治への関与を後押しでき、発言力を強めることができるので、いいこと尽くしである。

しかし、米国や英国などの国々が主導するコンソーシアムチェーンに参入すれば、中国は主導権と発言力を失うであろう。中国が脱ドル政策を強く主張し、外貨準備のドル資産を大幅に減らし、金準備を大幅に増やし、米国債を売却すれば、米中関係を悪化させるであろう。

米国がデジタルドルを加速せざるをえなくなり、さらに米国をデジタル通貨連合リーダーの座に押し上げる可能性がある。連邦準備制度理事会は、デジタルドルの上にUSDC、TUSD、GUSDなどのドルをアンカーとするステーブルコインが大量に存在することを黙認しており、実質的にデジタル通貨の流通におけるデジタルドルの優位性を支えている。

したがって私見では、デジタル人民元は自ら外部のコンソーシアムチェーンと接続するが、それは緩やかな、徐々にオープンにするプロセスであるべきだ。

第三に、中国国内の財政と銀行の争いによっても、デジタル人民元とブロックチェーンの接続がジレンマに陥っている。

ブロックチェーンを利用したデジタル法定通貨は、中央銀行が独立して発行するもので、流通と回収は中央銀行の管理下にあり、ベースマネーの一部となっている。伝統的な意味では、中央銀行はベースマネーの発行と回収のみを直接制御できるのに対して、商業銀行はより広範な、信用の流れに左右されるマネーサプライと制御能力を持っている。中央銀行は間接的にしか支配できない。

つまり、中国の歴史の中では、中央銀行と商業銀行のあいだで権限範囲に関する相克が繰り広げられてきたが、ブロックチェーンへの接続は、潜在的に権力を再分配する可能性があるため、デジタル人民元のブロックチェーンへの接続がジレンマに陥っている。

理論的には、デジタル法定通貨が導入されれば、中央銀行が商業銀行を迂回して貨幣の生成や

供給を完全に直接コントロールできるようになり、関連する金融政策の策定や実施の権限を構造的に中央集権化することが可能となる。デジタル法定通貨を中央銀行のベースマネーに含めることで、あらゆるレベルの経済活動に対する中国中央銀行の制御能力と影響力を回復し、より強固な監督管理を実現できる。

中央銀行主導派の学者は、2007年から2017年のあいだに、中国のM2供給量は40兆元から170兆元（約25・5兆ドル）に増加し、年間平均15％の成長率で、同期間の名目GDP成長率約10％をはるかに上回ったと主張している。これは主に商業銀行の過剰融資によるもので、不動産開発、地方自治体のインフラ事業、国有企業などに資金が流れている。この結果として、銀行のレバレッジが高くなり、中国経済が大きな債務リスクを抱えるようになっている。

また、M2測定では、シャドーバンキング（影の銀行）の存在があるため、中国の実質ブロードマネー成長率を過小評価している。銀行が提供する高利回りの資産運用商品や仕組預金、P2Pレンディングなどのインターネット金融は、70兆元規模の独立した金融産業を構成している。

制御能力が限られている中央銀行は、デジタル人民元の導入を通じて、かつてのミクロ経済主体への管理権限と制御能力を取り戻し、ミクロレベルでの社会経済活動に影響を与え、さらに商業銀行の役割を希薄化させたいと考えている。それに対して、商業銀行は、自身の伝統的な地位を維持し続けたい。政府は最終的にデジタル人民元を中央銀行が発行し、商業銀行が購入するという伝統的なモデルを維持すると決めたが、財政と銀行の紛争は、ブロックチェーンに接続するハードルを上げ、接続のコストを増やし、さらに接続の時間を遅らせた。

第四に、デジタル通貨の固有な開放性と中国のデジタル人民元の国際化レベルの低さ、制御能力の欠如により、デジタル人民元とブロックチェーンの接続はジレンマに陥っている。

ブロックチェーンはオープンで分散型であるのに対して、デジタル法定人民元は中央集権的な監督管理が必要であり、中国にとっては、金融市場は不完全であるため、資本プロジェクトの下での過剰な開放は、主導権を他人に握らせる恐れがある。しかし慎重な開放や開放しないことは、人民元の国際化を阻むことになるだろう。

ブロックチェーンへの開放と接続により、人民元の国際化のペースは進み続け、デジタル人民元がネットワークを外部に開放し、送金権限と規範を徐々に開放していく必要があるが、次の4つの条件が満たされなければならない。

①技術が成熟しており、スループット（単位時間あたりの処理能力）、同時実行性、ストレージ容量、プライバシー保護などの面においてユーザーを十分に保護できること

②犯罪者が抜け穴を悪用して他人の利益をすることを防ぐために、法制度と規制制度が健全であること

③中央銀行は強力なマクロ・コントロール能力を持つべきこと。貨幣システムが複雑化する中で、発行や制御などの面でマクロ経済に適切な影響を与える能力と、金融システムの運用リスクを十分にコントロールする能力を持つべきである

④金融システムは健全であり、人民元為替レートは基本的に安定しており、国境を越えた資本フローと準備資産は概ね安定していること

【2】孫啓明教授の論考に関する考察と日本への警鐘

1．ブロックチェーンの非中央集権性とデジタル法定人民元の中央集権性——デジタル人民元ではブロックチェーン技術を使うのか？

孫教授の三つ目の論考では中国がデジタル法定人民元を実現するに当たり、「ブロックチェーンはオープンで分散型であるのに対して、デジタル法定人民元は中央集権的な監督管理が必要」であるため、中国は大きなジレンマを抱えているという。

そのジレンマを解決するため、現在猛烈な勢いで研究が進んでいるようだ。

それならいっそのこと、「デジタル人民元発行に際してブロックチェーン技術を使わない可能性があるのだろうか」という疑念を抱かせる。どの技術を使おうと、デジタル人民元発行を目指していることだけは確実なので、世界はそのことに注意していかなければならないのだが、そうは言ってもブロックチェーン技術を使うか否かに関する真相は非常に重要だ。

そこで、まずはその点を明確にしたいと思い孫教授に質問をしたところ、以下のような回答を得た。質問（遠藤）と回答（孫啓明）を以下に記す。

質問：今年の両会、特に全国政治協商会議でもブロックチェーンが大きく取り上げられていますが、孫先生の原稿では「今のところ」だとは思いますが、使わない可能性がないではないと受け取られる表現があります。そこで、ストレートにお聞きしたいのですが、デジタル法定人民元発行の際にブロックチェーン技術を使わない可能性はありますか？

回答：いや、そんな可能性はありません。絶対にないだろうとさえ言えます。ブロックチェーン技術は必ず使うことになります。しかし、すぐに全面的に展開するということでもありません。その理由は2つあります。

第一に、世界的範囲でのブロックチェーン技術は完全に匿名でオープンであり、監視が容易ではないからです。ところが、中国の法定デジタル人民元は中央銀行が制御できるようにしなければなりません。この、ブロックチェーンが「完全にオープンで自由であること」と、「中央銀行がコントロールしなければならないこと」の間には、ジレンマがあります。だから最適な技術案の開発は現在も進行中で、「完全にオープンにすること」と「部分的に制御可能である」ことの最適な組み合わせを今検討中です。これはデジタル人民元を急速に国際化できない大きな理由のひとつでもあります。

第二に、中国のＶＰＣ（Virtual Private Cloud）ネットワークは現在非常に便利に使用されています。容量も大きく高速で、国内の企業やインターネットユーザーはこのネットワークに慣れています。そのため、一定の経路依存性や利用慣性が生じています。しかし、これは結局のところ、国内のパブリッククラウドの下にある仮想プライベートクラウドです。その国際化機能はブロックチェーンとは比較になりません。つまり、現在中国でどんなにVPCが普及しているからといって、中国が将来的に「ブロックチェーンに取って代わってVPCを使う」ということにはなりません。最終的には必ずブロックチェーンを使わなければなりません。しかし、このブロックチェーンは、中央銀行によって制御され、追跡可能でなければなりません。そのように改造されたあとに、初めて完全な形で使えるということです。たとえば、ビットコインのマネーロンダリング（黒銭）や資金の自由な出入りに対して、中央銀行が何も知らないという窮地（恥ずべき状況）に追い込まれるような事態は絶対に避けなければなりませんね。今はその過渡期なのです。

一方、共著者の白井氏は、以下のような見解と疑問を持っている。

●ブロックチェーンを使えば、アメリカ中心の金融システムを超えるデジタル金融システムを作ることができる可能性がある。しかし、そこへの参加者がどれだけ集まるか、また、その中で戦略物資が確保できるかの2点が鍵となる。

●現在のグローバル金融システムのもとでは、法の透明性が求められている。透明性がなければ（無いとアメリカが非難すれば）資本は逃げる可能性が高い。
●アメリカが市場を制圧しているので、アメリカの都合次第で制裁も可能であろう。
●ブロックチェーンは、法に変わるもの（権力が分散していて、事前に定められた手順通りしか作動しない）であるため、孫教授の指摘する通り、次世代のグローバル金融システムとしての利用は可能である。
●孫教授は、中国が志向しているデジタル人民元ブロックチェーンはコンソーシアム（またはプライベート）型であり、中国の管理は絶対必要と主張している。
●そうなると、デジタル人民元空間における法の執行者は中国政府となるため、政府を信用できる人か、信用せざるをえない人、信用より利便をとる人、のみが利用するはずである（中央集権システムと変わらない）。
●デジタル人民元の空間を作ることができても、魔法のように富は生み出せないので、戦略的物資の調達先も同じ通貨ネットワークに存在する必要がある。
●しかし、今後も中国がグローバルな貿易を求めるなら、デジタル人民元ネットワークをほとんどの主要な国々が使うか、それが無理であれば他の勢力の構築した金融システムも併せて使うかが必要となる。
●中国が他の勢力のシステムに入りたくないということであれば、将来、中国は、デジタル人民元圏のブロック経済を視野に入れているのか、それとも（地域でも）覇権を奪取している前提なのか。

さすが現場で投資を行い、常に世界の金融の動きに鋭い眼光を光らせているプロの見解と疑念だ。そこで念のため「ご参考までに」という感じで孫教授に白井氏の見解と疑念をぶつけてみた。すると、以下のようなコメントが戻ってきた。

ただ孫教授も忙しいので、朝方の4時過ぎに、「キーボードを打つ時間がないので、口頭で録音したものを文字化したから、口語的になっていたり、必ずしも論理的でない場所もあると思うが、お許し願いたい」という条件付きのコメントだったので、その状況をご理解いただいてお目通し願いたい。

――その理解は非常に正しいと思います。実際、今のところ、デジタル人民元と紙の人民元の間には本質的な違いはありません。どんな国の通貨でも、その国の信用度で決まります。その国の信用度は、その国の経済力によって決まります。デジタル通貨にしても、従来の紙幣にしても、それは物質資源の価値観の象徴（符号化したもの）でしかありません。一つの国家の通貨として、追加的な物質資源の獲得に使われてはならない。一つの国の経済の中で物質資源の運用と並行して動く価値観の運用に過ぎないのです。これらは何れも、最も伝統的で古くからある基本的な経済学の原理です。

しかし、これらの最も誠実で素朴な原則は、アメリカのウォール街のエリートによってめちゃくちゃにされました。彼らは金融革新を口実に、実体経済から切り離されたデリバティブを発明してきました。もし実体経済を超えた仮想経済が実体経済を牽引する役割を持っているのであれば、少しだけ超えるのならば、まあ、許されるとは思いますが、しかし、それを超え過ぎると経済危機をもたらします。

2008年の金融危機においては「米国の仮想経済は実体経済を約600倍も上回っている」という統計があります。もう一つ、私がよく批判しているのは、ドルの覇権主義です。世界の通貨として、ドルには造幣税が多少かかっても、まあ仕方ないでしょう。しかし無節操に発行して、無償で(ただで)世界各国の物質資源を簡単に手に入れ、それを以て自国の危機から自国を救うための手段としてはならない。

いま「羊毛集め」という言葉が流行っていますね。

デジタル人民元が一帯一路沿線諸国に受け入れられるか否かは、ある面では中国の経済力にかかっており、もう一方では沿線諸国に中国が真に発展と進歩をもたらすことができるか否かにかかっています。

もしデジタル人民元も一帯一路沿線諸国の物質資源の安価な獲得を目的とするのであるならば、デジタル人民元(中国)はより多くの国々の信認を得ることができないし、また末永い成長もないでしょう。

市場経済はジャングルの法則、いじめの掟、弱肉強食、適者生存の掟に支配されています。市場経済は、表向きは対等な交換を前提としていますが、実際には強国と弱小国の間における対等な貿易などあった試しがありません。しかし、これはまさに市場経済のマイナス面であり、私自身は常に市場経済に批判的でした。デジタル人民元が地域通貨になれるかどうかは、地域に共通の進歩と繁栄をもたらすことができるか否かにかかっています。デジタル人民元がいつの日か世界通貨になれるか否かは、世界経済に進歩と繁栄をもたらすことができるか否かにかかっている。

しかし実は私自身は、世界の通貨が一国の主権通貨であってはならないと考えているのです。米ドルでもダメだし、人民元でもやはりいけません。世界通貨とは、世界各国の通貨の集合体であるべきで、世界各国の経済力を真正面から表現したものでなければならない。

大変すばらしい問題意識を投げかけてくれて、ありがとうございました。

白井氏も孫教授の回答を高く評価した上で、以下のように述べている。

――「アメリカの金融システムに対抗するためのブロックチェーンベース」と「中国政府による管理」とは、やはり相反し続けるだろうと思います。しかし、その点は孫教授も「時間をかけて埋めていくしかない」という認識とお見受けしました。本書のテーマはそのギャップを明らかにすることであり、日本の戦略はその間隙をつくことだと考えています。

その意味で本書が日本への警鐘になることを望んでいます。

2．デジタル法定人民元はコモンロー制約から逃れられるか

本書の冒頭でも、またその後の章でも、何度も「コモンロー（英米法）」の話をしてきた。私（遠藤）には早くから、デジタル法定人民元が完成したら、ひょっとしたらコモンローの制約をあまり受けなくなるのではないかという思いがあり、そのことにこだわってきた。

ブロックチェーン技術は白井氏も書いているように「法に代わるルール」を創り出すはずで、そうであるならば、中国がブロックチェーンを用いてデジタル法定人民元を実現することができたならば、「香港」という「コモンローに基礎を置いた国際金融センターが受ける制約」から逃れられる可能性がある。

だから中国の「デジタル法定人民元を完成させて、ドル制覇の束縛から逃れよう」という戦略は、ひょっとしたら「香港のコモンローからの束縛から逃れよう」という習近平の、父・習仲勛のトラウマからの脱却劇なのではないかという思いが頭から離れないのである。

その回答を突き止めたいと思ってさまざま調べたところ、経済学では世界最高権威と言われている全米経済研究所（National Bureau of Economic Research ＝ＮＢＥＲ）のワーキング・リサーチに掲載されている「法と金融（Law and Finance）」という論文があることを知った。

著者はLa Porta, Lopez-de-Silanes, Shleifer および Vishny という4人の経済学者で、彼らが出し続けた論文群を、著者の頭文字を取って「ＬＬＳＶ理論」と称する。

アメリカのノーベル経済学賞受賞者35人の内、20人が全米経済研究所関係者であることから見ても、この研究所のレベルの高さがうかがわれる。

「法と金融」は１９９６年に最初に掲載されたあと、論理をヴァージョン・アップして98年に学術雑誌Journal of Political Economy に載せ、２０００年になるとさらに論理を再構築して全米経済研究所のワーキング・リサーチとして発表している。

これを「法的起源説」と称するようだが、日本語では比較法学の第一人者である故・五十嵐清氏が「比較法と経済学――法的起源説（LegalOrigin Thesis）を中心に」（２０１０年、札幌法学22巻という論文の中で、「２００４年に世界銀行がＬＬＳＶ理論の衝撃を受けてDoing Business という調査をおこない、ＬＬＳＶ理論を指標にして１５０カ国を対象に事業活動の容易さを数量的に分析し、ランキングを付けた」ことに言及している。これに対してシビルローのフランス法系学者が反論を示したこともあったという。２０１４年には「金融システムと法系論―法的起源説からの一考察」（藤原孝行、社会イノベーション研究　第9巻第2号）という研究ノートも出された。

これらの文献をざっくりとまとめると以下のようにある。

●コモンロー系とシビルロー系を比較すると、シビルロー系に比べてコモンロー系に属する諸国の方が、経済成長できる環境が整っている。

●投資家保護のための法制度という観点から見ると、コモンロー諸国は株主に対して最善の法的保護を与え、シビルロー諸国よりも債権者に対して経営者との関係で、より強い保護を与えている。

●日本の法制は、法系論の視点からすると、シビルロー、特にドイツ法の影響を受けている。しかし日本の金融法制は、コモンローとシビルローの折衷型である。

事実、日本の裁判では、成文法と位置付けられるシビルローのように法律の条文に沿った法解釈に基づいて判決を出すのでなく、慣例法と位置付けられるコモンロー精神に基づき、前に判例があったか否かに基づいて判決を出すことが多く、まるで「裁判とは判決探しだ」と言ってもいいほどだ。これはアメリカに要求されたコモンロー的思考に基づくもので、それはあらゆる組織で「前例がありませんので」という、非常に歪んだ「先駆者的精神を否定する」弊害として表れている。日本の伝統的で保守的な文化と相まって、「前例を打ち破って独創的な発想と決断をする」ことを嫌う。

コモンローには融通性があり、条文を重視するシビルローのように法改正という時間がかかることをしなくとも臨機応変に紛争を解決していくことができるメリットはあるが、精神性においては逆に保守的になっているように思える。

日本の精神土壌は別として、LLSV理論の流れから類推すれば、第4章で論じた中国のグレーターベイエリア構想は、この「折衷型」に移行することができるはずで、それこそが「深圳示範区」の神髄であろうとみなすことができる。

すなわち、香港のウェイトを減らして深圳（あるいは、いつかはマカオ）へとシフトさせていき、アメリカからの束縛を受ける香港のウェイトを軽減させようという戦略に他ならない。それが「デジタル法定人民元」創出の隠された狙いなのではないかという考えが、どうしても頭から離れないのである。

金融工学は統計物理学の中の流体力学（レオロジー）を途中から応用するようになり、LLSV理論は数量経済学にその基礎を置く。私のかつての専門は大きく分ければ統計物理学で、その昔、一橋大学で生まれて初めての講義だというのに、数量経済学を専攻する大学院生たちに統計物理学の立場から講義をしなければならなくなったことがある。当時はまだ純粋な理論物理学者でコンピュータシミュレーションなどをしていた。経済の「け」の字も分からないので、考えた末に「マルコフ確率論と適応プロセス」というテーマを選んだのだったが、これが非常に受けた経験がある。

というのは、この基礎理論は「最適化の理論」へとつながり、ノーベル化学賞を受賞したプリゴジンの非平衡準安定状態の統計熱力学へと発展していくからだ。統計熱力学的に平衡でない開放系構造を「散逸（さんいつ）構造」と称するが、これはエネルギーが散逸していく流れの中で「自己組織化」

のもと発生する、定常的な（一定期間は安定な）構造である。人間もウイルスも、ある意味では開放系構造の中で「自己組織化」をしているわけで、エントロピーという無秩序さを表す物理量を最小化して生きているのが生態系だ。すなわち生態学（エコロジー）とこのエントロピー最小化理論が結びついている。

少し表現を変えると、私たち人間（あるいはウイルスさえも）、生命体はすべて「非平衡な開放系構造（散逸構造）」の中で、「エントロピー（無秩序さ、カオス）を最小化」して「自己組織化」を維持して「生きている」。もしエントロピーが増大の方向にひたすら動き始めると生命体は自己組織化能力を失う。これが「死」であり、「自己組機化構造」のない「土」に返る。

大雑把に言えば、開放系であるというのは、たとえば酸素を取り入れて炭酸ガスを吐き出し、水分を取り入れて排泄することを意味する。人間（生命体）が時間の経緯とともに老いていくのは、エネルギーが散逸していくからで、私たちの体は非平衡な「散逸構造」を一定時間「常態化」しているに過ぎない。つかの間の安定状態を「開放系」として維持している。

ロボットと比較すると分かりやすいと思うが、ロボットはビニールの袋の中に閉じ込めていても（閉鎖系でも）作動するが、人間はビニールの中に密閉されたら生きていけない。ロボットは電源と使用電力や電波などのエネルギー以外は、閉鎖系平衡状態にある「構造」で「自己組織化能力」は持っていない（今のところ）。他者（人間）が組織化した（制作した）「閉鎖的安定状態」にある「他者組織」で、俗に言うならば「血が流れていない」のである。

これらの理論の出発点は、すべて統計物理学だった。

いま何にでも「エコ」という言葉を付けるが、元をたどれば統計物理学であり、誰もが使っている液晶画面でお馴染みの液晶理論でさえ、類似の論理から派生した要素を持っている。これらの開放系構造は、やがて複雑系経済学という分野を生んでいるほどだ。

そんな関係から、非常に疎いはずの金融論の基礎要素の一つが、LLSV理論を通して、案外に古巣の統計物理学と接点を持っているのを発見して嬉しくなり、私はすっかり「法体系と金融」の虜になっていた。

折しも香港と同じ一国二制度を施行しているマカオに、香港の代替をさせるべく当局が動いていると中国では盛んに言われ始めていた。マカオはポルトガル領だったのでシビルローを用いている。そうこうしている内に当局が「マカオは基本的に成文法であるシビルローを軸にしているので、当面は代替することはしない」と表明した。

となると深圳を中心としてグレーターベイエリア構想はどうなるのか、デジタル法定人民元になったらどうなるのかなど、自ずと関心はそちらに動く。

本来本書は、それを解き明かしたいという動機から執筆を始めた。ところが途中からコロナ問題が発生したので中断し、状況を一応見極められるようになったら出版しようということになったのだが、コロナや国家安全法などが前面に出てきたので、この問題を宿題として残したまま、最終章に来てしまった。

もう印刷に入るので、翌日にはゲラを戻さなければならない日の真夜中になって、この執念が頭をもたげた。夜中の12時になっていた。メールを出しても見ない可能性がある。電話などする時間帯ではないが、北京はいま夜の11時なので、孫教授は仕事をしているはずだ。

許して下さいと心の中で祈りながら、孫教授に電話してしまった。

遠藤：ごめんなさい！　こんな非常識な時間に！

孫　：いえいえ、大丈夫ですよ。よほど切羽詰まったご事情がおありなんでしょう。

遠藤：そうなんです！　もう印刷に入るというのに、私にはどうしても解明したい問題があるのです。ストレートにお聞きします。いま中国では香港問題がありますが、デジタル法定人民元の実現を目指す目的の中に、コモンローによる束縛を希薄化し、アメリカの香港に対する干渉を減少させようという狙いはありませんか？

孫　：おお！　なんと素晴らしい質問でしょう！

遠藤先生からは、いつも剛速球のような質問がいきなり投げ込まれてくるので、実に痛快です。まさにその通りですよ！　もし、こちらも豪快に大胆に答えていいなら、次のようなことが言えます。

こうして孫教授は、以下のような点を興奮気味に仰った。

❶コモンローの束縛から逃れるためにデジタル人民元を目指しているようなものだ。

❷ブロックチェーンを使えば、アメリカの束縛を受けなくて済み、香港を金融取引の経由地

とする必要は薄まる。

●デジタル人民元化は、香港からの脱却であり、アメリカの束縛からの脱却である。

●それがなかったら、目指す意味はない。しかし世界中がそのスタンダードを我が国こそ作ろうとして頑張っているので、手を緩めることはできない。

「本当ですか⁉」とこちらも狂喜し、「是非ともそれを文字化してメールで送ってくださいませんか？」と懇願した。「ん――、今は時間がないので、少し遅くなりますが、何とかしましょう」と言ってくださり、朝方に来たメールには、以下のようなことが書いてあった。

――遠藤先生の視点は鋭く正しい。いつも斬新な視点から斬り込んでくるので、非常にフレッシュでハッとさせられ、知的好奇心を刺激されて、思わず嬉しくなって言い過ぎてしまう傾向にあります。

文字化したものをメールで送ってほしいと言われましたが、電話で「叫んでしまった」のは、私の「歓喜した心の声」だと思ってください。少し冷静になって、書きます。

デジタル人民元が利用するブロックチェーン技術は、マルチノードで、オープンで、信頼性の高いシステムです。取引速度が非常に速く、取引コストが低く、透明性が高い。記録され、追跡可能です。その結果、紛争の発生や意見対立などの発生率が相対的に低くなるでしょう。司法のコストが下がり、法への依存度が低くなり、法体系をそれほどは選り好みしなくなる（＝今までのように法体系に左右されなくなる）。デジタル通貨のエントリー、エグジット、トランザクションにブロックチェーンプラットフォームを使用することで、いくつかの新しい方法やルールが生まれます。その結果、一方では既存の法体系への依存度を希薄化させ、他方では新たな法規範とルールを産み出すことを促進させていく可能性があります。デジタル通貨取引の多くは、仮想空間のノードで実行されるため、香港、深圳、マカオ、上海などの物理的実存空間の地位と役割を希薄化していくということもできます。つまり、香港でなければならないという、（アメリカの束縛を受ける）香港の重要性を希薄化させるということです。

そうは言っても、現時点では、これはあくまでもデジタル通貨に対する明るく美しい未来のビジョンに過ぎず、そのような理想的な状況に到達するまでには、まだまだ長い道のりがあり、まだまだ多くの技術を改善しなければなりません。

各国政府の、通貨のこうした自由な移動と自由な交換に対する認識や姿勢における相違や、コントロールレベルに対する認識の相違は、デジタル通貨を運用する際の新しい規則に様々な影響をもたらすでしょう。つまり、不確定要素がまだ多いのです。

一つだけ確かなことがあるとすれば、それは、現在の世界通貨システムの中で最も利益を得ているドル覇権システムは、頑なに自己の現行の運用システムに固執し守り抜き、何としても新しいルールの誕生を阻止するだろうということです。

これでようやく宿題を果たした。

脱力感を覚えるほどの安堵感と同時に、西側諸国としては、ここにも注目しなければならないという深い感慨を抱いた。それは日本やアメリカに発する、私のささやかな警鐘と言ってもいいだろう。

3．中国が日本を誘い込もうとする理由
――デジタル「アジア元」の試行には日中韓自由貿易協定が不可欠

本書の冒頭で述べたように、2020年両会における最も衝撃的なできごとは香港への国家安全法制導入を決定したことだが、もうひとつ動いていた大きなうねりがある。

それはブロックチェーンとデジタル人民元に関する提案が2019年両会と比べて75％も増えたことだ。なかでも注目されるのは、香港を経由してデジタル人民元を発展させていこうという提案だった。またもや香港だ。

提案の背景には香港への国家安全法制導入によって、アメリカが香港への優遇策を撤廃する可能性があることと、最悪の場合には香港ドルの米ドルへの依存性（ドルペッグ制＝香港ドルと米ドルの通貨レートを一定に保つ固定相場制）を引っぺがす可能性さえあることを中国が警戒しているという事情がある。

それならばいっそのこと、コロナによる経済の落ち込みをきっかけに（それを逆利用して）、孫啓明教授が言っているような「アジア元」のデジタル通貨流通領域を、香港を拠点として試しに創っていこうではないかというアイディアだ。

提案のタイトルは「クロスボーダーなデジタルステーブルコインの香港における開発に関する提案」（以下、提案）である。

ステーブルコインとは第6章でも触れられているとおり、安定した価格を実現するように設計されたデジタル通貨で、法定通貨担保型や仮想通貨担保型などがあるが、ここではリブラ同様、法定通貨担保型を想定している。第6章に合わせて、「ステーブルコイン」という用語を以下では使うこととする。

提案の骨子とその解釈（遠藤）を以下に列挙する。

❶人民元、日本円、韓国ウォン、香港ドルにより構成されるバスケットに裏付けられたステーブルコインを民間主導で形成し、中央銀行およびその関連監督管理機関による監督管理下にあるサンドボックスで、まずはクロスボーダー取引決済を試してみる。サンドボックスでは加重平均に基づいて通貨の価値を設計する。

解釈：一種のステーブルコイン連盟のようなものを中国大陸・香港を中心に日本と韓国に呼びかけて、まずは民間企業（民間の金融機関？）などが中心になってステーブルコインを発行する。中国としては、日本も韓国もコロナで経済が落ち込んでいるので、きっと乗ってくるだろうと計算している。

また、第7章の「日本再興戦略」の「戦略オプション1」で白井氏は「日本にとっての最適戦略は、中国が積極的になる前に、日本がアメリカの積極策を引き出し、ドルのデジタル化と普及に最大限貢献することだ」と書いているが、懸念したとおり中国は「その逆」を「積極的に」動かそうとしているのである。

白井氏の懸念はみごとに的中し、米連邦準備理事会（FRB）のパウエル議長は17日の米下院委員会で、中央銀行が発行するデジタル通貨（CBDC）を「真剣に研究していく案件の1つだ」と位置付けた。FRBはこれまで「サイバー攻撃などのリスクが大きい」として、ドルのデジタル化に慎重な姿勢だったが、中国が人民元のデジタル化に向けて技術の向上を加速させているのを受けて、態度を変えたものと解釈される。

中国では「アメリカ、態度を180度転換」という形で報道されており、孫教授は「ほらね、始まりましたよ」とFRBがデジタルドルへの研究を本格化させることに警戒を述べている。

なお、「サンドボックス」（砂場、砂箱）とは「ソフトウェアの特殊な実行環境として用意された、外部へのアクセスが厳しく制限された領域、あるいは外部に影響をもたらさない状況」を指している。

❷電子財布（ウォレット）の準備金システムを確立し、資金の安全性を確保する。大陸と香港が共にステーブルコインと中央銀行デジタル人民元の連携を進め、そのシナリオを研究し、テストし、評価し、中央銀行のデジタル法定人民元がグレーターベイエリアでのクロスボーダー応用を実現させるように導いていく。

解釈：すなわち、他に影響しないようなサンドボックスの中で創り出したステーブルコインがデジタル人民元と「接続可能」（直接交換可能）な状況を作って、小さな取引をやってみる。香港におけるサンドボックスでの実験を、習近平が重視しているグレーターベイエリアでの応用へと導いていくということが「ミソ」だ。

❸取引するに当たって、現在交渉が加速している中日韓自由貿易協定（ＦＴＡ）を利用する。ステーブルコインによる便利なクロスボーダー決済サービスは、中日韓の経済貿易協力を促進するだろう。香港はこの地域の主要な貿易・金融センターとして、本土（中国大陸）に支えられ、アジアに拠点を置き、世界にサービスできるという利点を生かして、クロスボーダー貿易の新しい研究と応用に積極的に参加する。ＦＴＡとステーブルコインがあればＳＷＩＦＴを経由しなくても、すぐに取引できる。

解釈：最も注目しなければならないのは、ここに書いてある「中日韓自由貿易協定」で、中国はそのために韓国を中国側にすでに引き寄せ、同時に日本を中国側に引き寄せようとしている。習近平国賓来日に執着した安倍政権は、中国側が着々と進めている戦略的コマのひとつになり、まんまとその罠に嵌っている（詳細は『激突！　遠藤VS田原　日中と習近平国賓』）。

中国にとって日本を中国側に惹きつけることにはいくつものメリットがある。

●米中韓の軍事的な安保連携から韓国を引きはがしたので、次は日本を離間させてしまえば、アメリカは第一列島線において力が弱まる。

●万一にも米中戦争になった時には、台湾と第一列島線を確保しておくことは中国には非常に重要。

●米中首脳会談をするというときなどは、日本は絶対に中国に文句を言ったりしないので、「日中首脳会談をするときにこそ尖閣諸島の領海侵犯を頻繁に行える」。やがて実効支配をしていくつもりだ。

●米中貿易戦争があるので、日本を中国側に惹きつけておけば、貿易においても技術の獲得においても苦労しなくて済む。

列挙すればキリがないが、ともかく中国がアメリカに勝利するには、何としても日本の力が必要だ。

この「提案」に関して再び孫啓明教授に意見を求めてみた。すると概ね以下のような回答が戻ってきた。

――これは非常に良い提案です。これこそは正に以前私がGRICIの論考で書いた「デジタルアジア元」の考え方と同じです。これは、その雛型と言っていいでしょう。しかし、これはまだ提言の段階で、正式な政府発表には至っていません。もっとも中国の政府系や民間の主流メディアが大きく扱っているところを見ると、中国という国家の姿勢であると言うこともできましょう。

とは言え、最終的に実施されるまでには、まだまだ長い道のりがあります。その主な問題点には、以下のようなものがあります。

●民間から始めると言っていますが、民間は誰なのか、如何なる組織なのかが、まだ明確ではありません。

●このステーブルコインは、どのようにしてデジタル人民元と接続するのか。もう少し具体的な設計が示されないと何とも言えない側面があります。

●日本と韓国の政府側の態度がどうなるか未知の部分があります。日韓両国ともアメリカの顔色を窺いながらでないと意思表示できないでしょう。もっとも、だからこそ、わざと「民間」が始動するとしていると考えることはできます。

●アメリカは必ず圧力をかけてきます。確実です。日韓両政府がアメリカの圧力にどう対応するか、見ものですね。

こういった問題点はあっても、中国の中央政府はこの提案を非常に真剣に受け止め、すべての関係者を組織して積極的に研究し、実行に移すだろうと、個人的には信じています。この提案は経済発展の客観的な法則と歴史的な流れに沿ったものだと思いますが、アメリカは間違いなく抵抗してくるでしょうね。最も確実なのは、そのことです。

もちろん私は中国人学者として、中国、日本、韓国の学者が、地域通貨となるアジア元の導入を目指して、この提案を支持するよう自国の政府に呼びかけることを期待しています。アジア元を生み出すためのコアとして地域ステーブルコインが、あらゆる茨の道や困難を乗り越えて、いつかは世界金融の歴史を塗り替え、世界の金融情勢を劇的に変えるという課題を完成させる日が来ることを祈っています。これは中国に課せられた歴史的使命でもあるのです。

4．中国のポストコロナ世界新秩序形成に日本は手を貸すな

孫教授のコメントからは、正直な「中国の心」がストレートに伝わってくる。そうであるが故に、日本人としては「真逆の発想」と視点を持たなければならないだろう。すなわち、日中韓自由貿易協定という、三カ国の枠組みであるなら、日韓ともにアメリカと友好関係を結んでいるので大丈夫だろうと油断してはならないということである。

日本が万一にも中国が今後提案してくるであろうバスケット案に乗り、「まあ、サンドボック

スの中でのことなので、お試しにステーブルコインを発行して小さな取引をしてみるくらいはいいだろう」などと軽く考えて、「提案」に乗っかってしまったら、まさに中国が言うところの金融史上の「歴史的革命」に参画することになる。

実現は数年先になろうとも、それは中国がドル覇権を覆して、法定デジタル人民元で世界を制覇しようとするための第一歩であることを肝に銘じなければならない。

中国が盛んに勧めてくる日中韓自由貿易協定の本格交渉もまた、このデジタル「アジア元」の創出を狙ったものであることを、日本政府関係者だけでなく、多くの経済界の方たちにも見抜いておいていただきたいと切望する。

そもそも安倍晋三首相は「一帯一路」に関しても「協力」することを習近平に誓った。その原因はなんと、自分が国賓として中国に招聘されたいという個人的願望からだ。そうすれば日本における自分の名声が上がり、選挙に有利になるとでも思ったのだろうか。習近平に国賓として呼ばれることが「自分の権威」が高まることにつながるという考え方をすること自体、すでに朝貢外交であるとしか言いようがない。

習近平は安倍首相に対して「国賓として招聘してほしいのなら、安倍はまず一帯一路に協力するという意思表示をしなければならない」と交換条件を出して脅してきた。その脅しに応えたのが安倍政権だ。自民党の二階幹事長や公明党の山口代表などのお膳立てのもと、2018年10月26日、安倍首相はめでたく国賓として中国に招聘され、習近平と会談した。そして一帯一路に関して第三国市場での協力モデルを提案し、習近平はこれを「日本モデル」と称してイタリアを陥落させることに成功している。

そこまで中国に利用されてもなお、安倍首相は自分を国賓として中国に招聘してくれた習近平を、今度は「返礼」として国賓招聘しようと必死になったのである。

コロナ災禍を世界に巻き散らした習近平を、今となっては、よもや国賓として招聘しようとは思わないだろうと期待するが、しかし考えられない日本政府側の発言があった。2020年6月30日、中国の全人代常務委員会が「香港国家安全維持法」を可決したと香港メディアが報道したことに対し、河野太郎防衛大臣は記者会見で、「事実なら、習近平国家主席の国賓来日に重大な影響を及ぼすと言わざるを得ない」と述べたのだ。

ということは、安倍政権はこの期に及んでもまだ習近平国賓来日を諦めていないということになる。そのようなことをすれば、日本政府は香港の国家安全法実施を肯定し礼賛したことになってしまうではないか。口では「遺憾だ」などと言いながら実際の行動では歓迎するのでは舐められるばかりだ。「問題があるからこそ話し合わなければならない」などと詭弁を弄しているが、本当にただ話し合うためならば、国賓として招聘する必要など微塵もない。

習近平国賓来日が実現すれば、習近平は必ず「返礼」として天皇陛下の訪中を要求してくる。それによってコロナ災禍の罪は許され、香港の国家安全法を容認したことを全世界に権威のある形で示すことになってしまう。

１９８９年６月４日の天安門事件後、アメリカをはじめとした西側諸国は厳しい対中経済封鎖網を形成した。この封鎖網を最初に破ったのは周知のように日本だ。それによって中国は一党支配の崩壊から免れただけでなく、未曽有の経済成長を成し遂げ、２０１０年にはＧＤＰにおいて日本を追い越した。中国を世界第二位の経済大国に押し上げたのは、ほかならぬ日本だ。中国はアメリカから制裁を受けた時には日本に微笑みかけ日本を誘い込めばいいということを知っている。これは中国の常套手段だ（詳細は『日中と習近平国賓』）。

あのときは一党支配体制の崩壊を回避し日本を経済的に追い越すことが目的だったが、今度は違う。

遠くはデジタル法定人民元実現を目指しながら、まずはポストコロナの新世界秩序形成において中国が勝者となることを習近平は狙っている。いつかはアメリカのドル覇権を覆し、中国が世界の覇者となる遠大なロードマップを描いている中国に対して、日本政府は近視眼的利益しか見ていない。国民の生活が豊かになることは重要だが、しかし目先の利益に目がくらみ、長い目で見れば日本国民に屈辱を与える小手先の対応は、最終的には日本国民の幸福と尊厳を損ねる。

民主主義国家に普通選挙があるのは良いことだが、その選挙のために政治家が絶え間なく目先の利益しか考えないという愚はくりかえすべきではない。その選択の積み重ねが決定的な国力の低下を招くことにつながることを肝に銘じるべきだろう。

デジタル法定人民元の実現までにはもう少し時間がかかるが、しかし実現に向けた道を中国はすでに着々と歩み始めている。本書がその事実への警鐘となれば幸いだ。

あとがきに代えて——香港国家安全維持法の正体

２０２０年6月30日に全人代常務委員会で可決された「香港維護国家安全法」は、その日の夜11時から発効し、香港で実施されることとなった。全人代常務委員会が発表した正式名称は「中華人民共和国香港特別行政区維護国家安全法」である。この「維護」は「守る」という意味で、日本語では言葉の順序を変え、全体として「香港国家安全維持法」と訳すのが通例になってしまったので、ここでも日本のメディアの通称に従って、この表現を使うこととする。

香港国家安全維持法が可決されたことによって、「一国二制度が崩壊した」とか「一国一制度になってしまった」と表現することが散見されるが、これは正確ではない。

一国二制度の「二制度」は「社会主義制度（大陸）」と「資本主義制度（香港）」であって、そこには「民主主義であるか否か」という概念は存在しない。

そもそも中華人民共和国憲法は、中国を「民主的な国家」であるとみなしており、一党支配体制を「民主集中制」と称している。したがって香港国家安全維持法が可決されたからと言って、「一国二制度は死んだ」とか「高度な自治を謳い、50年間は維持されるとした一国二制度は、早くも崩れ去った」などという表現は、非常に不適切なのである。もし「一国一制度」になってしまったというのであるなら、中国大陸の社会主義制度が、むしろ国家資本主義化してしまって、社会主義制度でなく資本主義制度になってしまったというのなら、まだわかる。

中国の真相を斬ろうと思うなら、敵の正体を見誤ってはならない。攻撃の論理性が崩れ、北京に反撃の余地を与えてしまう。

高度な自治を保障しているのは基本法だ。

たとえば基本法の第二条と第十二条には以下のような文言がある。

第二条　：全国人民代表大会は、香港特別行政区に対し、本法の規定に基づき、高度な自治を行使し、行政管理権、立法権、独立した司法権および終審権を享受する権利を与える。

第十二条：香港特別行政区は中華人民共和国の高度な自治権を持った一つの地方行政区域で、中央人民政府が直轄する。

この第二条で香港の最高裁判所が下す最終審判決の権限までをも、香港の司法に与えてしまったことが、北京にとっての最も大きな問題となるのである。

これは本文でしつこくご説明したように、香港でコモンローを用いることを許したことに全ての原因があり、香港の国際金融センターとしての役割を重視したために、司法に関してもコモンローを用いるとした結果、コモンウェルス（かつてのイギリス連邦）の国々からの外国籍裁判官を最高裁判所や高等裁判所など、全てのレベルの裁判所に置くことを認めることにつながった。

西側諸国の裁判官が民主活動家に対して厳しい判決を出すはずがない。

これを是正しようというのが今般の香港国家安全維持法である。

同法は大きく分けると、「国家分裂罪、国家転覆罪、テロ活動罪、外国勢力と結託し国家安全を害する罪」の4つから成り立っている。この4つの罪に抵触しなければ、香港に在住（あるいは滞在）する外国人が海外で中国を批判するような言動をしても、罪に問われることはない。「抵触するか否か」は北京が決めるが、その判断基準は「政府転覆を煽るような言動をしているか否か」あるいは「香港独立や台湾独立などを扇動しているか否か」といった視点から成されるので、関係者はそのことに注意するといいだろう。

本書のテーマとして注目しなければならないのは同法第四十四条だ。第四十四条には以下のような文言がある。条文を全て掲載するのは文字数を取るだけでなく、焦点がぼやけてくるので、敢えて問題点だけを抽出する。

●香港特別行政区行政長官は、全てのレベルの裁判所の裁判官の中から、若干名の裁判官を選び、国家安全に危害を及ぼす犯罪の処理に当たらせる。
●行政長官が指名した裁判官の任期は1年とする（遠藤注：もし任命した裁判官が不適切だった場合は他の裁判官を指名することができるようにして、北京の意向通りに判決を出す裁判を執行させる）。
●裁判官の任期内に、万一にも裁判官が国家安全を侵害するような言動をしたならば、直ちに国家安全担当裁判官の資格を剥奪する。

●国家安全犯罪に関する裁判は国家安全犯罪担当裁判官が審議する（遠藤注：外国籍裁判官に民主活動家の裁判を担当させない）。

このように全てはコモンローの弊害から逃れようとしたのが、今般の香港国家安全維持法の目的なのである。

懲役刑に関してもこれまではどんなに反政府的な行動をして逮捕されても一ヵ月ほどの懲役刑で済み、小旅行気分で出獄してきた。だから懲りないので繰り返す。そこで今般は懲役刑として最高刑で無期懲役まで許されるように定めている。

何もかもが習近平の父・習仲勛が残した負の遺産からの脱却であることが見えてくるだろう。

そもそも香港が中国に返還されたのは1997年7月1日だが、この「7月1日」はほかならぬ「中国共産党の建党記念日」だ。このことからしても、中国が如何に香港を中国共産主義化しようとしているかは、最初から明らかなのである。

特に2021年7月1日は中国共産党の「建党一〇〇周年記念」に当たる。習近平としては何としてもそれまでに父へのトラウマに一応のピリオドを打ちたかっただろう。

1946年4月、中国人民解放軍の前身で、当時は通称「八路軍」と呼ばれていた中国共産党軍が、私の生まれ育った中国の東北に位置する吉林省長春市に攻め込んできたことがある。さまざまな事情から趙という名の八路軍のお兄さんと私は一緒に暮らすことになった。

「毛沢東、知ってるか？」

趙兄さんが私に聞いた。

「知らない」と答えた。

「毛沢東はね、陽が東から昇るように東から昇ってきて中国を照らし、人民を救ってくれるんだよ」

こうして「東方紅（ドンファンホン）」という歌が出来上がったのだが、その毛沢東は1年半後の1947年晩秋には長春を食糧封鎖して数十万の一般市民を餓死させた。

あの趙兄さんがその後、毛沢東の日本語通訳を務めた趙安博氏だというのを知ったのは、何十年もあとのことだった。私の生涯はその「東から昇ってきた」という毛沢東と闘っているようなものだ。

先日、北京の対外貿易関係の大学で教鞭をとっている教え子から連絡があった。コロナで元気にしているかという気遣いだったが、いま何を書いているのかというので、本書の内容をざっと説明したところ「なら、習近平になってから港交所（香港証券取引所）で種類株の上場を許すようになったので、アリババとか京東とか、最近では網易なども香港に上場していることにも注目なさるといいかもしれません」という。

種類株？　何のことだかさっぱり分からない。調べてみると、どうやら普通の株より議決権が多い株の種類のようで、香港証券取引所は2018年4月24日に、種類株を発行する企業の上場を認めると発表したようだ。教え子の説明によれば、アリババが2019年11月に香港市場に上場し、今年6月には京東と網易が上場したのだという。いずれも、ニューヨーク証券取引所やナスダックなどとの重複上場であるという。

香港証券取引所のＣＥＯである李小加氏は中国大陸出身の人間で、まだ胡錦濤政権だった２００９年にＣＥＯの職に就いている。種類株を上場させる決断を出させたのは習近平政権だ。大陸企業を誘致させたいという意図があるのは明らかだろう。事実、２０１９年12月に上海証券報や新華社が、李小加の就任10周年記念に関する記事を書いているのだが、そこには以下のような記述がある。

——就任するやいなや、李小加は香港証券取引所を「中国内地（本土大陸）の顧客が世界に向かって行く窓口であり、国際社会の顧客を中国内地に向かわせていくグローバルな取引所と位置づけています」と語っていた。

その時から習近平は今日の準備を進めていたのだろう。習近平は香港を「中国企業の資金調達や対外投資の中継点」と位置付けるべく動き始めていたのである。西側諸国は今後、「自由と民主」をパラメータとして選択を迫られていくことになるにちがいない。そこに追い込むための仕掛けを習近平は準備していたとも言える。

本文でも書いたように、憲法と基本法には「合法的に」炸裂させることができる爆弾のようなものが仕込んであるのだが、こういった細部のからくりを見ると、まるで忍者細工を彷彿とさせる。

ところで本書は最初、単著で出すはずだったのだが、偶然のことから共著の形を取ることになった。実は昨年の11月に田原総一朗氏との対談本を出版するための対談があり、その席に中国問題グローバル研究所の理事の一人である白井一成氏が同席なさったことがある。白井氏は新進気鋭の若き実業家で、多くの会社の株主であると同時に、ご自分もグローバルに投資事業を展開されており、過去においては中国での数多くの投資経験もお持ちだ。

田原氏との対談を終えて白井氏と情報交換をしていた時に、私が単著で出そうとしていた本のテーマに話が及んだ際に、白井氏は「香港から資本がどんどん逃げ出して、このままでは非常にまずい。とはいえ、デジタル人民元の導入でグローバル金融の世界が一気に変わるかもしれない。東京もこの流れについていかないと取り残されるのではと考えているのです」と仰った。

この言葉に感銘を受けた私は、是非とも白井氏の視点と領域からのご意見を頂きたいと思い、咄嗟に、「でしたら共著で本を出しませんか?」と、その場で申し込んだのだった。

白井氏は鋭い感覚を持った理論家であると同時に、現場で投資をしているわけだから、その並外れた実力は、私から見ればあまりにギャップがあり、不釣り合いで、僭越な申し出であるとも思ったが、白井氏はその場で快諾して下さった。

2020年1月下旬、双方の原稿が出そろったところで、そろそろゲラに組む段階かなと思っていたところ、突如、コロナの問題が沸き上がってきた。原稿を中断し、コロナがある程度収まってから再出発することになったのだが、その時には米中の争いが尋常ではなくなり、最終的に本書のような形になってしまったという経緯がある。

したがって、読者の方には、ひょっとしたら本全体としての一体感という意味で違和感を抱かれる方もおられるかもしれないが、一つのテーマに向かいながら、さまざまな視点があるのも悪いことではないだろうと思い、中国問題に関しては敢えて調整しなかった次第だ。どうかお許しいただきたい。

両者が思いきり書き進めていく中で、その仲介役を果たして下さった実業之日本社の岩野裕一社長は、どれだけ間で苦労なさったかと、大変申し訳なく思っている。しかしもともと編集畑でお仕事をしておられた方だけあって、見事に役割を果たして下さった。

さらなる煩雑な作業を引き受けて下さったのは編集者の大串喜子氏である。

北京郵電大学の孫啓明教授も、実に臨機応変に協力して下さった。

これらの方々に満腔の感謝を捧げたい。

中国問題グローバル研究所の研究成果の一つとして、本書が、中国と世界の動向を読み解く一助になれば望外の幸せだ。

日本政府への警鐘となることも期待している。

２０２０年７月１日　　コロナとの闘いの中で

遠藤 誉

【著者略歴】
遠藤誉（えんどう・ほまれ）
中国問題グローバル研究所所長　筑波大学名誉教授　理学博士

1941（昭和16）年、中国吉林省長春市生まれ。国共内戦を決した長春食糧封鎖「卡子（チャーズ）」を経験し、1953年に帰国。中国社会科学院社会学研 究所客員研究員・教授などを歴任。著書に『中国がシリコンバレーとつながるとき』（日経BP社）、『ネット大国中国 言論をめぐる攻防』(岩波新書)、『卡子 中国建国の残火』（朝日新聞出版）、『毛沢東 日本軍と共謀した男』（新潮新書）、『「中国製造2025」の衝撃』（PHP研究所）、『米中貿易戦争の裏側』（毎日新聞出版）、共著に『激突！　遠藤VS田原　日中と習近平国賓』（実業之日本社）など多数。

白井一成（しらい・かずなり）
中国問題グローバル研究所理事　実業家・投資家

早稲田大学大学院商学研究科修士課程修了。1998年、株式会社シークエッジ代表取締役に就任。2007年から現職。また、社会貢献の一環として、2005年に社会福祉法人善光会を創設。グローバルな投資活動を展開。中国企業への投資経験も豊富。

ポストコロナの米中覇権とデジタル人民元

2020年8月5日　初版第1刷発行

著　者　遠藤誉
　　　　白井一成
発行者　岩野裕一
発行所　株式会社実業之日本社
　　　　〒107-0062　東京都港区南青山5-4-30
　　　　CoSTUME NATIONAL　Aoyama Complex 2 F
電話　　03-6809-0452（編集）
　　　　03-6809-0495（販売）

ホームページ　https://www.j-n.co.jp/
印刷・製本　大日本印刷株式会社

ISBN 978-4-408-33911-5（ビジネス）